Cynkowi chłopcy

Swietłana Aleksijewicz

Cynkowi chłopcy

Przełożył Jerzy Czech

wydawnictwo czarne

Wołowiec 2015

Tytuł oryginału rosyjskiego Цинковые мальчики

Projekt okładki Agnieszka Pasierska / Pracownia Papierówka
Projekt typograficzny Robert Oleś / d2d.pl
Fotografia na okładce © by Shepard Sherbell / CORBIS SABA / Profimedia

Redakcja Magdalena Kędzierska-Zaporowska / d2d.pl
Korekta Agnieszka Rymarowicz / d2d.pl, Agata Czerwińska / d2d.pl
Redakcja techniczna Robert Oleś / d2d.pl
Skład pismami Warnock Pro i Futura Sandra Trela / d2d.pl

The publication was effected under the auspices of the Mikhail Prokhorov
Foundation TRANSCRIPT Programme to Support Translations of Russian
Literature

 transcript

Książkę wydrukowano na papierze Ecco book 70 g/m², vol. 2,0,
dystrybuowanym przez firmę Antalis Sp. z o.o.

ISBN 978-83-8049-128-1

20 stycznia 1801 roku Kozakom Wasilija Orłowa, atamana dońskiego, rozkazano wyruszyć do Indii. Przewidywano, że po miesiącu znajdą się w Orenburgu, skąd w ciągu trzech miesięcy dotrzeć mieli „przez Bucharę i Chiwę do rzeki Indus". Wkrótce trzydzieści tysięcy Kozaków przebyło Wołgę i wkroczyło na stepy kazachskie...

W bor'bie za włast'. Stranicy politiczeskoj istorii Rossii XVII wieka Moskwa, „Mysl" 1988, s. 475

W grudniu 1979 roku kierownictwo radzieckie zdecydowało się wprowadzić wojsko do Afganistanu. Wojna trwała do 1989 roku, ciągnęła się dziewięć lat, jeden miesiąc i dziewiętnaście dni. Przez Afganistan przeszło ponad pół miliona żołnierzy ograniczonego kontyngentu wojsk radzieckich. Straty Sił Zbrojnych Związku Radzieckiego wyniosły w sumie piętnaście tysięcy pięćdziesięciu jeden ludzi. Zaginęło bez wieści bądź trafiło do niewoli czterystu siedemnastu żołnierzy. Do roku 2000 dwieście osiemdziesiąt siedem osób wciąż nie wróciło do domu, a ich los jest nieznany...

Polit.ru, 19 listopada 2003 roku

Prolog

Idę sama... Teraz będę musiała długo iść sama...

Zabił człowieka... Mój syn... Kuchennym tasakiem, którym siekałam mięso. Wrócił z wojny i od razu zabił... Rankiem przyniósł tasak i odłożył go z powrotem do szafki, tam gdzie chowam naczynia. Wydaje mi się, że jeszcze w tym samym dniu zrobiłam mu kotlety... Po jakimś czasie telewizja, a także tutejsza popołudniówka doniosły, że z miejskiego jeziora rybacy wyłowili trupa... Po kawałku... Zadzwoniła do mnie przyjaciółka:

– Czytałaś? Profesjonalne morderstwo... To zrobił któryś z afgańskich weteranów...

Syn był w domu, leżał na kanapie, czytał książkę. O niczym jeszcze nie wiedziałam, niczego się nie domyślałam, ale po tych słowach popatrzyłam na niego... Serce matki...

Słyszy pani szczekanie psa? Nie? A ja, ledwie tylko zacznę o tym opowiadać, zaraz słyszę szczekanie psa. Słyszę biegnące psy... Tam, w więzieniu, w którym siedzi, mają wielkie czarne owczarki... Ludzie też wszyscy na czarno ubrani, cali w czerni... Po powrocie do Mińska, koło piekarni czy koło przedszkola, kiedy idę z chlebem i mlekiem, zawsze słyszę to szczekanie. Ogłuszające szczekanie. A wtedy przestaję cokolwiek widzieć... Kiedyś omal nie wpadłam pod samochód...

Mogłabym chodzić na grób swego syna... Mogę leżeć tam razem z nim... Tylko nie wiem... nie wiem, jak mam z tym żyć...

Czasem boję się wejść do kuchni, zobaczyć tę szafkę, gdzie leżał tasak... Nie słyszy pani? Naprawdę nic pani nie słyszy? Nie?!

Teraz już nie wiem, jaki jest ten mój syn. Jaki będzie za piętnaście lat? Bo dostał piętnaście lat więzienia o zaostrzonym rygorze... Jak go wychowałam? Lubił tańce towarzyskie... Jeździłam z nim do Leningradu zwiedzać Ermitaż. Razem czytaliśmy książki... (*Płacze*). To Afganistan zabrał mi syna...

Dostaliśmy telegram z Taszkentu: „Wyjdźcie po mnie, samolot taki a taki...". Wybiegłam na balkon, chciałam krzyczeć z całej siły: „Żyje! Mój syn wrócił z Afganistanu! Przeżył! Ta straszna wojna się dla mnie skończyła!". Potem straciłam przytomność. Na lotnisko się oczywiście spóźniliśmy, samolot dawno już wylądował, syna zastaliśmy na skwerze. Leżał na trawie i chwytał ją w ręce – dziwił się, że taka zielona. Nie wierzył, że wrócił... Ale na twarzy nie widać było radości...

Wieczorem przyszli do nas sąsiedzi z małą córeczką; zawiązali jej jasnoniebieską kokardę. Syn posadził sobie dziewczynkę na kolanach, tulił ją i płakał, łzy mu ciągle płynęły. Bo oni tam zabijali. On też... Potem to zrozumiałam.

Na granicy celnicy zabrali mu importowane kąpielówki. Amerykańskie. Zabronione... Dlatego przyjechał bez bielizny. Wiózł dla mnie szlafrok, bo akurat tego roku miałam czterdzieste urodziny, ale też mu zabrali. Zabrali nawet chustkę dla babci. Przyjechał tylko z kwiatami. Z mieczykami. Ale bez radości na twarzy.

Kiedy wstał rano, był jeszcze normalny. „Mama! Mama!" Pod wieczór twarz mu pociemniała, wzrok miał ciężki... Nie umiem pani tego opisać... Z początku nie pił ani kropli... Siedział i patrzył w ścianę. Nagle zerwał się z kanapy, łaps za kurtkę...

Stanęłam w drzwiach.

– Ty dokąd, Waluniu?

Spojrzał na mnie, jakbym była powietrzem. Wyszedł.

Wróciłam z pracy późno – z fabryki jest daleko, a miałam drugą zmianę. Zadzwoniłam, a on nie otwiera. Nie poznaje mojego głosu. To było takie dziwne, no bo żeby nie poznał głosu koleżki, ale mojego! Tym bardziej że tylko ja mówiłam do niego

„Waluniu". A on jakby się bał, jakby cały czas na kogoś czekał. Kupiłam mu nową koszulę, zaczęłam przymierzać, patrzę, a ręce całe pociachane.

– Co ci się stało?

– Nic, mamo, głupstwo.

Potem się dowiedziałam. Już po procesie... Kiedy był na przeszkoleniu, podciął sobie żyły... Na pokazowych ćwiczeniach był radiotelegrafistą, ale nie zdążył na czas umieścić radiostacji na drzewie – nie zmieścił się w czasie, za co sierżant kazał mu wynieść z ubikacji pięćdziesiąt wiader i dźwigać przed frontem kompanii. Nosił je, dopóki nie stracił przytomności. W szpitalu postawili mu diagnozę: lekki wstrząs nerwowy. Wtedy w nocy próbował podciąć sobie żyły. Drugi raz zrobił to w Afganistanie... Kiedy szykowali się do wymarszu, sprawdzili radiostację – nie działała. Poginęły części, któryś z kolegów gwizdnął... Kto? Dowódca oskarżył go o tchórzostwo, o to, że schował części, żeby nie iść ze wszystkimi. A oni tam wszystko sobie podkradali, samochody rozbierali na części i zanosili do dukanów*, sprzedawali. Kupowali za to narkotyki... Narkotyki, papierosy. I jedzenie, bo wiecznie chodzili głodni.

W telewizji oglądaliśmy razem program o Édith Piaf.

– Mamo, wiesz, co to są narkotyki? – zapytał.

– Nie – skłamałam.

A potem już zaczęłam obserwować, czy aby czegoś nie bierze. Nie widziałam żadnych śladów. Ale oni tam brali, wiem na pewno.

– Jak tam było w Afganistanie? – spytałam kiedyś.

– Cicho bądź, mama!

Kiedy wychodził z domu, czytałam jego listy stamtąd, chciałam coś znaleźć, zrozumieć, co się z nim działo. Nic specjalnego nie znalazłam. Pisał tylko, że tęskni za zieloną trawą, prosił babcię, żeby sfotografowała się na śniegu i przysłała mu zdjęcie.

* Dukan lub duchan – w Azji Środkowej sklep, często pełniący też funkcję gospody (wszystkie przypisy, jeśli nie zaznaczono inaczej, pochodzą od tłumacza).

Ale widziałam, czułam, że coś się z nim dzieje. Oddano mi kogoś innego... To nie był mój syn. A to ja sama wysłałam go do wojska, chociaż miał odroczenie. Chciałam, żeby zmężniał. Przekonywałam jego i siebie, że wojsko zrobi go lepszym, silniejszym. Wysłałam go do Afganistanu z gitarą, urządziłam pożegnalne przyjęcie. Zaprosił swoich kolegów, dziewczyny... Pamiętam, że kupiłam dziesięć tortów.

Tylko raz powiedział coś o Afganistanie. Pod wieczór... Wszedł do kuchni, gdzie oprawiałam królika. Miska we krwi. Umoczył palce w tej krwi i patrzy na nią. Ogląda palce. Mówi sam do siebie:

– Kiedy raz przywieźli kolegę z przestrzelonym brzuchem, prosił, żebyśmy go dobili... I to ja go dobiłem...

Palce we krwi... Od króliczego mięsa, było świeże... On tymi palcami bierze papierosa i wychodzi na balkon. Tego wieczora nie odezwał się już ani słowem.

Poszłam do lekarzy. „Zwróćcie mi syna! Uratujcie go!" Wszystko opowiedziałam... Obejrzeli go, zbadali, ale nic oprócz zapalenia korzonków nie znaleźli.

Kiedyś przyszłam do domu i zastałam przy stole czterech obcych chłopaków.

– Mama, to koledzy z Afganistanu. Spotkałem ich na dworcu. Nie mają gdzie nocować.

Nie wiedzieć czemu się ucieszyłam.

– Upiekę wam słodkie ciasto. Migiem.

Mieszkali u nas przez tydzień. Nie liczyłam, ale wypili pewnie ze trzy skrzynki wódki. Co wieczór zastawałam w domu pięciu mężczyzn. Piątym był mój syn... Nie chciałam słuchać ich rozmów, bałam się. No, ale w końcu u mnie mieszkali... Niechcący usłyszałam, co mówią... Że kiedy czekali w zasadzce nawet po dwa tygodnie, dostawali środki pobudzające, żeby byli odważniejsi. Ale tego nie wolno ujawniać. Mówili, jaką bronią lepiej się zabija... Z jakiej odległości... Potem to sobie przypominałam. A przedtem czułam tylko strach. „Oj – mówiłam do siebie – wszyscy są jacyś szaleni. Wszyscy nienormalni".

Tamtej nocy, poprzedzającej dzień, w którym zabił, śniło mi się, że czekam na syna, a jego ciągle nie ma. I nagle mi go przyprowadzają... Przyprowadzają właśnie ci czterej „afgańcy". Rzucają na brudną cementową posadzkę. W naszej kuchni... Rozumie pani – kto ma w domu betonową posadzkę? Taką jak w więzieniu... Zostajemy we dwoje...

W tym czasie już był na kursie przygotowawczym do szkoły radiotechnicznej. Napisał dobrą pracę. Był szczęśliwy, że wszystko poszło dobrze. Przywykłam nawet do myśli, że się już uspokaja. Pójdzie się uczyć. Ożeni się. Ale kiedy nadchodził wieczór... Bałam się wieczorów... Siedział wtedy i tępo patrzył w ścianę. Zasypiał w fotelu... Miałam ochotę rzucić się, zasłonić go własnym ciałem i nigdzie nie puścić. A teraz mi się śni, że syn jest mały i prosi jeść... Cały czas jest głodny. Wyciąga ręce... Zawsze w tych snach jest mały i poniżony. A w życiu?! Widzenie dostaje raz na dwa miesiące. Cztery godziny rozmowy przez szybę...

W ciągu roku mam dwa widzenia, kiedy mogę przynajmniej dać mu jeść. I to szczekanie psów... Śni mi się po nocach. Zewsząd mnie wygania.

Pewien mężczyzna zaczął się do mnie zalecać... Przyniósł kwiaty... Kiedy przyniósł mi kwiaty, zaczęłam krzyczeć: „Niech pan mnie zostawi, jestem matką mordercy!". Początkowo bałam się spotkać kogoś ze znajomych, zamykałam się w łazience i chciałam, żeby ściany runęły i mnie przywaliły. Wydawało mi się, że na ulicy wszyscy mnie rozpoznają, pokazują sobie, szepczą: „Pamiętacie? Tamta okropna historia... To jej syn zabił. Poćwiartował człowieka. Typowe dla »afgańca«...". Z domu wychodziłam tylko nocą, poznałam wszystkie nocne ptaki. Rozpoznawałam je po głosie.

Toczyło się śledztwo... Trwało kilka miesięcy... Syn milczał. Pojechałam do Moskwy do szpitala wojskowego imienia Burdenki. Znalazłam tam chłopców, którzy służyli w specnazie tak jak on. Zwierzyłam się im...

– Chłopcy, za co mój syn mógł zabić człowieka?

– Widać było za co.

Musiałam sama się przekonać, że mógł to zrobić... Zabić... Długo ich wypytywałam i zrozumiałam, że mógł! Pytałam o śmierć... Nie, nie o śmierć, ale o morderstwo. Ta rozmowa jednak nie wzbudziła w nich specjalnych uczuć, takich, jakie u normalnego człowieka, który nie oglądał rozlewu krwi, morderstwo zazwyczaj wywołuje. Mówili o wojnie jak o pracy polegającej na zabijaniu. Potem spotykałam innych chłopców, którzy byli w Afganistanie. Po trzęsieniu ziemi w Armenii pojechali tam z oddziałami ratowniczymi. Interesowało mnie jedno, na tym się zafiksowałam: czy się bali? Co czuli na widok śmierci? Nie, strachu nie czuli, nawet uczucie litości mieli przytępione. Rozerwane, zmiażdżone czaszki... kości... Pogrzebane pod ziemią całe szkoły... Klasy... Dzieci – jak siedziały na lekcji, tak znalazły się pod ziemią. A oni wspominali co innego i opowiadali, jakie bogate piwnice odkopali, jaki koniak pili, jakie wino. Żartowali: niechby tak jeszcze gdzieś się zatrzęsło. Byle w ciepłym miejscu, gdzie rosną winogrona i robią dobre wino... Czy to są zdrowi ludzie? Czy mają normalną psychikę?

„Ja go nawet martwego nienawidzę". Tak mi niedawno napisał. Po pięciu latach... Co tam się stało? Nic nie mówi. Wiem tylko, że tamten chłopak miał na imię Jura i przechwalał się, że w Afganistanie zarobił dużo czeków*. A później się okazało, że służył w Etiopii, był chorążym. O Afganistanie kłamał...

Podczas procesu tylko adwokatka powiedziała, że podsądny jest chory. Na ławie oskarżonych siedzi nie zbrodniarz, tylko chory, który powinien być leczony. Ale wtedy, siedem lat temu, nie mówiono prawdy o Afganistanie. Wszystkich nazywano bohaterami. Żołnierzami internacjonalistami. Tylko mój syn był mordercą... Bo zrobił tutaj to, co oni robili tam. Za tamto dostawali ordery i odznaczenia... Dlaczego więc sądzono tylko jego? A nie tych, którzy ich tam posłali? I nauczyli zabijać! Ja go tego nie uczyłam... (*Zrywa się i krzyczy*).

---

*Obywatele zsrr pracujący za granicą otrzymywali czeki zamiast pieniędzy. Można było za nie kupować w specjalnych sklepach sieci Bieriozka, odpowiedniku naszych peweksów.

Zabił człowieka moim tasakiem kuchennym... A rano włożył tasak do szafki, jakby to była łyżeczka albo widelec...

Zazdroszczę matce, której syn wrócił bez nóg... Chociaż on jej nienawidzi, kiedy się upije. Nienawidzi zresztą całego świata... Chociaż rzuca się na nią jak bestia. Matka sprowadza mu prostytutki, żeby nie zwariował... Sama kiedyś mu się oddała, bo wylazł na balkon i chciał się rzucić z dziewiątego piętra. Ale mnie by to nie przeszkadzało... Zazdroszczę wszystkim matkom, nawet tym, których synowie leżą w grobach. Siedziałabym przy grobie i byłabym szczęśliwa. Przynosiłabym kwiaty.

Słyszy pani szczekanie psów? One biegną za mną. Ciągle je słyszę...

Matka

Z notatek (*na wojnie*)

Czerwiec 1986 roku

Nie chcę już więcej pisać o wojnie... Zamiast w „filozofii życia"
znowu pogrążyć się w „filozofii znikania". Bez końca zbierać
doświadczenia nie-bycia. Kiedy napisałam książkę *Wojna nie
ma w sobie nic z kobiety*, długo nie mogłam patrzeć, jak po
zwykłym uderzeniu chłopczykowi ciecze krew z nosa, uciekałam podczas urlopu przed wędkarzami, którzy radośnie
ciskali na piasek wyciągniętą z głębin rybę, robiło mi się niedobrze na widok jej zastygłych wybałuszonych oczu. Każdy
ma swój zasób sił, którymi broni się przed bólem – fizycznym
i psychicznym, mój wyczerpał się do końca. Do szaleństwa
doprowadzał mnie wrzask kota potrąconego przez samochód,
odwracałam wzrok od rozdeptanej dżdżownicy. Wyschniętej
żaby na drodze... Nieraz myślałam, że zwierzęta lądowe, ptaki, ryby też mają prawo do własnej historii cierpienia. Kiedyś
zostanie napisana.

No i nagle... Jeśli w ogóle można tu użyć słowa „nagle"!
Przecież wojna trwała już siódmy rok... Tyle że nie wiedzieliśmy o niej nic poza tym, co pokazywały dziarskie reporta-
że telewizyjne. Od czasu do czasu wzdrygaliśmy się na widok
przywiezionych z daleka cynkowych trumien, które nie mieś-
ciły się w piórnikowych gabarytach naszych „chruszczow-
ców". Ledwie jednak wybrzmiały echa pogrzebowych salw,
znowu zapadała cisza. Nasza mitologiczna mentalność jest

niezachwiana – jesteśmy wielcy i sprawiedliwi. I zawsze mamy rację. Widać było, jak gasną ostatnie rozbłyski idei rewolucji światowej... Nikt nie dostrzegał, że pożar mamy już u siebie. Że pali się nasz własny dom. Zaczęła się pierestrojka Gorbaczowa. Wyrywaliśmy się do nowego życia. Co tam czeka nas samych? Do czego okażemy się zdolni po tylu latach wymuszonego letargicznego snu? A gdzieś tam daleko nasi chłopcy giną nie wiadomo za co...

O czym się mówi wokół mnie? O czym się pisało? O obowiązku internacjonalistycznym i o geopolityce, o naszych mocarstwowych interesach i południowych granicach. A ludzie w to wierzyli. Wierzyli! Matki, jeszcze niedawno miotające się w rozpaczy nad zamkniętymi metalowymi skrzyniami, w których przywieziono im synów, chodziły do szkół, muzeów wojskowych i wzywały innych chłopców, żeby „spełnili obowiązek wobec Ojczyzny". Cenzura uważnie pilnowała, żeby w reportażach z wojny nie wspominano o śmierci naszych żołnierzy. Zapewniano nas, że „ograniczony kontyngent" wojsk radzieckich pomaga bratniemu narodowi budować mosty, drogi, szkoły, rozwozi po kiszłakach* nawozy i mąkę, a radzieccy lekarze odbierają porody afgańskich kobiet. Żołnierze, którzy wrócili, przychodzili do szkół z gitarami, żeby śpiewać o tym, o czym trzeba było krzyczeć.

Z jednym z nich długo rozmawiałam...

Chciałam się dowiedzieć, jak wielką udręką jest wybór – strzelać czy nie strzelać? A dla niego to właściwie nie stanowiło żadnego dramatu. Co jest dobre? Co złe? Czy zabijanie „w imię socjalizmu" jest czymś dobrym? Dla tych chłopców granice moralności określał wojskowy rozkaz. To prawda, o śmierci mówili powściągliwiej niż my. Tutaj od razu widziało się różnicę między nami.

Jak przeżywać historię i równocześnie pisać o niej? A przy tym nie wolno każdego kawałka życia, całego egzystencjalnego

* Kiszłak – wioska w Azji Środkowej.

„brudu" chwytać za łeb i wciskać do książki. Do historii. Trzeba „rozłupać czas" i „uchwycić ducha".

„Wcielony smutek rzuca setkę cieni"* (William Szekspir, *Ryszard II*).

...Na dworcu autobusowym w na wpół pustej poczekalni siedział oficer z walizką, obok niego chudy chłopczyna, ostrzyżony po żołniersku na zero, dłubał widelcem w skrzynce z zaschniętym fikusem. Bez specjalnych ceregieli przysiadły się do nich wiejskie kobiety, zaczęły wypytywać, kto, dokąd, po co. Oficer odwoził do domu żołnierza, który zwariował: „Od Kabulu nic, tylko kopie, wszystkim, co mu wpadnie w ręce: łopatką, widelcem, kijem, długopisem". Chłopak podniósł wzrok: „Trzeba się chować... Wykopię dziurę... Szybko kopię. Myśmy to nazywali »zbiorowe mogiły«. Wykopię dużą jamę dla was wszystkich...".

Pierwszy raz zobaczyłam źrenice równie wielkie jak oczy...

Stoję na miejskim cmentarzu... Dookoła setki ludzi. W środku – dziewięć trumien, spowitych w czerwony kreton. Przemawiają wojskowi. Generał zabiera głos... Kobiety w czerni płaczą. Ludzie milczą. Tylko mała dziewczynka z warkoczykami zachłystuje się nad trumną: „Tato! Ta-tuu-siuu!!! Gdzie jesteś? Obiecałeś mi przywieźć lalkę. Ładną laleczkę! Ja ci narysowałam cały blok domków i kwiatków... Czekam na ciebie...". Dziewczynkę bierze na ręce młody oficer i wynosi do czarnej wołgi. Ale długo jeszcze słychać jej: „Tato! Ta-tuu-siuu... Kochany tatusiu...".

Generał przemawia... Kobiety w czerni płaczą. My milczymy. Dlaczego milczymy?

Ja nie chcę milczeć... Ale o wojnie też już nie mogę pisać...

---

* Tłumaczenia fragmentów piosenek, poezji i prozy, jeśli nie zaznaczono inaczej, pochodzą od Jerzego Czecha (przyp. red.).

Wrzesień 1988 roku

5 września

Taszkent. Na lotnisku jest duszno, pachnie melonami, to nie lotnisko, ale bachcza*. Jest druga w nocy. Grube, na wpół dzikie koty, podobno afgańskie, bez lęku wskakują pod taksówki. W tłumie opalonych wczasowiczów, pośród skrzyń i koszów z owocami podrygują o kulach młodzi żołnierze, zupełne chłopaczki. Nikt na nich nie zwraca uwagi, wszyscy się przyzwyczaili. Śpią i jedzą na podłodze, na starych gazetach i czasopismach, od tygodni nie udaje im się kupić biletu do Saratowa, Kazania, Nowosybirska, Kijowa... Gdzie zostali inwalidami? Czego tam bronili? To nikogo nie interesuje. Tylko mały chłopiec nie odwraca od nich szeroko otwartych oczu, a pijana żebraczka podchodzi do żołnierzyka i mówi:

– Chodź tutaj... Utulę cię...

Tamten macha kulą. A ona ani trochę się nie obraża, tylko dodaje coś smutnego, kobiecego.

Obok mnie siedzą oficerowie. Opowiadają, jakie marne u nas robią protezy. Mówią o tyfusie brzusznym, malarii i zapaleniu wątroby. O tym, że w pierwszych latach wojny nie było ani studni, ani kuchni, ani łazienek polowych, nie było nawet gdzie umyć naczyń. A także o tym, który co przywiózł: ten – „wideło", tamten – magnetofon, Sharpa albo Sony. Zapamiętałam, jakim wzrokiem patrzyli na ładne, wypoczęte kobiety w wydekoltowanych sukienkach.

Długo czekamy na samolot wojskowy do Kabulu. Mówią, że najpierw ładowany będzie sprzęt, a potem wsiądą ludzie. Czeka na to setka osób. Wszyscy wojskowi. Nadspodziewanie dużo jest kobiet.

Urywki rozmów:

– Tracę słuch. Najpierw przestałem słyszeć ptaki, które wydają wysokie dźwięki. To następstwa obrażeń głowy... Trznadla

---

* Bachcza (z pers. *bâhce* – ogródek) – zagon melonów, arbuzów albo tykw.

na przykład nie słyszę w ogóle. Nagrałem go na magnetofon i puszczam na pełny regulator...

– Najpierw się strzela, a potem sprawdza, kto to był: kobieta czy dziecko. Każdy ma własne koszmary...

– Osiołek kładzie się na odgłos strzałów; kiedy ostrzał się kończy, to wstaje.

– Kim jesteśmy w Sojuzie? Prostytutkami? No przecież wiemy. Chcemy choćby na tę spółdzielnię zarobić. A faceci? No co faceci? Wszyscy chleją.

– Generał mówił o obowiązku internacjonalistycznym, o obronie południowych rubieży. Nawet się rozczulił: „Weźcie dla nich lizaki. To przecież dzieci. Najlepszy prezent to cukierki".

– Oficer był młody. Kiedy dowiedział się, że ucięli mu nogę, zapłakał. Twarz miał jak u dziewczyny: białą, z rumieńcami. Z początku bałam się martwych, zwłaszcza jeśli nie mieli rąk ani nóg. A potem się przyzwyczaiłam...

– Biorą do niewoli. Odcinają jeńcom kończyny, potem zaciskają żyły, żeby nie umarli z upływu krwi. I tak ich zostawiają, nasi potem znajdują te kadłuby. Woleliby umrzeć, leczy się ich przymusowo. A po szpitalu nie chcą wracać do domu.

– Celnicy zobaczyli moją pustą torbę. „Co wieziesz?" – pytają. „Nic". – „Nic??" Nie uwierzyli. Kazali się rozebrać do majtek. Wszyscy przywożą pod dwie–trzy walizki.

W samolocie dostałam miejsce koło przywiązanego łańcuchami transportera. Na szczęście major siedzący koło mnie okazał się trzeźwy; cała reszta dookoła była pijana. Niedaleko mnie ktoś spał na popiersiu Marksa (portrety i rzeźby wodzów socjalizmu wrzucono tu bez opakowania), wieziono nie tylko broń, ale i cały zapas rekwizytów niezbędnych przy radzieckich rytuałach. Były tam czerwone sztandary, czerwone wstążeczki...

Wycie syren...

– Proszę wstawać. Bo prześpi pani królestwo niebieskie.

To już było nad Kabulem. Podchodziliśmy do lądowania.

Huczały działa. Patrole z automatami i w kamizelkach kuloodpornych żądały przepustek.

O wojnie już nie chciałam pisać. Ale jestem na niej, na naj-prawdziwszej wojnie. Wszędzie są ludzie wojny, rekwizyty wojny. Czas wojny.

12 września

Jest coś niemoralnego w przyglądaniu się cudzemu męstwu i ry-zyku. Wczoraj, idąc do stołówki na śniadanie, przywitaliśmy się z wartownikiem. Pół godziny później zabił go odłamek pocisku, który przypadkowo wleciał na teren garnizonu. Przez cały dzień usiłowałam sobie przypomnieć twarz tego chłopaka...

O dziennikarzach mówią tutaj: „bajkopisarze". O pisarzach tak samo. W naszej grupie pisarzy są sami mężczyźni. Wyrywają się na dalekie placówki, chcą walczyć. Pytam jednego z nich:

– Po co?

– Bo to ciekawe. Będę mógł powiedzieć, że byłem na Salangu*. Postrzelam sobie.

Nie mogę uwolnić się od uczucia, że wojna to męski wymysł, pod wieloma względami dla mnie niepojęty. Ale codzienność wojny jest wspaniała. U Apollinaire'a: „Ach, jak piękna jest wojna".

Na wojnie wszystko jest inne: i człowiek, i jego myśli, i przy-roda. Nagle zrozumiałam, że ludzkie myśli mogą być bardzo okrutne.

W koszarach, w stołówce, na boisku piłkarskim, wieczorem na potańcówce – zaskakują mnie te atrybuty życia pokojowego – wszędzie pytam i słucham odpowiedzi:

– Strzeliłem prosto do niego i zobaczyłem, jak się rozlatuje ludzka czaszka. Pomyślałem: „Pierwszy". Po walce są ranni i za-bici. Nikt nic nie mówi... Śnią mi się tutaj tramwaje. Że wra-cam tramwajem do domu... Najukochańsze wspomnienie to jak mama piecze słodkie ciasto. Pachnie w całym domu...

– Najpierw przyjaźni się człowiek z kimś fajnym... A potem widzi porozrzucane na kamieniach jego kiszki. Zaczyna się mścić.

---

* Salang – przełęcz w górach Hindukusz; znajduje się tam tunel o tej samej nazwie, ułatwiający komunikację między Kabulem a północną częścią kraju.

– Czekaliśmy na karawanę. Dwa, trzy dni w zasadzce. Leżeliśmy w gorącym piasku, sikali pod siebie. Po koniec trzeciego dnia byliśmy już bestiami. Pierwszą serię puszcza się wtedy z nienawiścią. Po strzelaninie, kiedy wszystko się kończyło, stwierdziliśmy, że karawana wiozła same banany i dżemy. Najedliśmy się słodkiego za całe życie...

– Wzięliśmy do niewoli „duchów"*... Wypytujemy ich: „Gdzie są magazyny wojskowe?". Cisza. Wzięliśmy dwóch do helikoptera: „Gdzie? Pokaż". Ci nadal milczą. Zrzuciliśmy jednego na skały...

– Uprawiać miłość na wojnie i po wojnie – to nie to samo... Na wojnie wszystko jest jak pierwszy raz...

– Strzela wyrzutnia Grad... Lecą pociski... A nad tym wszystkim unosi się jedno pragnienie: żyć! żyć! żyć! Ale o cierpieniach drugiej strony niczego człowiek nie wie i wiedzieć nie chce. Żyć i już. Żyć!

Napisać (opowiedzieć) całą prawdę o sobie jest według Puszkina fizyczną niemożliwością.

Na wojnie ratuje człowieka to, że świadomość się odrywa, rozprasza. Ale śmierć wokół niego jest absurdalna, przypadkowa. Nie ma wyższego sensu.

...Na czołgu ktoś namalował czarną farbą: „Małkina pomścimy".

Młoda Afganka klęczała pośrodku ulicy nad zabitym dzieckiem i krzyczała. Tak pewnie krzyczą tylko ranne zwierzęta.

Mijaliśmy zniszczone kiszłaki, podobne do zaoranego pola. Martwa glina niedawnej siedziby ludzkiej była straszniejsza niż ciemność, z której mogły paść strzały.

W szpitalu położyłam pluszowego misia na łóżku afgańskiego chłopca. Chwycił zabawkę zębami – tak się uśmiechał i bawił, bo nie miał obu rąk. Przetłumaczono mi słowa jego matki: „Twoi Rosjanie strzelali. A ty masz dzieci? Kogo? Chłopca czy

---

* Duch – powszechnie używana przez żołnierzy forma nazwy duszman (z tadż. – wróg), nadanej afgańskim powstańcom przez propagandę radziecką.

dziewczynkę?". Nie zrozumiałam, czy to były bardziej słowa przerażenia czy przebaczenia.

Krążą opowieści o okrucieństwach, jakich mudżahedini dopuszczają się na naszych jeńcach. Przypomina to średniowiecze. Tutaj naprawdę panuje inna epoka, według kalendarzy mamy wiek xiv.

U Lermontowa w *Bohaterze naszych czasów* Maksym Maksymicz, oceniając postępowanie górala, który zarżnął ojca Bełi, mówi: „Oczywiście, w ich pojęciu miał do tego zupełne prawo"*, chociaż z punktu widzenia Rosjanina był to czyn bestialski. Pisarz wychwycił tę zadziwiającą cechę Rosjan – umiejętność wczucia się w sytuację innego narodu, zobaczyć rzeczy „po ichniemu".

A teraz…

17 września

Każdego dnia obserwuję, jak człowiek spełza w dół. Bardzo rzadko wdrapuje się do góry.

Iwan Karamazow u Dostojewskiego robi uwagę: „Żadna bestia nigdy nie będzie tak okrutna jak człowiek, tak wyrafinowanie, tak kunsztownie okrutna"**.

Tak, podejrzewam, że nie chcemy o tym słyszeć, nie chcemy o tym wiedzieć. Ale na każdej wojnie, ktokolwiek – Juliusz Cezar czy Józef Stalin – i w imię czegokolwiek by ją toczył, ludzie się zabijają. To morderstwo, ale u nas nikt zazwyczaj się nad tym nie zastanawia, nawet w szkołach z jakiegoś powodu mówi się nie o wychowaniu patriotycznym, ale o wojskowo-patriotycznym. Chociaż właściwie dlaczego się dziwię? Wszystko jasne – wojenny socjalizm, wojenny kraj, wojenne myślenie.

Nie wolno poddawać człowieka takim próbom. On ich nie wytrzyma. W medycynie nazywa się to „ostrym testem". Eksperymentem na żywych ludziach.

* Przekład Wacława Rogowicza.
** Przekład Adama Pomorskiego.

Wieczorem w pomieszczeniach dla żołnierzy naprzeciw hotelu ktoś włączył magnetofon. I ja słuchałam „afgańskich" piosenek. Dziecinne, jeszcze nieukształtowane głosy chrypiały „pod Wysockiego". „Słońce jak olbrzymia bomba spadło do kiszłaku", „Nie potrzeba mi sławy. Byle żyć – oto cała nagroda", „Dlaczego my ich zabijamy? Dlaczego zabijają nas?". „Powoli zapominam ich twarze", „On nie jest tylko obowiązkiem, Afganistan to cały nasz świat", „Jak wielkie ptaki jednonodzy skaczą nad morzem", „Martwy nie należy do nikogo. Na jego twarzy nie ma już nienawiści".

W nocy mi się przyśniło, że nasi żołnierze wracają do kraju, a ja jestem wśród odprowadzających. Podchodzę do jednego z chłopaków i widzę, że nie ma języka, jest niemy. Był w niewoli. Spod żołnierskiego szynela wystaje szpitalna piżama. Pytam go o coś, a on tylko pisze swoje imię: „Wanieczka... Wanieczka...". Tak wyraźnie odczytuję jego imię – Wanieczka... Z twarzy podobny jest do chłopaczka, z którym rozmawiałam rano. Cały czas powtarzał: „Mama czeka na mnie w domu".

Przejeżdżaliśmy po zamarłych uliczkach Kabulu, mijając znajome plakaty w centrum: „Komunizm to świetlana przyszłość", „Kabul – miasto pokoju", „Naród i partia to jedno". Nasze plakaty, drukowane w naszych drukarniach. Nasz Lenin stoi tutaj z podniesioną ręką...

Poznałam kinooperatorów z Moskwy.

Filmowali załadunek „czarnego tulipana"*. Nie podnosząc oczu, opowiadają, że nieboszczyków ubiera się w stare mundury z bufiastymi portkami, jeszcze z lat czterdziestych, a czasem wkładają do trumny bez mundurów, bo zdarza się, że i takich przedpotopowych zabraknie. Stare deski, zardzewiałe gwoździe... „Przywieźli nowych zabitych. Lodówka pachnie jakby nieświeżym mięsem dzika".

Kto mi uwierzy, jeśli o tym napiszę?

---

* „Czarny tulipan" – popularna nazwa samolotów An-12, którymi transportowano trumny z poległymi w Afganistanie.

20 września

Widziałam walkę...

Zginęło trzech żołnierzy... Wieczorem wszyscy jedli kolację, nie wspominali ani o walce, ani o poległych, którzy leżeli gdzieś w pobliżu.

Człowiek ma prawo do niezabijania. Do tego, by się zabijania nie uczyć. Takiego prawa nie ma w żadnej konstytucji.

Wojna to świat, a nie wydarzenie... Wszystko tutaj jest inne: i krajobraz, i człowiek, i słowa. Zapamiętuje się teatralną część wojny: wyjeżdża czołg, słychać rozkazy... Świecące w ciemności tory pocisków smugowych...

O śmierci myśli się tak jak o przyszłości. Coś dzieje się z czasem, kiedy człowiek myśli o śmierci i widzi ją. Obok strachu przed śmiercią jest jeszcze jej atrakcyjność...

Nic tu nie trzeba wymyślać. Fragmenty wielkich ksiąg są wszędzie. W każdym.

W opowiadaniach uderza (często!) agresywna naiwność naszych chłopców. Niedawnych radzieckich dziesiątoklasistów. A ja chcę ich skłonić do rzetelnego dialogu z człowiekiem, który tkwi w nich samych.

A jednak? W jakim języku rozmawiamy sami ze sobą, z innymi? Podoba mi się język potocznych rozmów, to język wypuszczony na swobodę, nic go nie obciąża. Tutaj wszystko – składnia, intonacja, akcenty – hula i świętuje, dokładnie odtwarzając emocje. A ja właśnie śledzę emocje, a nie wydarzenia. To, co robię, przypomina pewnie pracę historyka, tyle że historyka takiego, co nie zostawia śladów. Co się dzieje z wielkimi wydarzeniami? Przenoszą się do historii, a te małe, dla małego człowieka jednak najważniejsze, znikają bez śladu. Dzisiaj jeden z chłopaków (wyglądał na delikatnego i chorowitego, tak że mało przypominał żołnierza) opowiadał, jak dziwne i zarazem upajające jest wspólne zabijanie. I jakie to straszne rozstrzelać kogoś.

Czy coś takiego zostanie w historii? W każdej kolejnej książce z uporem robię to samo – zmniejszam historię do wymiarów człowieka.

Myślałam o tym, że na wojnie nie da się pisać książki o wojnie. Przeszkadza litość, przeszkadza nienawiść, przyjaźń, ból fizyczny... Także list z domu, po którym tak bardzo chce się żyć... Opowiadają mi tu, że kiedy zabijają, starają się nie patrzeć w oczy, nawet kiedy chodzi o wielbłąda. Ateistów tu się nie spotyka. I wszyscy są przesądni.

Obwiniają mnie (zwłaszcza oficerowie, żołnierze rzadziej) o to, że piszę o wojnie, chociaż ani sama nie strzelałam, ani też nikt nie brał mnie na muszkę. A może to właśnie dobrze, że nie strzelałam?

Gdzie jest człowiek, któremu sama myśl o wojnie sprawiałaby cierpienie? Takiego nie znajduję. Wczoraj jednak widziałam, że koło sztabu leży martwy ptak; nie wiem, jak się nazywa. Dziwna rzecz... Wojskowi podchodzili do niego, starali się zobaczyć, co to za ptak. Żal im go było.

Na twarzach martwych ludzi maluje się jakieś natchnienie... W żaden sposób nie umiem też przywyknąć do tego, że wszystko, co na wojnie jest zwyczajne – woda, papierosy, chleb – ma w sobie coś szalonego... Zwłaszcza wtedy, gdy wychodzimy z terenu garnizonu i wspinamy się w góry. Tam człowiek jest sam na sam z przyrodą i przypadkiem. Kula świśnie obok albo trafi w cel. Kto wystrzeli pierwszy – ty czy on? Tam zaczyna się widzieć człowieka od strony natury, nie społeczeństwa.

A w Związku Radzieckim telewizja pokazuje, jak w Afganistanie sadzi się aleje przyjaźni, których tutaj nikt z nas nie sadził ani nawet nie widział...

Dostojewski w *Biesach*: „Człowiek a jego przekonania to chyba dwie bardzo różne sprawy. Może zawiniłem wobec nich!... Wszyscy są winni, wszyscy winni i... gdyby wszyscy się o tym przekonali!"*. Dostojewski wyraził też taką myśl, że ludzkość wie o sobie więcej, niż zdążyła utrwalić w literaturze, w nauce. Mówił zresztą, że to nie jego myśl, ale Władimira Sołowjowa.

Gdybym nie czytała Dostojewskiego, moja rozpacz byłaby większa...

21 września

Gdzieś daleko strzela wyrzutnia rakiet Grad. Nawet z takiego dystansu dźwięk jest okropny.

Po wielkich wojnach xx wieku i po masowych zgonach pisanie o współczesnych, mniejszych wojnach, takich jak afgańska, wymaga zmiany perspektywy, etycznej i metafizycznej. Trzeba użyć czegoś małego, osobistego, odrębnego. Potrzebny jest jeden człowiek. Dla kogoś – jedyny. Nieważne, jak traktuje go państwo; ważne, kim jest dla matki, dla żony. Dla dziecka. W jaki sposób możemy odzyskać dar normalnego widzenia?

Interesuje mnie także ciało, ludzkie ciało, jako łącznik między naturą a historią, między zwierzęcością a mową. Ważne są wszystkie szczegóły fizyczne: jak krew zmienia się na słońcu, jaki jest człowiek przed odejściem... Życie ma w sobie niezwykle dużo artyzmu, a – jakkolwiek okrutnie by to brzmiało – szczególnie kunsztowne jest ludzkie cierpienie. Ciemna strona sztuki. Właśnie wczoraj widziałam, jak po kawałku zbierali chłopaków, którzy weszli na minę przeciwczołgową. Mogłam nie iść i nie oglądać, ale poszłam, żeby o tym napisać. Teraz piszę...

Nadal jednak nie wiem, czy musiałam tam iść. Słyszałam, jak oficerowie podśmiewali się za moimi plecami: panienka się pewnie wystraszy. Poszłam i nie było w tym nic bohaterskiego, bo zemdlałam. Może przyczyną był upał, a może wstrząs. Mówię to uczciwie.

* Przekład Adama Pomorskiego.

23 września

Leciałam śmigłowcem... Z góry widziałam setki przygotowanych zawczasu cynkowych trumien, które pięknie i strasznie błyszczały w słońcu...

Kiedy się człowiek zetknie z czymś podobnym, to od razu myśli: literatura dusi się w swoich granicach... Zwyczajnie kopiując, przekazując fakt, można wyrazić tylko coś, co się widzi, a kto potrzebuje szczegółowych sprawozdań z tego, co się dzieje? Potrzebne jest coś innego... Utrwalenie chwili, wydartej z życia...

25 września

Wrócę stamtąd jako wolny człowiek... Nie byłam wolna, dopóki nie ujrzałam tego, co tutaj robimy. Było strasznie i samotnie. Wrócę i nie pójdę już do żadnego muzeum wojska...

* * *

Nie wymieniam w książce prawdziwych nazwisk. Jedni prosili mnie o zachowanie tajemnicy spowiedzi, drudzy sami chcą o wszystkim zapomnieć. Zapomnieć o tym, o czym pisał Tołstoj – że człowiek jest „substancją płynną". Wszystko w sobie pomieści.

W dzienniku natomiast zapisałam nazwiska. Może kiedyś moi bohaterowie zapragną, żeby je poznano:

Siergiej Amirchanian, kapitan; Władimir Agapow, starszy lejtnant, dowódca obsługi działa; Tatiana Biełozierska, pracownica cywilna; Wiktoria Władimirowna Bartaszewicz, matka poległego szeregowego Jurija Bartaszewicza; Dmitrij Babkin, szeregowy, operator-celowniczy; Sajja Jemielianowna Babuk, matka poległej siostry Swietłany Babuk; Marija Tierentjewna Bobkowa, matka poległego szeregowego Leonida Bobkowa; Olimpiada Romanowna Baukowa, matka poległego szeregowego Aleksandra Baukowa; Taisija Nikołajewna Bogusz, matka poległego szeregowego Wiktora Bogusza; Wiktoria Siemionowna

Wołowicz, matka poległego starszego lejtnanta Walerija Wałowicza; Tatiana Gajsenko, pielęgniarka; Wadim Głuszkow, starszy lejtnant, tłumacz; Giennadij Gubanow, kapitan, lotnik; Inna Siergiejewna Gałowniewa, matka poległego starszego lejtnanta Jurija Gałowniewa; Anatolij Diewietjarow, major, oficer do spraw propagandy pułku artylerii; Dienis L., szeregowy, obsługa granatnika; Tamara Downar, żona poległego starszego lejtnanta Piotra Downara; Jekatierina Nikiticzna Płaticyna, matka poległego majora Aleksandra Płaticyna; Władimir Jerochowiec, szeregowy, obsługa granatnika; Sofia Grigorjewna Żurawlowa, matka poległego szeregowego Aleksandra Żurawlowa; Natalia Żestowska, pielęgniarka; Marija Onufriewna Ziłfigarowa, matka poległego szeregowego Olega Zilfigarowa; Wadim Iwanow, starszy lejtnant, dowódca plutonu saperów; Galina Fiodorowna Ilczenko, matka poległego szeregowego Aleksandra Ilczenki; Jewgienij Krasnik, szeregowy piechoty zmotoryzowanej; Konstantin M., doradca wojskowy; Jewgienij Kotielnikow, starszyna, sanitariusz kompanii rozpoznania; Aleksandr Kostakow, szeregowy wojsk łączności; Aleksandr Kuwszynnikow, starszy lejtnant, dowódca plutonu moździerzy; Nadieżda Siergiejewna Kozłowa, matka poległego szeregowego Andrieja Kozłowa; Marina Kisielowa, pracownica cywilna; Taras Kiecmur, szeregowy; Piotr Kurbanow, major, dowódca kompanii strzelców górskich; Wasilij Kubik, chorąży; Oleg Leluszenko, szeregowy, obsługa granatnika; Aleksandr Leletko, szeregowy; Siergiej Łoskutow, chirurg wojskowy; Walerij Lisiczonok, sierżant wojsk łączności; Aleksandr Ławrow, szeregowy; Wiera Łysenko, pracownica cywilna; Artur Mietlicki, szeregowy, zwiadowca; Jewgienij Stiepanowicz Muchortow, major, dowódca batalionu, i jego syn Andriej Muchortow, młodszy lejtnant; Lidija Jefimowna Mankiewicz, matka poległego sierżanta Dmitrija Mankiewicza; Galina Mlawoj, żona poległego kapitana Stiepana Mlawoja; Władimir Michołap, szeregowy, obsługa moździerza; Maksim Miedwiediew, szeregowy naprowadzania lotnictwa; Aleksandr Nikołajenko, kapitan, dowódca grupy śmigłowców; Oleg L., pilot śmigłowca; Natalia Orłowa, pracownica cywilna; Galina Pawłowa, pielęgniarka; Władimir Pankratow, szeregowy, zwiadowca; Witalij Rużencow, szeregowy, kierowca; Siergiej Rusak, szeregowy, czołgista; Michaił Sirotin, starszy lejtnant, lotnik; Aleksandr Suchorukow, starszy lejtnant, dowódca plutonu strzelców górskich; Timofiej Smirnow, sierżant artylerii; Walentina Kiriłłowna Sańko, matka poległego szeregowego Walentina Sańki; Nina Iwanowna Sidelnikowa, matka; Władimir Simanin, podpułkownik; Tomas M., sierżant, dowódca plutonu piechoty; Leonid Iwanowicz Tatarczenko, ojciec poległego szeregowego Igora Tatarczenki; Wadim Trubin, sierżant, żołnierz grupy specjalnej; Władimir Ułanow, kapitan; Tamara Fadiejewa, lekarz bakteriolog; Ludmiła Charitonczik, żona poległego starszego lejtnanta Jurija Charitonczika; Anna Chakas, pracownica cywilna; Walerij Chudiakow, major; Walentina Jakowlewa, chorąży, komendant tajnej jednostki...

Dzień pierwszy

„Wielu bowiem przyjdzie pod moim imieniem…"

Rankiem dzwonek telefonu, długi jak seria z automatu:
– Posłuchaj – zaczął, nie przedstawiając się – czytałem twój paszkwil… i jeśli napiszesz jeszcze choćby linijkę…
– *Kim pan jest?*
– Jednym z tych, o których piszesz. Jeszcze nas powołają, jeszcze nam dadzą broń do rąk, żebyśmy zrobili porządek. Będziecie musieli odpowiedzieć za wszystko. Tylko drukujcie więcej własnych nazwisk i nie chowajcie się za pseudonimami. Nienawidzę pacyfistów! Czyś ty kiedy szła w góry z pełnym ekwipunkiem, czyś jechała na beteerze* w pięćdziesięciostopniowym upale? Czujesz po nocach ostry smród ciernistych krzewów? Nie czujesz… Nie… No to lepiej zostaw to w spokoju! To jest nasze! Po co ci to? Jesteś babą, lepiej ródź dzieci!
– *Dlaczego się nie przedstawisz?*
– Nie ruszaj tego! Najlepszego przyjaciela, prawdziwego brata przydźwigałem z zadania w celofanowym worku… Osobno głowa, osobno ręce i nogi… Skóra zdarta, jak z wieprza… Rozcięty tułów… A on umiał grać na skrzypcach, pisał wiersze. To on powinien pisać, a nie ty… Jego matkę w dwa dni po pogrzebie zabrali do psychiatryka. Spała na cmentarzu, na jego grobie. W zimie spała na śniegu. Ty! Ty… Zostaw to, nie ruszaj! Byliśmy

---

* Beteer (skrót od ros. *bronietransportior*) – transporter opancerzony.

żołnierzami, posłano nas tam. Wykonywaliśmy rozkazy. Złożyłem przysięgę wojskową. Na kolanach całowałem sztandar.

– *„Strzeżcie się, żeby was kto nie zwiódł. Wielu bowiem przyjdzie pod moim imieniem"**. *Nowy Testament. Ewangelia według
świętego Mateusza.*

– Mądrale! Po dziesięciu latach wszyscy zrobili się mądrzy.
Chcecie być czyściuteńcy? Wychodzi na to, że my jesteśmy
czarni, tak? Nawet nie wiesz, jak leci kula. Nie miałaś w rękach
automatu... Gwiżdżę na wasze testamenty! Ja swoją prawdę
niosłem w celofanowym worku... Osobno głowę, osobno ręce...
Nie ma innej prawdy...

Sygnał w słuchawce, podobny do dalekiego wybuchu.

*Mimo wszystko szkoda, że nie dokończyliśmy tej rozmowy.
Może właśnie on był moim głównym bohaterem...*

Autorka

Docierały do mnie tylko głosy... Jakkolwiek się wysilałem, te
głosy nie miały twarzy. To odchodziły, to wracały. Zdaje się, że
zdążyłem pomyśleć: „Umieram". Wtedy otworzyłem oczy...

Przyszedłem do siebie w Taszkencie szesnastego dnia po wybuchu. Kiedy człowiekowi wraca świadomość, czuje się okropnie,
wydaje mu się, że lepiej byłoby nie żyć... Już nie wracać... Tak
byłoby wygodniej. Mgła i torsje, nawet nie torsje, ale zachłysty-
wanie się, jakby w płucach było pełno wody. Długo wychodzi
się z tego stanu. Mgła i torsje... Nawet własny szept przyprawia
o ból głowy, nie mogłem mówić inaczej niż szeptem. Za sobą
miałem już szpital w Kabulu. Tam otworzyli mi czaszkę – była
w niej kasza, usunęli drobne kawałki kości. Lewa ręka bez sta-
wów, poskręcali mi ją śrubami. Pierwsze uczucie: żal, że nic nie
wróci, nie zobaczę przyjaciół, a najbardziej przykre – że nie mogę
podciągnąć się na drążku.

Tłukłem się po szpitalach dwa lata bez piętnastu dni. Osiemnaście operacji, cztery pod ogólną narkozą. Studenci pisali

---

* Ewangelia według świętego Mateusza 24, 4–5; za Biblią Tysiąclecia.

o mnie prace roczne, o tym, co mam, a czego nie. Nie mogłem się sam ogolić, golili mnie koledzy. Za pierwszym razem wylali na mnie butelkę wody kolońskiej, a ja krzyczę: „dawajcie drugą!". Nie było zapachu, nic nie czułem. Wyjęli wszystko z szafki: kiełbasę, ogórki, miód, cukierki – nic nie pachniało! Jest kolor, smak, a zapachu ani trochę. Mało nie zwariowałem! Nadeszła wiosna, zakwitły drzewa, a ja to wszystko widziałem, ale niczego nie czułem. Usunęli mi półtora centymetra sześciennego mózgu i razem z tym widocznie jakiś ośrodek, który odpowiada za węch. Minęło już pięć lat, ale nawet teraz nie czuję, jak pachną kwiaty, nie czuję dymu tytoniowego, kobiecych perfum. Mogę poczuć wodę kolońską, jeśli zapach jest mocny, ostry, ale flakon muszę podsunąć sobie pod nos. Widocznie pozostała część mózgu wzięła na siebie utraconą zdolność. Tak myślę.

W szpitalu dostałem list od przyjaciela. Dowiedziałem się od niego, że nasz beteer wyleciał na włoskiej minie fugasowej. Widział, jak razem z silnikiem wylatuje w powietrze człowiek... To byłem ja...

Wypisali mnie, dali zasiłek trzysta rubli. Za lekką ranę przysługuje sto pięćdziesiąt, za ciężką – trzysta. Dalej można sobie żyć, jak się chce. Renta to są grosze. Musiałem przejść na utrzymanie rodziców. Mój ojciec dostał wojnę bez wojny. Posiwiał, miał nadciśnienie.

Na wojnie jeszcze nie przejrzałem, to się stało dopiero później. I wszystko zakręciło się w przeciwną stronę...

Powołali mnie w osiemdziesiątym pierwszym. Wojna toczyła się już dwa lata, ale cywile mało o niej wiedzieli i mało mówili. W naszej rodzinie uważaliśmy, że skoro władza posłała tam wojsko, to widać było trzeba. Tak uważał ojciec, to samo sąsiedzi. Nie pamiętam, żeby ktoś myślał inaczej. Nawet kobiety nie płakały; wszystko to działo się gdzieś daleko i nie było straszne. Wojna i nie wojna, a jeśli wojna, to jakaś dziwna, bez zabitych i rannych. Jeszcze nikt nie widział cynkowych trumien. Dopiero potem dowiedzieliśmy się, że trumny już do miasta przywożono, ale poległych grzebano po cichu, w nocy, na nagrobkach pisano, że „umarł", a nie że „zginął". Nikt jednak nie dociekał, czemuż to w wojsku nagle zaczęli umierać dziewiętnastoletni chłopcy. Zmarli na grypę czy zapili się na śmierć? A może pomarańczy się objedli? Płakali ich bliscy, a reszta żyła jak dawniej, skoro sprawa ich nie dotyczyła. W gazetach pisano, że nasi żołnierze budują mosty, sadzą aleje przyjaźni, a nasi lekarze leczą afgańskie kobiety i dzieci.

Na przeszkoleniu w Witebsku nie było tajemnicą, że szykują nas do Afganistanu. Wielu starało się wykręcić za wszelką cenę. Jeden przyznał się, że ma stracha, że nas tam wszystkich wystrze-lają. Zacząłem nim gardzić. Tuż przed wyjazdem odmówił jesz-cze jeden. Najpierw skłamał, że zgubił legitymację komsomolską, a kiedy się odnalazła, to wymyślił, że jego dziewczyna będzie rodzić. Myślałem, że jest nienormalny. Przecież jechaliśmy robić rewolucję! Tak nam mówiono. A myśmy wierzyli. Oczekiwaliśmy czegoś romantycznego.

Kiedy kula trafia w człowieka, słyszy się charakterystyczne mokre kłaśnięcie – nie sposób go zapomnieć, z niczym nie da się go pomylić. Znajomy chłopak upada twarzą w dół, w kurz, gryzący jak popiół. Przewracasz go na plecy: w zębach ma zaciś-niętego papierosa, którym dopiero co go poczęstowałeś. Jeszcze się dymi... Nie byłem gotów strzelać do kogoś, jeszcze tkwiłem w dawnym życiu. Pokojowym... Za pierwszym razem człowiek działa jak we śnie: biegnie, dźwiga, strzela, ale tego nie pamięta, po walce nie potrafi nic opowiedzieć. Jakby wszystko było za szybą... Za ścianą deszczu... Jakby to mu się śniło. Z przestra-chu się budzi, ale nic nie może sobie przypomnieć. Żeby poczuć przerażenie, trzeba, jak się okazuje, zapamiętać je, przywyknąć do niego. Po paru tygodniach nic z poprzedniego człowieka nie zostaje, tylko imię i nazwisko. Już nie jest sobą, ale kimś innym. Tak myślę... Widocznie tak właśnie jest... I ten inny człowiek... Na widok zabitego już nie czuje lęku, tylko ze spokojem albo złością myśli o tym, jak go będzie ściągał ze skały albo taszczył na plecach w skwarze. Kilka kilometrów. Nie ma pojęcia, jak to zrobi... Ale już wie, jak podczas upału pachną wnętrzności po wypłynięciu na wierzch, i wie, że zapachu ludzkiego kału i krwi nie da się usunąć. Wyobraźnia? Wyobraźnia jest przytępiona. W brudnej kałuży roztopionego metalu widać spalone czaszki, szczerzące się tak, jakby umierając tu kilka godzin temu, nie krzyczały, ale się śmiały. A jednak wszystko nagle robi się zwyczajne... Powszednie... Tylko widok zabitego wywołuje swoistą ekscytację: to nie mnie! Wszystko dzieje się tak prędko... Taka przemiana... jest bardzo szybka. To dzieje się prawie ze wszystkimi.

Dla ludzi na wojnie w śmierci nie ma tajemnicy. Zabijanie to po prostu naciskanie na spust. Uczono nas, że kto strzeli pierwszy, ten przeżyje. Takie jest prawo wojny. „Powinniście umieć dwie rzeczy: szybko chodzić i celnie strzelać. A myśleć będę ja" – mówił dowódca. Strzelaliśmy w tę stronę, w którą nam kazano. Nauczyli mnie strzelać do tego, co mi wskażą. Strzelałem, nie litowałem się nad nikim. Mogłem zabić dziecko. Przecież walczyli tam z nami wszyscy: mężczyźni, kobiety, starcy, dzieci. Nasza kolumna jechała raz przez kiszłak. W pierwszym z samochodów wysiadł silnik. Kierowca wylazł z kabiny, podniósł maskę... Wtedy dziesięcioletni chłopaczek uderzył go nożem w plecy... Trafił prosto w serce. Żołnierz padł na silnik... Z chłopaczka zrobili sito... Gdyby w tamtej chwili dali nam rozkaz, rozwalilibyśmy całą wioskę. Starli w proch. Każdy starał się przeżyć. Nie było czasu na myślenie. Mieliśmy po osiemnaście–dwadzieścia lat. Przywykłem do cudzej śmierci, bałem się tylko własnej. Widziałem, jak z człowieka w sekundzie nie zostaje nic, jakby go w ogóle nie było. W pustej trumnie wysyłano wtedy rodzinie paradny mundur. Sypano tam obcą ziemię, żeby waga była odpowiednia... Tak, chciało się żyć. Nigdy nie miałem takiej chęci życia jak tam. Śmialiśmy się, kiedyśmy wracali z walki. Nigdy nie śmiałem się tak jak tam. Stare dowcipy były odbierane jak najlepsze. Choćby taki...

Handlarz walutą trafił na wojnę. Najpierw wypytał się, ile czeków kosztuje jeden „duch" wzięty do niewoli. Osiem czeków. Po dwóch dniach tuman kurzu koło garnizonu – handlarz prowadzi dwustu jeńców. Kolega prosi: „Sprzedaj jednego. Dam ci siedem czeków". „Coś ty, kochany, sam kupowałem po dziewięć!"

Można to było opowiadać sto razy, a i tak byśmy się śmiali. Byle głupstwo sprawiało, że rechotaliśmy, aż nas brzuchy bolały. Leży „duch" (tak nazywaliśmy duszmanów – mudżahedinów) ze słownikiem. Strzelec wyborowy. Zobaczył trzy małe gwiazdki – starszy lejtnant... Poszukał w słowniku: za trzy gwiazdki dają pięćdziesiąt tysięcy afgani. Bach! Jedna duża gwiazda – major – dwieście tysięcy afgani. Bach! Dwie małe gwiazdki – chorąży. Bach! W nocy ich herszt się z nim rozlicza: tyle a tyle za starszego lejtnanta, tyle za majora. A za... Co? Chorążego?! Zabiłeś naszego dobrodzieja! Kto nam sprzeda mleko, konserwy i koce? Powiesić!

Dużo mówiło się o pieniądzach. Więcej niż o śmierci. Ja nic stamtąd nie przywiozłem. Chyba że ten odłamek, który ze mnie wyjęli – i tyle. Inni zabierali... Porcelanę, drogie kamienie, ozdoby, dywany... To podczas zadań bojowych, kiedy chodzili do kiszłaków. Jedni kupowali, wymieniali... Magazynek z nabojami za komplet kosmetyków dla dziewczyny: tusz, puder, cienie. Naboje sprzedawali gotowane... Taka gotowana kula nie wylatuje z lufy, ale jest wypluwana. Nie sposób nią zabić. Ustawiali wiadra albo miednice, wrzucali tam naboje i gotowali przez dwie godziny. Gotowe! Wieczorem szli sprzedawać. Handel uprawiali wszyscy: dowódcy i żołnierze, bohaterowie i tchórze. Ze stołówek znikały noże, miski, łyżki, widelce. W koszarach nie mogli się doliczyć kubków, taboretów, młotków. Ginęły bagnety, lusterka z samochodów, części zapasowe... nawet odznaczenia... W dukanach brali wszystko, nawet śmieci, które wywożono z miasteczka garnizonowego: puszki po konserwach, stare gazety, zardzewiałe gwoździe, kawałki dykty, worki celofanowe... Śmieci sprzedawali całymi samochodami. Dolar i woda zawsze znajdą drogę. Wszędzie. Żołnierz marzył... Marzenia były trzy... Trzy marzenia żołnierza: kupić matce chustę, dziewczynie komplet kosmetyków, a sobie – kąpielówki, bo wtedy w Związku Radzieckim nie było kąpielówek. Taka to była wojna.

Mówią o nas: „afgańcy". To sygnalizuje obcość. Jak znak. Metka. Że nie jesteśmy tacy jak wszyscy. Jesteśmy inni. Jacy? Nie wiem, kim jestem: bohaterem czy durniem, którego trzeba wytykać palcem? A może zbrodniarzem? Już teraz się mówi, że to był błąd polityczny. Dzisiaj mówią cicho, jutro zaczną głośniej. A ja tam przelałem krew... swoją... Cudzą też... dawali nam ordery, których nie nosimy... Jeszcze będziemy je zwracać... Ordery, które uczciwie zdobyliśmy na nieuczciwej wojnie... Zapraszają nas do szkół. A o czym mamy tam opowiadać? O działaniach bojowych... O pierwszym zabitym... O tym, że do dzisiaj boję się ciemności, a jeśli coś spadnie, to się wzdrygam... Jak braliśmy jeńców, ale nie doprowadzali ich do pułku... Nie zawsze... (*Milknie*). Przez półtora roku wojny nie widziałem żadnego żywego duszmana, widziałem samych martwych. O kolekcjach zasuszonych ludzkich uszu? To trofea bojowe... Chwalili się nimi... O kiszłakach, które po ostrzale artyleryjskim przypominały rozryte pole, a nie ludzką siedzibę? Może o tym chcą usłyszeć w naszych szkołach? Nie, tam potrzebują bohaterów. Ja zaś pamiętam, jak burzyliśmy, zabijali, a równocześnie budowali, rozdawali prezenty. Wszystko to istniało obok siebie, tak że do tej pory nie umiem tego rozdzielić. Boję się tych wspomnień... Chowam się przed nimi. Uciekam... Nie znam nikogo, kto by stamtąd wrócił i nie pił, nie palił. Słabe papierosy nic mi nie dają, szukam myśliwskich, które tam paliliśmy... A lekarze zabraniają palić... Połowę głowy mam metalową. I nie mogę pić...

Niech pani tylko nie pisze o naszym afgańskim braterstwie. Nie ma czegoś takiego. Nie wierzę w nie. Na wojnie byliśmy zjednoczeni – wszystkich nas tak samo oszukano, wszyscy tak samo chcieliśmy żyć i tak samo chcieliśmy wrócić do domu. Tutaj łączy nas to, że nic nie mamy, a wszelkie dobra w naszym kraju rozdawane są po znajomości, dla uprzywilejowanych. A za krew są nam winni. Mamy te same problemy: renty, mieszkania, dobre leki, protezy, meble... jak je rozwiążemy, to nasze kluby się porozpadają. Niech no tylko dostanę, niech się dopcham, niech tylko wyszarpię mieszkanie, meble, lodówkę, pralkę, japońskie

„wideło", i już! Od razu będzie jasne, że nie mam co robić w tym klubie. Młodzi do nas się nie garną. Nie rozumieją nas. Niby zrównali nas z uczestnikami Wielkiej Wojny Narodowej, ale tamci bronili ojczyzny, a my co? Myśmy wystąpili w roli Niemców – jak mi jeden chłopak oświadczył. Tak myślę... Właśnie tak... Tak nas widzą... A my jesteśmy na nich źli. Oni tu słuchali muzyki, tańczyli z dziewczynami, czytali książki, kiedy myśmy tam żarli surową kaszę i wylatywali na minach. Kto nie był tam ze mną, nie widział, nie przeżył, nie poznał na własnej skórze – ten jest dla mnie nikim.

Po dziesięciu latach, kiedy powyłażą na wierzch nasze nadciśnienia, kontuzje, malarie, będą się nas pozbywać. Z pracy, z domu... Przestaną nas sadzać w prezydiach. Dla wszystkich będziemy ciężarem... Po co jest ta pani książka? Dla kogo? Nam, którzyśmy stamtąd wrócili, tak czy owak się nie spodoba. Czy można opowiedzieć wszystko tak, jak było? Jak zabite wielbłądy i zabici ludzie leżeli w jednej kałuży krwi, bo ich krew się zmieszała.

Komu to jest potrzebne? W domu jesteśmy obcy dla wszystkich. Wszystko, co mi zostało, to mój dom, żona i dziecko, które wkrótce się urodzi. Kilku przyjaciół stamtąd. Poza nimi nie wierzę nikomu.

I nigdy już nie uwierzę.

Szeregowy, obsługa granatnika

Milczałem dziesięć lat... Nie mówiłem o tym wszystkim...

W gazetach pisano, że pułk wykonał marsz ćwiczebny... Przeprowadził ćwiczebne strzelanie... Czytaliśmy i było nam przykro. Nasz pluton towarzyszył samochodom. Samochód można przedziurawić śrubokrętem, dla kul jest tarczą strzelniczą. Codziennie do nas strzelano, zabijano nas. Obok mnie zabili znajomego chłopaka. Pierwszego... w mojej obecności. Jeszcze się mało znaliśmy... Strzelali z moździerza. Umierał długo, tkwiło w nim wiele odłamków. Poznawał nas. Ale wołał jakichś nieznanych ludzi...

Przed wyjazdem do Kabulu mało się nie pobiłem z jednym chłopakiem, a jego kumpel go odciągnął.

– Czego się z nim szarpiesz, on jutro leci do Afganistanu!

Tam nigdy tak nie było, żeby każdy miał swoją menażkę, swoją łyżkę. Jedna menażka – i wszyscy się do niej rzucamy, cała ósemka. Afganistan to nie jest powieść sensacyjna, nie przygoda. Leży zabity wieśniak – wątłe ciało i wielkie ręce... W czasie ostrzału człowiek prosi (nie wiem kogo, pewnie Boga): „Niech ziemia się rozstąpi, niech mnie ukryje. Niech rozstąpi się skała...". Żałośnie skomlą psy szukające min. One też miały rany, też ginęły. Zabite owczarki i zabici ludzie, psy i ludzie w bandażach. Ludzie bez nóg, psy bez łap. Nie można odróżnić, gdzie na śniegu jest krew psia, a gdzie ludzka. Zrzucają na kupę zdobyczną broń, chińską, amerykańską, pakistańską, radziecką, angielską – ładna była, aż się dziwiłem, jaka ładna, ale wszystko było po to, żeby nas zabić. Strach! Nie wstydzę się tego strachu. Strach jest bardziej ludzki niż odwaga. Tego się dowiedziałem. Człowiek boi się i żałuje choćby siebie samego... Rozgląda się wokół, zaczyna dostrzegać życie... Wszystko to będzie żyło, a on zginie. Niechętnie myśli o tym, że niepozorny, drobny będzie leżał tysiąc kilometrów od domu. Ludzie już latają w kosmos, a nadal zabijają się nawzajem, jak tysiące lat temu. Kulką, nożem, kamieniem... W kiszłakach zakłuwali naszych widłami...

Wróciłem w osiemdziesiątym pierwszym roku... Wszystko odbywało się na „hura!". Spełniliśmy internacjonalistyczny obowiązek! Święty! Bohaterowie! Przyjechałem do Moskwy rano. Pociągiem. Autobus jechał dopiero wieczorem. Nie mogłem czekać. Musiałem kombinować: do Możajska podmiejskim pociągiem, do Gagarina autobusem, potem do Smoleńska – czym się dało. Ze Smoleńska do Witebska ciężarówką. W sumie sześćset kilometrów. Kiedy mówiłem, że byłem w Afganistanie, nikt nie brał pieniędzy. To zapamiętałem. Ostatnie dwa kilometry szedłem pieszo. Biegiem. Tak właśnie dobiegłem do domu.

W domu pachniały topole, brzęczały tramwaje, dziewczynka jadła lody. I topole pachną, topole! A tam przyroda to jest zielona strefa, stamtąd do nas strzelali. Tak chciało się zobaczyć naszą brzózkę czy sikorkę. Bałem się narożników. Zajść za róg domu... Przede mną narożnik, wszystko się w środku ściska – kto się tam kryje? Jeszcze przez rok bałem się wyjść na ulicę – skoro nie mam kamizelki kuloodpornej, hełmu, automatu, to tak jakbym był goły. A w nocy mi się śniło, że ktoś mi mierzy w czoło, i to taki kaliber, że pół głowy by mi odstrzelił... Rzucałem się pod ścianę... Jak zaterkotał telefon, to od razu pot występował mi na czoło – strzelają! Skąd? Gorączkowo zaczynałem się rozglądać. Zatrzymywałem wzrok na półce z książkami... Aaaa! Jestem w domu...

W gazetach pisano jak dawniej: pilot śmigłowca iks wykonał lot ćwiczebny... Odznaczony Orderem Czerwonej Gwiazdy... W Kabulu odbył się koncert pierwszomajowy z udziałem żołnierzy radzieckich... Afganistan mnie wyzwolił. Wyleczył z wiary w to, że wszystko jest u nas słuszne, że w gazetach piszą, a w telewizji mówią prawdę. „Co robić? Co robić?" – pytałem sam siebie. Chciałem się na coś zdecydować, dokąd pójść. Ale dokąd? Matka odradzała i nikt z przyjaciół nie poparł. Bo przecież nikt nic nie mówi. Tak trzeba.

No więc powiedziałem pani... Po raz pierwszy spróbowałem powiedzieć to, co myślę. Dziwnie się czuję.

Szeregowy, piechota zmotoryzowana

Boję się zacząć opowiadać. Znów nadciągną te cienie...

Codziennie... Codziennie tam sobie mówiłam: „Jaka ja głupia, jaka głupia. Po co to zrobiłam?". Takie myśli pojawiały się zwłaszcza w nocy, kiedy nie pracowałam, bo za dnia były inne: „Jak im wszystkim pomóc?". Rany były okropne... Byłam wstrząśnięta. Po co takie kule? Kto je wymyślił? Czy na pewno człowiek? Otwór wlotowy – malutki, a w środku wszystko – jelita, wątroba, śledziona – posiekane, porozrywane.

Za mało zabić, ranić, trzeba jeszcze, żeby człowiek się tak męczył... Kiedy bolało, krzyczeli zawsze: „Mamo!". Nie zdarzyło się, żeby inaczej...

A przecież chciałam wyjechać z Leningradu – na rok czy dwa, byle wyjechać. Umarło mi dziecko, potem umarł mąż. Nic mnie w tym mieście nie trzymało, przeciwnie – wszystko wyganiało, mówiło o przeszłości. Tam się spotkaliśmy, tam pierwszy raz pocałowaliśmy... W tym szpitalu rodziłam...

Wezwał mnie lekarz naczelny:

– Pojedzie pani do Afganistanu?

– Pojadę.

Musiałam zobaczyć, że inni mają gorzej ode mnie. No i zobaczyłam.

Mówili nam, że to sprawiedliwa wojna, że pomagamy narodowi afgańskiemu skończyć z feudalizmem i zbudować świetlane społeczeństwo socjalistyczne. O tym, że nasi chłopcy tam giną, jakoś się nie mówiło. Tłumaczyliśmy sobie, że tam jest mnóstwo chorób zakaźnych: malaria, tyfus brzuszny, zapalenie wątroby. Rok 1980... Początek... Przylecieliśmy do Kabulu... Szpital urządzono w starych angielskich stajniach. Nic nie ma... jedna strzykawka na wszystkich... Jak oficerowie wypiją nam spirytus, to dezynfekujemy rany benzyną. Rany źle się goją... Pomagało słońce. Mocne słońce zabija bakterie. Pierwsi ranni, jakich zobaczyłam, byli w bieliźnie i butach. Nie mieli piżam. Te przysłali nam nieprędko. Kapcie to samo. I koce... Jeden chłopak... Pamiętam go – ciało wyginało się na wszystkie strony, tak jakby nie miał kości, nogi jak sznurki. Wyjęli z niego dwadzieścia odłamków.

Przez cały marzec tuż koło namiotów rzucano odcięte ręce i nogi. Trupy leżały w oddzielnej sali... Na wpół nagie, z wykłutymi oczami, jeden miał gwiazdę wyciętą na brzuchu... Kiedyś widziałam coś takiego na filmie o wojnie domowej. Nie było jeszcze cynkowych trumien, jeszcze ich nie przygotowali.

Pomału zaczęliśmy się zastanawiać, kim jesteśmy. Nasze wątpliwości nie podobały się dowództwu. Nie było kapci ani piżam, a już rozwieszali przywiezione transparenty, apele, plakaty. Na tle tych haseł – wychudzone, smutne twarze naszych żołnierzy. Tak zostali w mojej świadomości na zawsze... Dwa razy na tydzień – szkolenie polityczne. Cały czas nas szkolono: święty obowiązek, granica powinna być zamknięta na zamek. Najbardziej nieprzyjemna rzecz w wojsku to donosicielstwo, nakaz donoszenia. O każdym drobiazgu. Na każdego rannego, chorego. To się nazywało „znajomość nastrojów". Wojsko powinno być zdrowe... należało donosić na każdego. Nie wolno było się litować. Ale myśmy się litowali, na litości wszystko się tam trzymało.

Jechałyśmy... ratować, pomagać, kochać. Po to tam jechałyśmy... Tymczasem mijał jakiś czas i przyłapywałam się na myśli, że nienawidzę. Nienawidzę tego miękkiego i lekkiego piasku, palącego jak ogień. Nienawidzę tych gór. Nienawidzę tych niskich kiszłaków, z których w każdej chwili mogą do nas wystrzelić. Nienawidzę przypadkowego Afgańczyka, który niesie kosz z melonami albo stoi przed swoim domem. Jeszcze nie wiadomo, gdzie był tej nocy i co robił. Zabito znajomego oficera, który niedawno leżał w szpitalu, wyrżnęli dwa namioty naszych żołnierzy... W innym miejscu zatruto wodę... Ktoś podniósł ładną zapalniczkę, a ona wybuchła mu w ręku... To przecież ginęli nasi żołnierze. Nasi chłopcy. Trzeba to zrozumieć... Nie widziała pani nadpalonego człowieka. Nie widziała pani. Nie ma twarzy, nie ma oczu, nie ma ciała... Coś pomarszczonego, pokrytego żółtą skórką... A spod tej skórki już nawet nie krzyk, ale ryk...

Myśmy tam żyli nienawiścią, przeżywali dzięki nienawiści. A poczucie winy? Pojawiło się nie tam, ale tutaj, kiedy popatrzyłam na to z boku. Tam wszystko wydawało się nam słuszne, a tutaj przeraziłam się, kiedy przypomniałam sobie małą dziewczynkę, leżącą w kurzu bez rąk, bez nóg... Jak połamana lalka. Po naszym nalocie... A myśmy się jeszcze zastanawiali, dlaczego nas nie lubią. Przecież leczyli się w naszym szpitalu... Dawałam jakiejś kobiecie lekarstwo, a ona nigdy nie podniosła na mnie wzroku, nigdy się do mnie nie uśmiechnęła. To też było przykre. Tam nas oburzało, a tutaj nie. Tutaj już się było normalnym człowiekiem, wróciły wszystkie uczucia.

Mam dobry zawód – ratuję ludzi; ten zawód uratował i mnie. Mogę się usprawiedliwić tym, że byliśmy tam potrzebni. Nie uratowaliśmy jednak wszystkich, których mogliśmy uratować, i to było najstraszniejsze. Mogłam uratować jednego, ale nie miałam niezbędnego lekarstwa. Mogłam uratować drugiego, ale za późno go przywieźli (kto był w kompaniach medycznych? – źle wyszkoleni żołnierze, którzy umieli tylko bandażować). Mogłam uratować trzeciego, ale nie dobudziliśmy pijanego chirurga.

Mogłam uratować... Prawdy jednak nie mogliśmy napisać nawet w zawiadomieniach o zgonie. Bo wylatywali na minach... Z człowieka zostawało pół wiadra mięsa... A myśmy pisali: zginął w katastrofie samochodowej, spadł w przepaść, zatrucie pokarmowe. Kiedy zabitych były już tysiące, wtedy pozwolili nam mówić prawdę rodzinie. Do trupów już się przyzwyczaiłam. Nie sposób było pogodzić się tylko z tym, że są takie młode, małe, kochane.

Przywożą rannego. Akurat miałam dyżur. Otworzył oczy, popatrzył na mnie. Powiedział: „No to koniec" i umarł.

Szukali go w górach trzy dni. Znaleźli. Przywieźli. Bredził: „Lekarza! Lekarza!". Zobaczył biały fartuch, pomyślał, że jest uratowany. A rana nie dała się pogodzić z życiem. Dopiero tam zobaczyłam, co to jest rana mózgoczaszki... W pamięci mam swój własny cmentarz, własną galerię portretów. W czarnej ramce.

Nawet w obliczu śmierci nie byli równi. Nie wiadomo, dlaczego tych, którzy padli w walce, bardziej żałowano. Tych, co umierali w szpitalu – mniej. Czasem krzyczeli, umierając... Tak krzyczeli! Pamiętam, jak umierał major, którego reanimowaliśmy. Był doradcą wojskowym. Przyszła do niego żona, a on umarł na jej oczach. Wtedy zaczęła strasznie krzyczeć... Jakby wyło jakieś zwierzę. Miałam ochotę pozamykać wszystkie drzwi, żeby nikt nie słyszał... Bo obok umierali żołnierze. Chłopcy... I nie było nikogo, kto by ich mógł opłakiwać. Umierali sami. Ona była tutaj zbędna...

– Mamo! Mamo!

– Jestem tutaj, synku – mówię, oszukując go.

Stałyśmy się ich mamami, siostrami. I nie chciałyśmy nigdy zawieść tego zaufania.

Żołnierze przywieźli rannego. Przekazali nam, ale nie odchodzą.

– Dziewczyny, my nic nie chcemy. Możemy trochę tu u was posiedzieć?

A tutaj, w domu... Mają swoje mamy, siostry. Żony. Tutaj im nie jesteśmy potrzebne. Tam zwierzali się nam z tego, o czym tutaj nikomu by nie powiedzieli. Jeden ukradł koledze cukierki i zjadł. Tutaj to byłoby głupstwo. A tam – strasznie zawiódł się na samym sobie. Tamte warunki człowieka sprawdzały. Jeśli był tchórzem, to prędko wychodziło na jaw, że nim jest, jeśli kapusiem, to też od razu się widziało. Jeśli babiarz, to wszyscy wiedzieli, że babiarz. Nie jestem pewna, czy tutaj by się do tego przyznali, a tam słyszałam od niejednego, że zabijanie może się spodobać, zabijanie to satysfakcja. To mocne uczucie. Znajomy chorąży wyjeżdżał do kraju i nie ukrywał: „Jak ja teraz będę żył, przecież mam ochotę zabijać?". Na pewno to coś w rodzaju zamiłowania, mówili o tym spokojnie. Chłopcy, a opowiadali z zachwytem, jak spalili wioskę, wszystko zniszczyli! A przecież nie byli wariatami... Dla nich zabicie człowieka to nic specjalnego... Kiedyś w gości przyszedł do nas oficer, który przyjechał spod Kandaharu. Wieczorem trzeba się żegnać, a on zamknął się w pustym pokoju i zastrzelił. Mówili, że był pijany, ale nie wiem. Było ciężko. Ciężko przeżyć jeden dzień. Chłopak zastrzelił się na warcie. Trzy godziny w słońcu. A ten był delikatny, nie wytrzymał. Chorych psychicznie było wielu. Najpierw leżeli na ogólnych salach, potem kładziono ich osobno. Zaczęli uciekać, kraty ich przerażały. Razem ze wszystkimi było im lżej. Zapamiętałam zwłaszcza jednego.

– Siadaj – mówi. – Zaśpiewam ci piosenkę rezerwistów.

Śpiewał, śpiewał, w końcu zasnął. A kiedy się zbudził, zawołał:

– Do domu! Do domu! Do mamy... Gorąco tutaj...

Cały czas napierał się, żeby wracać do domu.

Wielu się narkotyzowało. Palili haszysz, marihuanę... Co kto zdobył...

Tłumaczyli, że to daje im siłę, uwalnia ich od wszystkiego. Przede wszystkim od własnego ciała. Idzie się jak na palcach, czuje lekkość w każdej komórce, czuje każdy mięsień. Chciałoby się fruwać. I jest tak, jakby się fruwało! Czuje się niesamowitą radość. Wszystko się wtedy podoba, każde głupstwo rozśmiesza. Lepiej się słyszy, lepiej widzi. Rozróżnia się więcej zapachów, więcej dźwięków. W takim stanie lepiej się też zabija, bo człowiek jest znieczulony. Nie czuje litości. Łatwiej mu też umierać, bo nie czuje strachu. Czuje się tak, jakby miał na sobie kamizelkę kuloodporną, jakby był całkiem zabezpieczony. Umiałam ich słuchać... Dwa razy... Sama... Dwa razy sama paliłam... W obu wypadkach, kiedy ciało i psychika nie wytrzymywały. Pracowałam na oddziale zakaźnym. Powinno być trzydzieści łóżek, a leży trzystu chorych. Tyfus brzuszny, malaria. Wydawano im prześcieradła, koce, a oni leżeli na swoich szynelach, na gołej ziemi. W majtkach. Ostrzyżeni na zero, a sypały się z nich wszy... Odzieżowe... Głowowe... Takiego mnóstwa wszy nawet sobie nie wyobrażałam... W niedalekim kiszłaku Afgańczycy chodzili w naszych szpitalnych piżamach, z naszymi prześcieradłami na głowach zamiast turbanów. Tak, nasi wszystko sprzedawali. Nie potępiam ich... Nie... Na ogół nie potępiam. Umierali za trzy ruble miesięcznie – nasz żołnierz dostawał osiem czeków za miesiąc. Trzy ruble... Dostawali do jedzenia mięso z robakami, zrudziałe ryby... Wszyscy u nas mieli szkorbut, mnie wypadły przednie zęby. No to sprzedawali koce i kupowali haszysz. Coś słodkiego. Pamiątki... Tam są takie kolorowe sklepiki, w tych sklepikach – mnóstwo intrygujących rzeczy. W Związku Radzieckim czegoś takiego nie było. No więc sprzedawali broń, naboje, żeby tamci ich potem zabijali tymi samymi nabojami, z tych samych automatów. Kupowali za to czekoladę... Paszteciki...

Po tym wszystkim, co tam widziałam, spojrzałam na swój kraj innymi oczami. Źrenice miałam inne, powiększyły mi się...

Strach był tutaj wracać. Jakoś dziwnie. Jakby z człowieka zdarto całą skórę. Cały czas płakałam. Nie chciałam widzieć nikogo poza tymi, którzy przez to przeszli. Z nimi mogłam spędzać dni i noce. Rozmowy innych wydawały mi się jakieś puste, idiotyczne. Trwało to pół roku. A teraz sama wykłócam się w kolejce po mięso. Starałam się żyć normalnym życiem, tak jak żyłam „przedtem". Ale nic z tego. Stałam się obojętna samej sobie, własne życie przestało mnie obchodzić. Życie się skończyło, nic już więcej nie będzie. Dla mężczyzn takie przeżycia są jeszcze większą udręką. Dla kobiety punktem zaczepienia może być dziecko, a oni nie mają nic. Wracają, zakochują się, mają dzieci, ale i tak Afganistan jest dla nich czymś najważniejszym. Chciałabym wiedzieć, dlaczego tak się dzieje. Po co to wszystko było? Dlaczego to tak mnie porusza? Tam wszystko wciskaliśmy do środka, a tu wszystko powyłaziło.

Trzeba ich żałować, żałować wszystkich, którzy tam byli. Ja byłam dorosła, miałam wtedy trzydzieści lat, a mimo to musiałam się przełamywać. A oni byli smarkaczami, nic nie rozumieli. Zabrano ich z domu, dano im broń do rąk. Mówiono: „Idziecie walczyć za świętą sprawę, Ojczyzna was nie zapomni". Teraz odwracają od nich wzrok, starają się zapomnieć o tej wojnie. I już! Odwracają się przede wszystkim ci, którzy nas tam posłali. Nawet my sami coraz rzadziej mówimy o wojnie, kiedy się spotykamy. Tej wojny nikt nie lubi. Chociaż ja do dzisiaj płaczę, kiedy grają hymn Afganistanu. Pokochałam afgańską muzykę. To jest jak narkotyk.

Niedawno w autobusie spotkałam żołnierza. Leczyliśmy go. Nie ma prawej ręki. Dobrze go pamiętałam, też jest z Leningradu.

– Sierioża, może w czymś trzeba ci pomóc?

A on ze złością:

– A idź w cholerę!

Wiem, że mnie znajdzie i poprosi o wybaczenie. A kto poprosi jego? I wszystkich, którzy tam byli? Których to złamało, wypaczyło. Nie mówię tu o kalekach. Jakże trzeba nie kochać własnego narodu, żeby go wysyłać do czegoś takiego? Teraz nienawidzę nie tylko wszelkich wojen, ale nawet chłopięcych bójek.

Proszę mi tylko nie wmawiać, że ta wojna się skończyła. W lecie dmuchnie na nas gorącym kurzem, błyśnie nam pierścieniem stojącej wody, poczujemy ostry zapach suchych kwiatów... To jest jak uderzenie w skroń...

Będzie nas to prześladowało przez całe życie.

Pielęgniarka

Już się oddaliłem, odpocząłem od wojny... Jak mam przekazać to wszystko, co było?

To drżenie w całym ciele, tę wściekłość... Jak? Przed wojskiem skończyłem technikum samochodowe, więc kazano mi być kierowcą dowódcy batalionu. Nie skarżyłem się na służbę. Ale jakoś natarczywie zaczęli gadać nam o ograniczonym kontyngencie wojsk radzieckich w Afganistanie, żadna pogadanka polityczna nie obeszła się bez tej informacji: nasze wojska skutecznie bronią granic ojczyzny, udzielają pomocy przyjaznemu narodowi. Zaczęliśmy się denerwować, że mogą nas wysłać na wojnę. Dzisiaj sądzę, że chcieli nas oszukać...

Wzywali do dowódcy jednostki i pytali:

– Chłopcy, chcecie jeździć nowymi samochodami?

Oczywiście wszyscy chórem:

– Tak! Marzymy o tym.

Dalej następowało:

– No to najpierw musicie pojechać na nowe ziemie i pomóc w żniwach.

Wszyscy się zgodzili.

W samolocie przypadkowo usłyszeliśmy od lotników, że lecimy do Taszkentu. Mimo woli zacząłem powątpiewać – czy naprawdę lecimy pomagać w żniwach? Rzeczywiście wylądowaliśmy w Taszkencie. Pomaszerowaliśmy w kolumnie do ogrodzonego drutem miejsca niedaleko lotniska. Siadamy. Dowódcy chodzili jacyś podekscytowani, poszeptywali między sobą. Nadeszła pora obiadu, a do naszego miejsca postoju przynoszą skrzynki wódki, jedną po drugiej.

– W dwuszeregu zbiórka!

Ustawiliśmy się i od razu ogłoszono nam, że za kilka godzin przyleci po nas samolot, a my wyruszymy do Republiki Afganistanu, żeby spełnić nasz żołnierski obowiązek. Dotrzymać przysięgi.

Co się wtedy działo! Strach, panika zmieniły ludzi w zwierzęta – jednych w spokojne, innych we wściekłe. Po tym niesłychanym, ohydnym oszustwie chłopcy płakali ze złości, niektórzy wpadli w odrętwienie, w jakiś trans. Teraz stało się jasne, dlaczego przygotowali wódkę. Żeby im łatwiej było sobie z nami poradzić. Po wódce, kiedy zaszumiało nam w głowach, niektórzy próbowali uciekać, rzucili się do bójki z oficerami. Ale obóz otoczyli żołnierze z automatami, którzy wszystkich zaczęli wpychać do samolotu. Ładowali nas jak skrzynie, wrzucali do metalowego pustego brzucha.

Tak trafiliśmy do Afganistanu... Wkrótce zobaczyliśmy rannych, zabitych, usłyszeliśmy słowa „rozpoznanie", „walka", „operacja". Wydaje mi się... Teraz myślę, że byłem wtedy w szoku... Dopiero po paru miesiącach powoli zacząłem przychodzić do siebie, uświadamiać sobie wyraźnie to, co się wokół mnie dzieje.

Kiedy moja żona spytała: „Jak mąż trafił do Afganistanu?", odpowiedziano jej: „Sam wyraził takie życzenie". To samo powiedziano wszystkim naszym matkom i żonom. Gdyby moje życie, moja krew potrzebne były dla jakiejś wielkiej sprawy, to sam bym powiedział: „Zgłaszam się na ochotnika!". Ale zostałem oszukany podwójnie: wysłali mnie na wojnę i nie powiedzieli, co to za wojna. Prawdę o niej poznałem po ośmiu latach. W grobach leżą moi przyjaciele i nie wiedzą, jak ich z tą podłą wojną oszukano. Czasem im nawet zazdroszczę: nigdy się o tym nie dowiedzą. I już więcej ich nikt nie oszuka.

Szeregowy, kierowca

Bardzo tęskniłam za ojczyzną...

Mąż służył długi czas w Niemczech, potem w Mongolii... Dwadzieścia lat swojego życia spędziłam poza ojczyzną, którą kochałam bezgraniczną miłością. Napisałam więc do sztabu generalnego, że całe życie przebywam za granicą i dłużej nie mogę. Proszę mi pomóc w powrocie do domu...

Już wsiedliśmy do pociągu, a ja nadal nie mogłam uwierzyć. Co chwila pytałam męża:

– Naprawdę jedziemy do Związku Radzieckiego? Nie okłamujesz mnie?

Na pierwszej stacji wzięłam do ręki grudkę ojczystej ziemi, patrzę na nią i uśmiecham się – ukochana ziemia! Niech mi pani wierzy, jadłam ją. Ocierałam nią twarz.

Mój ukochany... Mój... Nasz... Jura był najstarszy. Niezręcznie jest matce przyznawać się do czegoś takiego, ale jego kochałam najbardziej na świecie. Bardziej niż męża, bardziej niż drugiego syna; kochałam wszystkich, ale jego jakoś szczególnie. Kiedy był mały, to śpiąc, trzymałam go za nóżkę. Nie mogłam sobie wyobrazić, że wychodzę do kina, a syna z kimś zostawiam. Gdy miał ledwie trzy miesiące, brałam kilka butelek mleka i tak szliśmy do kina. Mogę powiedzieć, że byłam z nim całe życie. Wychowywałam go tylko na książkach, na idealnych postaciach: Pawka Korczagin, Oleg Koszewoj, Zoja Kosmodiemianska*. W pierwszej klasie umiał na pamięć nie bajki, nie wierszyki dla dzieci, ale całe strony z *Jak hartowała się stal* Ostrowskiego.

Nauczycielka była zachwycona.

– Kim jest twoja mama, Jura? Jesteś taki oczytany.

– Moja mama pracuje w bibliotece.

Znał ideały, ale nie znał życia. Ja też, mieszkając tyle lat poza krajem, wyobrażałam sobie, że życie to same ideały. Taki przypadek... Wróciliśmy już w rodzinne strony, mieszkaliśmy w Czerniowcach. Jura był słuchaczem uczelni wojskowej. Kiedyś o drugiej w nocy słyszę dzwonek do drzwi. Syn stoi w progu.

---

* Pawka Korczagin – radziecki wzorzec wychowawczy, bohater w dużym stopniu autobiograficznej powieści Nikołaja Ostrowskiego *Jak hartowała się stal*; Oleg Koszewoj (1926–1943) – jeden z przywódców podziemnej organizacji młodzieżowej w Krasnodonie (Ukraina), rozstrzelany przez Niemców, bohater powieści Aleksandra Fadiejewa *Młoda Gwardia*; Zoja Kosmodiemianska (1923–1941) – członkini radzieckiej grupy dywersyjnej, schwytana przez Niemców, pomimo tortur nie złożyła żadnych zeznań.

– To ty, synku? Co tak późno? Dlaczego w deszcz? Cały jesteś mokry...

– Mamo, przyjechałem ci powiedzieć, że jest mi ciężko. To, czegoś mnie uczyła... Tego w ogóle nie ma, skąd ty to wszystko wzięłaś? A to dopiero początek... Jak będę żył potem?

Całą noc przesiedzieliśmy w kuchni. Co mogłam mu powiedzieć? Ciągle to samo: że życie jest piękne, a ludzie dobrzy. Że tak jest naprawdę. Słuchał mnie bez słowa. Rano pojechał na uczelnię.

Wiele razy nalegałam:

– Jura, rzuć wojsko, idź na zwykłe studia. Tam jest twoje miejsce. Przecież widzę, jak się męczysz.

Nie był zadowolony ze swojego wyboru, bo wojskowym stał się przypadkowo. Mógłby być z niego dobry historyk... naukowiec. Żył książkami... „Jakiż to piękny kraj – starożytna Grecja!" I czytał wszystko o Grecji. Potem o Włoszech: „Mamo, Leonardo da Vinci myślał o lotach w kosmos. Kiedyś zostanie odkryta tajemnica uśmiechu Giocondy...". A w dziesiątej klasie podczas ferii zimowych pojechał do Moskwy. Mam tam brata, pułkownika rezerwy. Jura mu się zwierzył, że chciałby pójść na uniwersytet, na filozofię. Wuj tego nie pochwalił.

– Jesteś uczciwy, Jura. W naszych czasach trudno być filozofem. Trzeba oszukiwać siebie i innych. Jak zaczniesz mówić prawdę, to cię wsadzą do ciupy albo do domu wariatów.

Wiosną Jura postanowił:

– Mamo, o nic mnie nie pytaj. Zostanę wojskowym.

Widziałam w garnizonie cynkowe trumny. Ale wtedy jeden syn chodził do siódmej klasy, a drugi był jeszcze młodszy. Miałam nadzieję, że kiedy dorosną, wojna się skończy. Czy wojna może trwać tak długo?

– A okazało się, że wojna trwała tyle co szkoła, dziesięć lat – powiedział ktoś na stypie po Jurze.

Wieczór absolutoryjny na uczelni. Syn został oficerem, ale ja nie dopuszczałam do siebie myśli, że będzie musiał dokądś pojechać. Nawet przez chwilę nie wyobrażałam sobie życia bez niego.

– Dokąd cię mogą wysłać?

– Zgłoszę się do Afganistanu.

– Jura!!!

– Mamo, wychowałaś mnie takiego, teraz nie próbuj wychowywać inaczej. Dobrze mnie wychowałaś. Wszystkie te wyrodki, których w życiu spotkałem, to nie mój naród, nie moja ojczyzna. Pojadę do Afganistanu, żeby im udowodnić, że są w życiu sprawy wzniosłe i nie każdemu do szczęścia wystarcza żyguli i pełna mięsa lodówka. Jest coś jeszcze... Tak mnie uczyłaś...

Nie on jeden zgłosił się do Afganistanu, wielu chłopaków pisało podania. Wszyscy byli z porządnych rodzin: ojciec jednego był przewodniczącym kołchozu, drugiego – wiejskim nauczycielem... Mama – pielęgniarką...

Co miałam powiedzieć mojemu synowi? Że ojczyźnie to niepotrzebne? A tamci, którym chciał coś udowodnić, jak myśleli, tak nadal będą myśleć, że do Afganistanu jedzie się tylko po ciuchy, po czeki. Po odznaczenia, dla kariery. Dla nich Zoja Kosmodiemianska była fanatyczką, a nie ideałem, bo normalny człowiek nie jest zdolny do czegoś takiego.

Nie wiem, co się ze mną stało: płakałam, błagałam. Przyznałam się mu do tego, do czego sama przed sobą bałam się przyznać... Ale o czym już mówiono... Już się o tym szeptało po kuchniach. Prosiłam go:

– Juroczka, życie wcale nie jest takie, jakiego cię uczyłam. I jeśli się dowiem, że jesteś w Afganistanie, wyjdę na plac... Na Miejsce Łobne*... Obleję się benzyną i podpalę. Zabiją cię tam nie za ojczyznę, ale nie wiadomo za co... Zabiją tak zwyczajnie. Czyż ojczyzna może posyłać na śmierć swoich najlepszych synów bez wielkiej idei?

Wtedy mnie okłamał, powiedział, że jedzie do Mongolii. Ale ja wiedziałam swoje. To moja krew, pojedzie do Afganistanu.

---

* Miejsce Łobne (z ros. *Łobnoje miesto*) – podwyższenie na placu Czerwonym, według popularnej wersji „miejsce, gdzie ścinano łby", w rzeczywistości odczytywano z niego carskie rozporządzenia. W sierpniu 1968 roku grupa dysydentów protestowała tam przeciwko zdławieniu Praskiej Wiosny.

W tym samym czasie poszedł do wojska mój młodszy syn Giena. O niego byłam spokojna, bo był całkiem inny. Wiecznie się z Jurą kłócili.

Jura:

– Giena, ty mało czytasz. Nigdy nie widziałem cię z książką w ręku. Zawsze z gitarą.

Giena:

– Nie chcę być taki jak ty. Chcę być taki jak wszyscy.

Pojechali, a ja przeniosłam się do dziecięcego pokoju. Przestałam interesować się czymkolwiek poza ich książkami, ich rzeczami, listami. Jura pisał o Mongolii, ale tak plątał się w geografii, że już całkiem upewniłam się co do tego, gdzie przebywa naprawdę. Dniami i nocami wspominałam swoje życie... Zadręczałam się potwornie! Mojego bólu nie oddadzą żadne słowa...

Sama go tam wysłałam. Sama!

Weszli jacyś obcy ludzie, po ich twarzach od razu widać, że przynieśli ze sobą nieszczęście. Cofam się do pokoju. Zostaje ostatnia, straszliwa nadzieja:

– Giena?!

Odwracają oczy. A ja jeszcze raz gotowa jestem oddać im jednego syna, żeby ocalić drugiego.

– Giena?!

Cichutko któryś z nich powiedział:

– Nie, Jura.

Dalej nie mogę... Nie mogę... Umieram już dwa lata. Na nic nie choruję, ale umieram. Nie spaliłam się na placu, mąż nie oddał legitymacji partyjnej, nie rzucił im w twarz. Myśmy już na pewno umarli. Tylko nikt o tym nie wie...

My sami o tym nie wiemy...

Matka

Z początku powtarzałem sobie, że wszystko to zapomnę... Muszę zapomnieć...

W naszej rodzinie ten temat jest tabu. Żona posiwiała, mając czterdzieści lat, córka miała długie włosy, teraz strzyże się krótko. W czasie nocnych ostrzałów Kabulu nie mogli jej dobudzić i ciągnęli za warkocze. A po czterech latach nagle mnie poniosło, poniosło... Chcę mówić... Wczoraj przyszli przypadkowi goście, a ja nie mogłem się powstrzymać. Przyniosłem album... Pokazałem przeźrocza: nad kiszłakiem zawisają helikoptery, na nosze kładzie się rannego, a obok – jego oderwaną nogę w dresie. Jeńcy skazani na rozstrzelanie naiwnie patrzą w obiektyw, po dziesięciu minutach już ich nie będzie... *Allachu Akbar!* Obejrzałem się: mężczyźni palą papierosy na balkonie, kobiety wyszły do kuchni. Siedzą tylko ich dzieci. Nastolatki. Tylko dla nich to jest ciekawe. Nie rozumiem, co się ze mną dzieje. Chcę mówić. Dlaczego nagle teraz? Żeby niczego nie zapomnieć...

Jak było wtedy, co wtedy czułem, tego nie opowiem. Mogę mówić tylko o swoich obecnych uczuciach. Po czterech latach... A po dziesięciu wszystko będzie brzmiało inaczej, może w ogóle rozleci się na kawałki.

Czułem jakąś złość. Wściekłość. Dlaczego to ja mam jechać? Dlaczego na mnie wypadło? Ale że poczułem ciężar i nie załamałem się, to mi sprawiło satysfakcję. Szykowanie zaczęło się od najmniejszych drobiazgów – jaki nóż wziąć ze sobą, co do golenia... Spakowałem się. I od razu zacząłem się niecierpliwić: byle prędzej spotkać się z nieznanym, żeby nie minęło uniesienie, poryw uczuć. Wychodzi z tego standard... Każdy, kogo pani zapyta, opowie to samo. A mnie przeszywa dreszcz, pot po mnie spływa... Pamiętam jeszcze taką chwilę: kiedy samolot wylądował, poczułem ulgę i zarazem podniecenie – zaraz się wszystko zacznie, zobaczymy, dotkniemy, pomacamy, pożyjemy tym wszystkim.

Stoi trójka Afgańczyków, o czymś rozmawiają, śmieją się. Brudny chłopczyna przebiegł wzdłuż straganów, dał nurka pod ladę, między grube szmaty. Papuga wpatruje się we mnie zielonym nieruchomym okiem... Patrzę i nie rozumiem, co się dzieje... Tamci nie przerywają rozmowy. Ten, który stoi plecami do mnie, odwraca się... Wtedy patrzę prosto w lufę pistoletu.

Pistolet się unosi... unosi... To otwór... Widzę go. Równocześnie słyszę ostre szczęknięcie i – nie ma mnie... Znajduję się po jednej i równocześnie po drugiej stronie... Ale jeszcze nie leżę, ciągle stoję. Chcę z nimi rozmawiać, nie mogę... A-a-a...

Świat pojawia się powoli jak wywoływane zdjęcie... Okno... Wysokie okno... Coś białego i coś dużego, ciężkiego w tym białym... Ktoś... Przeszkadzają okulary, nie rozpoznam twarzy... Kapie z niej pot... Krople potu boleśnie uderzają po twarzy... Podnoszę ciężkie powieki i słyszę westchnienie ulgi:

– No już, towarzyszu podpułkowniku, wróciliście z „delegacji".

Ale jeśli podniosę głowę, nawet ją tylko obrócę, mój mózg leci gdzieś w dół. Migocze świadomość... Znowu chłopaczek daje nura pod stragan, między grube szmaty... Papuga wpatruje się we mnie zielonym nieruchomym okiem... Stoi trzech Afgańczyków... Ten, który stoi plecami do mnie, odwraca się... A ja utkwiłem wzrok w lufie pistoletu... To otwór lufy... Widzę go... Teraz nie czekam na znajome szczęknięcie... Krzyczę: „Muszę cię zabić! Muszę cię zabić!...".

Jaki kolor ma krzyk? Jaki smak? A jakiego koloru jest krew? W szpitalu – czerwonego, na suchym piasku – szarego, na skale pod wieczór, już nieżywa – jasnoniebieskiego. Z ciężko rannego człowieka krew wypływa szybko, jak z rozbitego słoika... I człowiek gaśnie... gaśnie... Tylko oczy błyszczą do końca i patrzą gdzieś obok ciebie. Uparcie gdzieś obok...

Za wszystko zapłaciliśmy! Za wszystko! W całości (*zaczyna nerwowo chodzić po pokoju*).

Jak się patrzy na góry z dołu, to wydają się nieskończone, niedosiężne, a jak poleci się samolotem, to widzi się leżące w dole obrócone sfinksy. Rozumie pani, o czym mówię? O czasie. O dystansie między wydarzeniami. Wtedy nawet my, uczestnicy, nie wiedzieliśmy, co to za wojna. Proszę nie mylić mnie dzisiejszego ze mną wczorajszym, z tamtym, który był tam w siedemdziesiątym dziewiątym roku. Jak ja w to wierzyłem! W osiemdziesiątym trzecim przyjechałem do Moskwy. Tutaj żyli tak, zachowywali się tak, jakby nas tam nie było. I nie było żadnej wojny. W metrze,

jak zawsze, śmiali się, całowali. Czytali. Szedłem Arbatem i zatrzymywałem ludzi.

– Ile lat toczy się wojna w Afganistanie?

– Nie wiem...

– Ile lat toczy się wojna...

– Nie wiem, po co to panu?

– Ile lat...

– Zdaje się dwa...

– Ile lat...

– A co, tam jest wojna? Naprawdę?

Teraz można się śmiać, można z nas szydzić: byliście ślepi
i głupi jak barany. Posłuszne stado! Teraz wolno, Gorbaczow
pozwolił... Popuścił lejce... Śmiejcie się! Ale, zgodnie ze starym chińskim powiedzeniem, myśliwemu, który zabił lwa, należy się szacunek, za to ten, który chełpi się, stojąc koło zdech-
łego lwa, godzien jest pogardy. Ktoś może mówić o błędach.
Co prawda nie wiem kto. Bo na pewno nie ja. Można mi zadać pytanie: „Dlaczego pan wtedy milczał? Przecież nie był
pan smarkaczem. Miał pan prawie pięćdziesiąt lat". Powinienem był rozumieć...

Zacznę od wyznania, że chociaż strzelałem, to jednak szanuję
naród afgański. Nawet go kocham. Podobają mi się jego pieśni,
jego modlitwy: spokojne, niekończące się, tak jak jego góry.
Tyle że – będę mówił wyłącznie o sobie – naprawdę wierzyłem w to, że jurta jest gorsza od czteropiętrowego domu, że
bez klozetu nie ma kultury. No więc zbudujemy im murowane
domy i zarzucimy ich klozetami. Nauczymy jeździć na trakto-
rach. Przywieźliśmy im biurka do gabinetów, karafki na wodę,
czerwone serwety do oficjalnych posiedzeń, a także tysiące
portretów Marksa, Engelsa i Lenina. Wisiały we wszystkich
gabinetach, nad głową każdego z naczelników. Przywieźliśmy im
dygnitarskie czarne wołgi. Nasze traktory, nasze byki zarodowe.
Tylko że dechkanie* nie chcieli brać ziemi, którą im dawano,

---

* Dechkan (z pers. *dehqān*) – chłop w Azji Środkowej.

bo ziemia należy do Allacha, człowiek nie może jej dawać ani brać. Jak z kosmosu patrzyły na nas rozbite czaszki meczetów... Nigdy się nie dowiemy, jak widzi świat mrówka. Niech pani poczyta o tym u Engelsa. A badacz Wschodu Spencer* mówił: „Afganistanu nie sposób kupić, można go tylko przekupić". Rano zapalam papierosa, patrzę – na popielniczce siedzi malutka jak chrabąszcz jaszczurka. Wracam po kilku dniach, a jaszczurka siedzi na popielniczce w tej samej pozycji, nawet głowy nie odwróciła. Zrozumiałem: to jest właśnie Wschód. Mogę dziesięć razy zniknąć i zmartwychwstać, roztrzaskać się i wstać, a ona jeszcze nie zdąży poruszyć swoją drobniutką główką. Według ich kalendarza jest rok 1361...

Teraz siedzę w domu, na fotelu przed telewizorem. Czy mógłbym zabić człowieka? Nie, nawet muchy bym nie zabił! W pierwszych dniach, nawet miesiącach, kiedy kule ścinały gałęzie morwy, miałem poczucie nierzeczywistości... Psychologia walki jest inna... Biegnie się i szuka celu... Przed sobą... Kątem oka... Nie liczyłem, ilu zabiłem... Ale biegłem. Szukałem celu... Tutaj... Tam... Żywego ruchomego celu... Sam też byłem celem. Tarczą strzelniczą... Nie, z wojny nie wracają bohaterowie. Nie można stamtąd wrócić jako bohater...

Za wszystko zapłaciliśmy! Za wszystko!!! Z nawiązką.

Pani wyobraża sobie i kocha żołnierza z czterdziestego piątego roku, którego kochała cała Europa. Naiwny, prosty, z szerokim pasem. Niczego nie potrzebował, chciał tylko zwyciężyć i wrócić do domu! A ten żołnierz, który wrócił na pani ulicę, pod ten sam numer co i pani, jest inny. Ten żołnierz potrzebował dżinsów i magnetofonu. Zobaczył i zapamiętał inne życie. Zapragnął wielu rzeczy... Już starożytni mawiali: nie budź śpiącego psa. Nie poddawaj człowieka nieludzkim próbom. Nie wytrzyma ich.

---

* Prawdopodobnie chodzi o kapitana Edmunda Spencera, dziewiętnastowiecznego podróżnika po Europie i imperium osmańskim.

Nie byłem w stanie czytać tam swojego ulubionego Dostojewskiego. Ponure. Taszczyłem ze sobą Bradbury'ego. Fantastykę.
Kto chce żyć wiecznie? Nikt.

Ale to wszystko było... działo się naprawdę! Pamiętam...
W więzieniu pokazali mi herszta, jakeśmy wtedy ich nazywali,
bandy. Leżał na metalowym łóżku i czytał... Znajomy grzbiet
książki... Lenina *Państwo i rewolucja*. „Szkoda – powiedział –
że nie zdążę tego przeczytać. Może moje dzieci przeczytają..."
Spaliła się szkoła, została jedna ściana. Co rano dzieci przychodzą na lekcje i piszą na tej ścianie węglami z pogorzeliska.
Po lekcjach ścianę bieli się wapnem. I znowu podobna jest do
czystej kartki papieru...

Przywieźli z „zieleniny"* lejtnanta bez rąk i bez nóg. Bez mę-
skości. Pierwsze słowa, jakie wypowiedział po szoku: „Jak tam
moje dzieci?".

Za wszystko zapłaciliśmy! Myśmy zapłacili najwięcej. Więcej
niż wy...

My nic nie potrzebujemy, przez wszystkośmy przeszli. Niech
nas pani wysłucha i zrozumie. A wszyscy przyzwyczaili się tylko
do tego: dać lekarstwo, dać rentę, dać mieszkanie. Dać i zapomnieć. To „dajcie" jest opłacone drogą walutą – krwią. Myśmy
przyszli do pani po spowiedź. Chcemy się wyspowiadać.

Niech pani pamięta o tajemnicy spowiedzi...

Doradca wojskowy

Nie, mimo wszystko to dobrze, że się tak skończyło. Porażką.
Przynajmniej oczy się nam otworzą...

Nie da się o wszystkim opowiedzieć... Było to, co było, po
czym zostało to, co zobaczyłem i zapamiętałem, już tylko część
całości, a potem pojawi się to, o czym zdołam opowiedzieć.
W słowach zostanie dziesiąta część... I to w najlepszym wypadku,
jeśli się postaram. Wysilę. A dla kogo? Dla Aloszki, który umarł

---

* Zielenina (z ros. *zielonka*) – popularna nazwa zarośli krzewów; tam powstańcy najczęściej urządzali zasadzki.

na moich rękach. Dostał osiem odłamków w brzuch. Znosiliśmy go z gór osiemnaście godzin. Żył siedemnaście, w osiemnastej godzinie umarł. Wspomnieć dla Aloszki? Ale to tylko z punktu widzenia religii człowiek czegoś potrzebuje, zwłaszcza tam – na górze. Wierzę raczej, że nic ich nie boli, niczego się nie boją ani nie wstydzą. No więc po co się w tym grzebać? Pani chce się czegoś od nas dowiedzieć... Tak... Oczywiście, nosimy piętno... Ale czego się od nas można dowiedzieć? Pani na pewno ma nas za innych. Proszę zrozumieć... W obcym kraju, walcząc nie wiadomo za co, trudno uwierzyć w jakieś ideały. Znaleźć sens. Tam byliśmy jednakowi, ale nie myśleliśmy jednakowo. Tak samo jak tutaj... W normalnym świecie... Los mógłby bez trudu zamienić miejscami tych, którzy tam byli, na tych, którzy nie byli. Wszyscy się różnimy, ale wszędzie jesteśmy tacy sami – i tam, i tutaj.

Pamiętam, że w szóstej czy siódmej klasie nauczycielka języka i literatury rosyjskiej wezwała mnie do tablicy i spytała:

– Kto jest twoim ulubionym bohaterem: Czapajew* czy Pawka Korczagin?

– Huck Finn.

– Dlaczego Huck Finn?

– Bo kiedy Huck Finn się zastanawiał, czy wydać zbiegłego Murzyna Jima, czy też smażyć się przez niego w piekle, powiedział sobie: „Do diabła z nim, mogę się smażyć w piekle", ale nie wydał Jima.

– A gdyby Jim należał do białych, a ty do czerwonych? – spytał po lekcjach Aloszka, mój przyjaciel.

Tak właśnie jest u nas przez całe życie – biali i czerwoni, kto nie z nami, ten przeciwko nam.

Pod Bagramem... Weszliśmy do wsi, poprosili o jedzenie. Zgodnie z ich zwyczajem jeśli ktoś głodny trafi do domu, nie wolno mu odmówić gorącego podpłomyka. Kobiety usadziły nas

---

* Wasilij Czapajew (1887–1919) – legendarny dowódca dywizji Armii Czerwonej z czasów wojny domowej.

za stołem i dały jeść. Kiedy stamtąd wyjechaliśmy, te kobiety razem z ich dziećmi zatłuczono na śmierć kijami i kamieniami. Wiedziały, że zostaną zabite, ale mimo to nas nie wypędziły. A my do nich ze swoimi prawami... Do meczetu wchodziliśmy w czapkach...

Dlaczego miałbym dzielić się wspomnieniami? To wszystko jest bardzo intymne: i mój pierwszy zabity, i moja własna krew na lekkim piasku, i wysoka jak komin głowa wielbłąda, która zakołysała się przede mną, zanim straciłem przytomność. Zarazem jednak byłem tam taki jak wszyscy. W ciągu całego życia tylko raz nie zachowałem się tak jak wszyscy. Jeden jedyny... W przedszkolu kazali nam brać się za ręce, a ja lubiłem chodzić samemu. Młode wychowawczynie przez jakiś czas znosiły moje wybryki, ale wkrótce jedna z nich wyszła za mąż, a na jej miejsce przyszła ciocia Kława.

– Weź Sieriożę za rękę. – Ciocia Kława przyprowadziła do mnie innego chłopca.

– Nie chcę.

– Dlaczego nie chcesz?

– Bo lubię chodzić sam.

– Zachowuj się tak, jak wszyscy grzeczni chłopcy i dziewczynki.

– Nie będę.

Po spacerze ciocia Kława rozebrała mnie, zdjęła mi nawet majtki i koszulkę, zaprowadziła do pustego ciemnego pokoju i zostawiła tam na trzy godziny. A w dzieciństwie nie ma nic straszniejszego, niż zostać samemu. Jeszcze po ciemku... Dziecku wydaje się, że wszyscy o nim zapomnieli. Nigdy nie odnajdą. Następnego dnia szedłem z Sieriożą za rękę i stałem jak wszyscy. W szkole decydowała klasa, na uczelni – rok, w fabryce – kolektyw. Wszędzie decydowano za mnie. Wpojono mi to, że jeden człowiek nic nie może. W jakiejś książce natknąłem się na słowa „zabójstwo odwagi". Kiedy jechałem tam, nie było czego we mnie zabijać: „Ochotnicy, wystąp". Wszyscy zrobili dwa kroki do przodu, to ja też.

W Szindandzie*... Widziałem dwóch naszych żołnierzy, którym się rozum pomieszał i cały czas prowadzili pertraktacje z „duchami". Według podręcznika historii do dziesiątej klasy tłumaczyli im, co to jest socjalizm... Kto to był Lenin... „A przyczyna była w tym, że bałwan był drążony, w środku siedział w nim kapłan, który przepowiadał"**. To stary Kryłow... Klasyka... A kiedy miałem jedenaście lat, przyszła raz do szkoły „ciocia snajperka", która zastrzeliła siedemdziesięciu ośmiu „wujków fryców". Kiedy wróciłem do domu, zacząłem się jąkać, a w nocy dostałem gorączki. Rodzice uznali, że to grypa. Przesiedziałem tydzień w domu. Czytałem swojego ulubionego *Szerszenia***.

Dlaczego każe mi pani wspominać? Kiedy wróciłem... Nie mogłem już nosić swoich przedwojennych dżinsów i koszuli, to było ubranie jakiegoś obcego, nieznajomego człowieka, chociaż, jak zapewniała matka, zachowało mój zapach. Tamtego człowieka już nie ma, przestał istnieć. Ten inny, który teraz jest mną, nosi tylko to samo nazwisko. Przed powołaniem spotykałem się z dziewczyną, byłem zakochany. Wróciłem i nawet do niej nie zadzwoniłem. Ona przypadkowo się dowiedziała, że jestem już w mieście, i mnie znalazła. Niepotrzebnie szukała... Nie należało się spotykać...

– Nie ma już tego, którego kochałaś i który kochał ciebie – powiedziałem jej. – Jestem kimś innym. No, kimś innym!

Płakała. Przychodziła wiele razy. Dzwoniła. Po co? Jestem inny! Inny! (*Przez chwilę nic nie mówi. Uspokaja się*). Mimo wszystko podobał mi się tamten pierwszy... Tęsknię za nim... Wspominam go... „*Padre* – zapytał Szerszeń Montanellego – czy teraz wasz Bóg jest zadowolony?"

Komu mam cisnąć w twarz te słowa? Jak granat...

Szeregowy, artylerzysta

* Szindand – miasto w prowincji Herat w zachodnim Afganistanie.
** Bajka Iwana Kryłowa *Wyrocznia* w przekładzie Stanisława Komara.
*** *Szerszeń* (*The Gadfly*) – książka irlandzkiej pisarki Lilian Ethel Voynich (1864–1960), mająca za temat walkę o zjednoczenie Włoch w pierwszej połowie XIX wieku. Powieść ta, o mocno antyreligijnej wymowie, była lekturą szkolną w ZSRR i państwach socjalistycznych.

Jak się tutaj dostałam? Bardzo zwyczajnie. Wierzyłam we wszystko, co pisano w gazetach...

Powtarzałam sobie: „Kiedyś nasi ludzie dokonywali wielkich czynów, zdolni byli poświęcić życie, a teraz młodzież do niczego się nie nadaje. Ja też jestem taka. Tam toczy się wojna, a ja szyję sobie sukienkę, wymyślam nową fryzurę". Mama płakała: „Umrę przez was. Nie wybaczę wam. Nie po to was rodziłam, żeby grzebać osobno ręce i nogi".

Pierwsze wrażenia? Przesiadka w Kabulu. Druty kolczaste, żołnierze z automatami... Psy szczekają... Same kobiety. Setki kobiet. Przychodzą oficerowie, wybierają co młodsze i co ładniejsze. Bez żenady. Mnie przywołał major.

– Zawiozę cię do swojego batalionu, jeśli się nie boisz mojego samochodu.

– Co to za samochód?

– Do „ładunków dwieście". – A ja już wiedziałam, co to znaczy „ładunek dwieście". – To są trumny, zabici.

– Są tam trumny?

– Zaraz je wyładują.

Zwyczajny kamaz z brezentem. Trumny rzucali jak skrzynie z amunicją. Byłam przerażona. Żołnierze się zorientowali, że do jednostki przyjechała „nowa". Żar sześćdziesiąt stopni. W ubikacji much tyle, że mogłyby człowieka unieść na skrzydłach. Nie ma natrysku. Woda na wagę złota. A ja jestem jedyną kobietą.

Po dwóch tygodniach wzywa mnie dowódca.

– Będziesz żyła ze mną...

Opędzałam się od niego przez dwa miesiące. Raz nawet mało nie cisnęłam w niego granatem, za drugim – złapałam za nóż. Nasłuchałam się:

– Co, za mało gwiazdek na pagonach? Jak ci tu życie dokuczy, to sama do mnie przyjdziesz...

Nigdy przedtem nie klęłam, a wtedy:

– Spierdalaj, ale już!

Zrobiłam się ordynarna, klęłam jak szewc. Przenieśli mnie do Kabulu, byłam dyżurną w hotelu. Początkowo warczałam na wszystkich. A ci patrzyli na mnie jak na pomyloną.

– No i czego się ciskasz? My nie gryziemy.

A ja nie umiałam inaczej, przywykłam do tego, że muszę się bronić. Czasem ktoś zapraszał:

– Wpadnij na filiżankę herbaty.

A ja:

– Na filiżankę czy na leżankę?

Dopóki nie zjawił się on... Miłość? Takich słów tu się nie używa. Przedstawia mnie swoim kolegom:

– Moja żona.

A ja mu na ucho:

– Afgańska?

Jechaliśmy transporterem... Zasłoniłam go sobą, ale na szczęście kula trafiła we właz. A on siedział odwrócony. Kiedy wróciliśmy, napisał do żony o mnie.

Lubię sobie postrzelać. Jedną serią opróżniam magazynek. Wtedy jest mi lżej.

Jednego „ducha" zabiłam sama. Wyjechaliśmy w góry, popatrzeć, pooddychać. Usłyszałam szmer za kamieniem, cofnęłam się błyskawicznie, jakby mnie prąd kopnął, i puściłam serię. Wyprzedziłam tamtego. Podeszłam, żeby się przyjrzeć, a tam leży silny, przystojny mężczyzna...

– Z tobą można iść na rozpoznanie – powiedzieli chłopcy.

Pęczniałam z dumy. Spodobało im się jeszcze to, że nie zabrałam nic z jego torby, wzięłam tylko pistolet. Potem uważali na mnie przez całą drogę, bali się, że mnie zemdli. Nie, nic mi nie było. Ciało stało się nagle lekkie... Wróciłam, otworzyłam lodówkę i dużo zjadłam, tak dużo, że kiedy indziej starczyłoby mi tego na tydzień. Taka byłam zdenerwowana. Przynieśli mi butelkę wódki. Piłam i nie mogłam się upić. Czułam się strasznie – gdybym spudłowała, moja mama dostałaby „ładunek dwieście".

Chciałam być na wojnie, ale na Wielkiej Ojczyźnianej, a nie na tej.

Skąd się brała nienawiść? To bardzo proste. Zabili kolegę, który ciągle był koło nas, jadł z jednej menażki. Opowiadał o dziewczynie, o mamie. A potem widzi się jego zwęglonego trupa. Od razu wszystko wiadomo... Każdy wtedy będzie strzelał jak wariat. Nie mieliśmy zwyczaju stawiać zasadniczych pytań: „Kto to wymyślił?", „Kto jest winien?"...

Jest taki dowcip... Pyta słuchacz Radia Erewań: „Co to jest polityka?". Radio odpowiada: „A czy słyszał pan kiedy, jak komar sika? No więc polityka to sprawa jeszcze bardziej delikatna". Niech się tym rząd zajmuje, a tutaj ludzie patrzą na krew i robią się bestiami. Wariują... Można zobaczyć, jak spalona skóra zwija się w rulonik... tak jakby pękła nylonowa pończocha... I to wystarczy... To okropne, jak zabija się zwierzęta... Kiedyś zlikwidowaliśmy karawanę wiozącą broń. Ludzi rozstrzelaliśmy osobno, osobno osły. Wszyscy jednakowo milczeli i czekali na śmierć. Dopiero ranny osioł krzyczał tak, jakby to żelazo tarło o żelazo... Taki był zgrzyt...

Tutaj mam inną twarz, inny głos. Może pani sobie wyobrazić, jakie jesteśmy, skoro my, dziewczyny, potrafimy siąść razem i rzucać takie teksty:

– Co za idiota! Pożarł się z sierżantem i uciekł do „duchów". Wystarczyło strzelić i po wszystkim. Dopisaliby do strat bojowych.

Rozmawiam z panią szczerze... Bo wielu oficerów myślało, że tu jest jak w Sojuzie – można uderzyć żołnierza, poniżyć. Takich znajdowano potem nieżywych... Podczas walki ktoś strzelił im w plecy. No i szukaj potem kto. Znajdź dowody.

Na posterunkach w górach chłopaki latami nikogo nie widują. Trzy razy w tygodniu przylatuje helikopter. Raz byłam w nim. Podchodzi lejtnant.

– Niech pani zdejmie chustę. Rozpuści włosy. – A miałam długie. – Od dwóch lat widuję tylko ostrzyżone żołnierskie łepetyny.

Wszystkie chłopaki powyłaziły z okopów...

A w walce jeden z żołnierzy mnie zasłonił. Do końca życia będę o nim pamiętała, będę mu świecę w cerkwi zapalać. Nie znał mnie, a zrobił to tylko dlatego, że byłam kobietą. Czegoś takiego się nie zapomina. W normalnym życiu kto by uwierzył, że jakiś człowiek może mnie zasłonić własnym ciałem? Tutaj to, co dobre, jest jeszcze lepsze, a złe jeszcze gorsze. Ostrzeliwali nas... To już było innym razem... Żołnierz krzyknął do mnie coś brzydkiego. Ohyda! Coś obleśnego. „A niech cię szlag!" – pomyślałam. A potem on zginął, pocisk odciął mu pół głowy, połowę tułowia. Na moich oczach... Zatrzęsło mną, jakbym miała malarię. Chociaż już widywałam celofanowe worki z trupami. Trupy w folii... Jak... E, wolę nie porównywać... Nie mogłabym opisać, szukałabym słowa i szukała. Próbowałabym, które lepsze. No... jak duże zabawki... Ale żebym się trzęsła, to się przedtem nigdy nie zdarzyło. A wtedy nie mogłam się uspokoić.

Nie widziałam, żeby dziewczyny nosiły odznaczenia bojowe, nawet jeśli je miały. Kiedy jedna przypięła medal „Za Zasługi Bojowe", to wszyscy się śmiali: „Za zasługi łóżkowe!". Bo wiedzieli, że medal można dostać za noc z dowódcą batalionu... Dlaczego biorą tutaj kobiety? Bez nich nie można się obejść... Rozumie pani? Niektórzy panowie oficerowie by zwariowali. A dlaczego kobiety wyrywają się na wojnę? Pieniądze... Niezłe pieniądze. Kupić można magnetofon, różne inne rzeczy. Po powrocie można będzie sprzedać. Bo w kraju tyle się nie zarobi. Nie zaoszczędzi... Nie ma jednej prawdy, są prawdy różne. Przecież rozmawiamy szczerze... Niektóre dziewczęta zadają się ze sklepikarzami za ciuchy. Kiedy wchodzi się do dukanu, *bacza*, czyli dzieci, wołają: „*Chanum**, dżyk-dżyk..." – i pokazują drzwi od magazynu. Nasi oficerowie płacą czekami i mówią przy tym: „Idę do »czekistki«". Zna pani taki dowcip? W Kabulu na punkcie przesyłowym spotkali się Trójgłowy Smok, Kościej Nieśmiertelny i Baba Jaga. Wszyscy jadą bronić rewolucji afgańskiej. Wróciwszy po dwóch latach do domu, spotykają się znowu. Smokowi została tylko jedna głowa, dwie mu odstrzelili, Kościej ledwo żyje, i to tylko dlatego, że nieśmiertelny, a Baba Jaga cała w markowym dżinsie. Bardzo wesoła.

---

* *Chanum* – dziewczyna, niezamężna kobieta.

– Zostaję na trzeci rok!

– Zwariowałaś, Babo Jago?

– To w Sojuzie jestem Baba Jaga, a tutaj – Piękna Wasylisa. Żołnierze... Chłopaczkowie... Wychodzą stąd złamani, mają po osiemnaście, dziewiętnaście lat. Dzieciaki... Wiele tu zobaczyli. Naprawdę wiele... Jak kobieta oddaje się za skrzynkę, co tam skrzynkę, nawet dwie puszki konserw. I tak potem będą patrzeć na żonę. Na wszystkie kobiety... Zepsuli im tutaj wzrok. Nie należy się dziwić, że potem w kraju różnie się zachowują. Jeden mój znajomy siedzi już w więzieniu... Mają inne doświadczenia. Przywykli wszystko rozstrzygać za pomocą automatu, siłą... Sklepikarz sprzedawał arbuzy, jeden za sto afgani. Nasi chcieli taniej. Tamten się upierał. „Ach tak?" – powiedział jeden z naszych, wziął i rozwalił z automatu wszystkie arbuzy, całą górę. Niech no kto potem takiemu w autobusie nastąpi na odcisk albo nie przepuści go w kolejce. Niech tylko spróbuje!

Marzyłam, że wrócę do domu, wyniosę łóżko polowe do ogrodu i zasnę pod jabłonią. Pod jabłkami... Ale już się tego boję. Wielu, zwłaszcza teraz, przed wyprowadzeniem naszych wojsk, mówi: „Boję się wracać do Sojuza". Dlaczego? To bardzo proste. Przyjedziemy, a tam wszystko inne – inna moda, inna muzyka, inne ulice. Także inny stosunek do tej wojny... Będą tam na nas patrzeć jak na dziwadła.

Niech mnie pani odszuka po roku. W domu. Dam pani adres...

Pracownica cywilna

Wierzyłem tak mocno, że nawet teraz nie potrafię się tego wyzbyć...

A teraz... Cokolwiek by mi opowiadali, za każdym razem zostawiam sobie małą furtkę. Odzywa się instynkt samozachowawczy. Obrona. Przed wojskiem skończyłem szkołę wychowania fizycznego. Ostatnią praktykę dyplomową odbyłem w Arteku, byłem kierowcą. Tyle razy wypowiadałem wzniosłe słowa: słowo pioniera, pionierska sprawa... Teraz to głupio brzmi... A wtedy miałem łzy w oczach...

Na komisji powiedziałem: „Proszę o wysłanie do Afganistanu...". Zastępca do spraw politycznych robił nam wykłady o sytuacji międzynarodowej; i to on mówił, że tylko o godzinę wyprzedziliśmy amerykańskie „zielone berety", ich samoloty już wystartowały. Przykro mi, że byłem tak łatwowierny. Wbijano nam do głów, wbijano, aż w końcu wbito, że to jest „obowiązek internacjonalistyczny". Nigdy nie mogę dojść do końca... Postawić kropki nad i w swoich rozważaniach... Powtarzam sobie: „Zdejmij różowe okulary". A poleciałem tam nie w osiemdziesiątym i nie w osiemdziesiątym pierwszym, ale w osiemdziesiątym szóstym roku. Ale wtedy jeszcze wszyscy milczeli. W osiemdziesiątym siódmym byłem już w Choście*. Zdobyliśmy jedno ze wzgórz... Zginęło siedmiu naszych kolegów... Przyjechali dziennikarze z Moskwy. Przywieziono im „zielonych", czyli Afgańską Armię Ludową, i wyglądało tak, jakby to oni odbili wzgórze. Afgańczycy pozowali do zdjęć, a nasi leżeli w kostnicy...

Na przeszkoleniu do Afganistanu wybierano najlepszych. Ludzie bali się trafić do Tuły, do Pskowa czy też do Kirowabadu, bo tam był brud i zaduch, a do Afganistanu pchali się, napraszali. Major Zdobin zaczął namawiać mnie i Saszę Kriwcowa, mojego przyjaciela, żebyśmy wycofali podania:

– Lepiej, żeby zginął Sinicyn niż któryś z was. Państwo tyle na was wydało.

Sinicyn to był prosty chłopak z kołchozu, traktorzysta. Ja miałem już dyplom, Sasza studiował filologię germańską i romańską na uniwersytecie w Kemerowie. Umiał fantastycznie śpiewać. Grał na fortepianie, na skrzypcach, na flecie, na gitarze. Komponował. Ładnie rysował. Byliśmy jak dwaj bracia. Na zajęciach politycznych opowiadano nam o bohaterskich czynach. Mówiono, że Afganistan jest jak Hiszpania. A tu nagle: „Lepiej, żeby zginął Sinicyn niż któryś z was".

---

*Chost – miasto na południowy wschód od Kabulu, stolica graniczącej z Pakistanem prowincji o tej samej nazwie.

Wojna interesowała mnie z psychologicznego punktu widzenia. Przede wszystkim chciałem poznać samego siebie. To mnie pociągało. Wypytywałem znajomych chłopaków, którzy tam byli. Jeden wciskał nam ciemnotę, ale to wiem dopiero dzisiaj. Na piersi miał wielką plamę jak od oparzenia, w kształcie litery „P", specjalnie nosił rozpięte koszule, żeby ludzie widzieli. Zmyślał, jak to nocą w górach skakali z helikopterów... Jeszcze dziś pamiętam, że desantowiec przez trzy sekundy do otwarcia spadochronu jest aniołem, przez trzy minuty, dopóki leci – orłem, a przez resztę czasu – jucznym mułem. Wszystko to braliśmy za dobrą monetę. Niechbym dzisiaj spotkał tego Homera! Takich potem rozgryzałem od razu: „Miałby wstrząs mózgu, gdyby miał mózg". Drugi przeciwnie, odradzał mi:

– Nie powinieneś tam jechać. Nie ma w tym żadnego romantyzmu, samo błoto.

Mnie się to nie spodobało:

– Ale ty spróbowałeś. To ja też chcę spróbować.

Uczył mnie, jak przeżyć:

– Jak strzelisz, to odczołgaj się dwa metry od miejsca, z którego strzelałeś. Lufę automatu chowaj za duwał* albo za skałę, żeby cię nie wykryli, nie zobaczyli płomienia. Kiedy idziesz, to nie śpiewaj, bo nie dojdziesz. Na warcie gryź się w rękę, drap po twarzy, byle nie zasnąć. Desantowiec biegnie z początku, ile da rady, a potem – ile trzeba.

Mój ojciec jest naukowcem, mama inżynierem. Zawsze zależało im na tym, żebym miał własną osobowość. No więc chciałem mieć osobowość... Za to... (śmieje się) wyrzucili mnie z zuchów, długo nie przyjmowali do pionierów. Walczyłem o honor. Kiedy zawiązali mi chustę, to jej nie zdejmowałem, spałem w niej. Na lekcjach literatury nauczycielka mi przerywała:

– Nie mów od siebie, mów tak jak w książce.

– A czy ja coś źle mówię?

---

* Duwał – w Azji Środkowej mur z gliny oddzielający podwórze domostwa od drogi. Jego wysokość przewyższa na ogół wzrost przeciętnego człowieka.

– Ale nie tak jak w książce...

Tak jak w bajce, w której król nie lubił innych kolorów poza szarym. I wszystko w tym królestwie było mysioszarego koloru.

Teraz wołam do swoich uczniów (pracuję w szkole):

– Uczcie się myśleć, żeby z was nie zrobili kolejnych głupców. Cynkowych żołnierzyków.

Przed wojskiem uczyli mnie życia Dostojewski i Tołstoj, w wojsku – podoficerowie. Ich władza była nieograniczona, w plutonie było trzech sierżantów.

– Słuchaj moich rozkazów! Co musi mieć desantowiec? Powtórz!

– Desantowiec musi mieć bezczelną mordę, żelazną pięść i ani grama sumienia.

– Sumienie to dla desantowca luksus. Powtórz!

– Sumienie to dla desantowca luksus.

– Jesteście batalionem medycznym. Batalion medyczny to białe mięso wojsk powietrznodesantowych. Powtórz!

Jeden żołnierz napisał w liście: „Mamo, kup barana i nazwij go »Sierżant«. Jak wrócę do domu, to go zarżnę".

Sam dryl zabija świadomość, brak sił, żeby stawiać jakiś opór. Mogą z tobą zrobić wszystko...

O szóstej rano pobudka. Potem odwołują, i tak trzy razy. Padnij – powstań.

Trzy sekundy, żeby się ustawić na tak zwanym lądowisku – białe linoleum. Tak, białe, żeby je częściej myć, szorować. Stu sześćdziesięciu ludzi musi zeskoczyć z łóżek i w trzy sekundy uformować dwuszereg. W czterdzieści pięć sekund ubrać się według numeru trzy – pełne umundurowanie, tylko bez pasa i czapki. Kiedyś jeden nie zdążył zawinąć stóp w onuce.

– Rozejść się i powtórzyć!

Znowu nie zdążył.

– Rozejść się i powtórzyć!

Przygotowanie fizyczne. Walka wręcz: połączenie karate, boksu, obrony przed nożem, kijem, saperką, pistoletem, automatem. Tamten ma automat, ty – gołe ręce. Ty masz saperkę, on z gołymi rękami. Sto metrów skakać „żabką"... Albo na jednej nodze... Ciosem pięści rozbić dziesięć cegieł. Po to prowadzili nas na budowę.

– Nie odejdziecie, póki się nie nauczycie.

Najtrudniej jest się przełamać, przestać się bać walki.

Pięć minut na mycie. Dwanaście kranów na stu sześćdziesięciu żołnierzy.

– Zbiórka! Rozejść się!

Po minucie znowu.

– Zbiórka! Rozejść się!

Poranny apel. Sprawdzanie blach – czy błyszczą jak psu pewna część ciała. Kontrola białych kołnierzyków oraz czy mamy w czapkach po dwie igły i nici.

– Naprzód! Biegiem marsz! Na pozycję wyjściową!

W ciągu całego dnia mamy pół godziny czasu wolnego. Po obiedzie, na napisanie listu.

– Szeregowy Kriwcow, dlaczego siedzicie i nie piszecie?

– Myślę, towarzyszu sierżancie.

– Dlaczego tak cicho odpowiadacie?

– Myślę, towarzyszu sierżancie.

– Dlaczego nie krzyczycie, tak jak was uczyli? Bo potrenujecie w kiblu!

Trenować w kiblu to znaczy drzeć się w muszlę klozetową, wyrabiać głos do wydawania rozkazu. Z tyłu stoi sierżant i pilnuje, żeby odpowiadało głuche echo.

Ze słownika żołnierza:

Fajrant – kocham cię, życie*. Poranny apel – wierzcie mi, ludzie. Wieczorny apel – znali ich tylko z widzenia. W pace – z dala od ojczyzny. Demobilizacja – światło dalekiej gwiazdy. Pole do zajęć taktycznych – kraina głupców. Zmywanie naczyń – dyskoteka (talerze się obracają jak płyty). Zastępca do spraw politycznych – Kopciuszek (we flocie – pasażer).

---

* Te żartobliwe nazwy są na ogół tytułami znanych piosenek lub filmów radzieckich.

— Batalion medyczny to białe mięso wojsk powietrznodesantowych. Powtórz!

Wieczne uczucie głodu. Ukochane miejsce to kantyna, można tam kupić keks, cukierki, czekoladę. Jak się wykona strzelanie na „pięć", to dają pozwolenie na pójście do kantyny. Jak brakuje pieniędzy, to sprzedajemy kilka cegieł. Bierze się cegłę, podchodzi – dwóch zdrowych byczków do nowicjusza, który ma forsę.

— Kup cegłę.

— A po co?

Zachodzimy z dwóch stron.

— Kup cegłę...

— Za ile?

— Trzy ruble.

Daje nam trzy ruble, idzie za narożnik i wyrzuca cegłę. A my możemy się najeść. Jedna cegła to dziesięć keksów.

— Sumienie to dla desantowca luksus... Batalion medyczny to białe mięso wojsk powietrznodesantowych.

Pewnie jestem niezłym aktorem, bo szybko nauczyłem się grać wyznaczoną rolę. Najgorzej zarobić na ksywkę „dziecię", to ktoś słaby, niemęskiego rodzaju. Po trzech miesiącach dostałem przepustkę. Jak zapomniałem wszystko! Jeszcze niedawno całowałem się z dziewczyną, przesiadywałem w kawiarni, tańczyłem. A teraz – jakbym wrócił do cywilizacji po trzech latach, nie po trzech miesiącach...

Wieczorem:

— Zbiórka, wy, małpy! Co jest najważniejsze dla desantowca? Najważniejsze dla desantowca jest skoczyć ze spadochronem i nie przegapić ziemi.

Przed wyjazdem świętowaliśmy Nowy Rok. Byłem Dziadkiem Mrozem, a Saszka – Śnieżynką. To przypominało szkołę.

Szliśmy dwanaście dni... Gorsze od gór mogą być tylko góry... Uciekaliśmy przed bandą... Trzymał nas doping...

— Sanitariusz, dawaj tu tę wkurwinę.

Chodziło o mezokarb. Zjedli wszystkie tabletki. I jeszcze mieli siłę żartować. Jeden zaczyna:

– Na co się pan uskarża? – pyta lekarz kota Leopolda*.

– Na myszy.

– Aha… Proszę odmychać… Proszę nie odmychać… Teraz wszystko jasne. Jest pan za dobry. Musi pan się wkurwić. Proszę, tutaj ma pan tabletki wkurwiny. Trzy razy dziennie jedną tabletkę po jedzeniu.

– I jak to działa?

– Będzie pan wkurwiony.

Piątego dnia zastrzelił się żołnierz, puścił wszystkich przodem i obrócił automat do siebie. Musieliśmy potem dźwigać jego trupa, jego plecak, kamizelkę kuloodporną i hełm. Nikt go nie żałował. A on wiedział, że nie zostawiamy trupów, zabieramy ze sobą.

Przypomnieliśmy sobie o nim i poczuliśmy żal dopiero, kiedy już wracaliśmy do domu, do rezerwy.

– Brać po jednej trzy razy dziennie…

– I jak to działa?

– Będziemy wkurwieni.

Rany spowodowane przez wybuchy były najstraszniejsze… Noga oderwana po kolano… Kość wystaje… Na drugiej nodze oderwana pięta… Odcięty członek… Wybite oko… Oderwane ucho… Za pierwszym razem dygotałem, drapało mnie w gardle… Sam sobie tłumaczyłem: „Jak nawalisz teraz, to nigdy nie będziesz sanitariuszem". Podczołgałem się i widzę, że facet nie ma nóg. Nałożyłem opaskę uciskową, zatrzymałem krwotok, znieczuliłem, uśpiłem… Żył cztery godziny… Potem umarł…

Brakowało lekarstw. Nie było nawet zieleni brylantowej. To nie zdążyli dowieźć, to wyczerpały się limity – ta nasza planowa gospodarka… Zdobywaliśmy leki z importu. Ja w torbie miałem zawsze dwadzieścia japońskich strzykawek. Były w miękkim polietylenowym opakowaniu, wystarczyło zdjąć pokrowiec i zrobić zastrzyk. W naszych strzykawkach Rekord przecierały się

---

* *Przygody kota Leopolda* – seria radzieckich kreskówek o dobrym kocie, któremu dokuczają myszy.

papierowe pochewki, tak że diabli brali sterylność. Połowa wy-
brakowana, nie zasysała płynu, nie tłoczyła. Nasze płyny infuzyj-
ne były w butelkach półlitrowych. Żeby pomóc ciężko rannemu,
potrzebne były dwa litry, czyli cztery butelki. Kto na polu walki
potrafi trzymać gumowy przewód na wyciągniętej ręce? W prak-
tyce się nie da. A ile butelek udźwignąć można samemu? Co
proponują Włosi? Polietylenową torbę litrową, można skoczyć
na nią w butach, a nie pęknie. Dalej: zwykły bandaż, radziecki
sterylny bandaż. Opakowanie było toporne, ważyło więcej niż
sam bandaż. A importowane... tajlandzkie, austriackie... były
jakieś lżejsze, bielsze nawet... Elastycznych bandaży nie mieliśmy w ogóle. Też brałem zdobyczne... francuskie, niemieckie...
A nasze krajowe szyny?! To przecież narty, a nie sprzęt medyczny.
Ile ich można zabrać ze sobą? Miałem angielskie, różnego rodzaju – na przedramię, na goleń, na biodro. „Na zamek", dmuchane.
Wsuwa się rękę, zaciąga suwak. Złamana kość się nie rusza, jest
chroniona przed urazami podczas transportu.

Przez dziewięć lat nic nowego nie weszło u nas do produkcji.
Ten sam bandaż, ta sama szyna. Żołnierz radziecki jest najtańszy
w świecie. Najcierpliwszy, najmniej wybredny. Bez wyposażenia,
bez ochrony... Przeznaczony na straty. Tak było w czterdziestym pierwszym roku. Tak samo jest pięćdziesiąt lat później.
Dlaczego?

To straszne, kiedy w człowieka walą, a on sam strzelać nie
może. Żeby przeżyć, trzeba nieustannie o tym myśleć. Ja myślałem... Nigdy nie wsiadałem do pierwszego ani do ostatniego
samochodu w kolumnie. Nigdy nie wsuwałem nóg do włazu,
lepiej żeby zwisały z pancerza, żeby mi nie ucięło przy wybuchu.
Trzymałem w zapasie niemieckie tabletki tłumiące strach. Ale
nikt poza mną ich nie zażywał. Miałem kamizelkę kuloodporną... No i znowu! Naszej kamizelki nie sposób było podnieść,
nie sposób się w niej poruszać, za to amerykańska nie miała ani
jednej stalowej części, była z jakiegoś materiału, którego kula
nie przebija. Człowiek czuł się w niej jak w dresie. Strzał na
wprost z pistoletu Makarowa nie dawał jej rady, a kula z peemu

przebijała ją dopiero ze stu metrów. Mieliśmy idiotyczne hełmy z lat trzydziestych. Jeszcze z tamtej wojny... (*Zamyśla się*). Dlatego... I jeszcze wielu rzeczy się tam wstydziliśmy... Dlaczego jesteśmy tacy? Amerykańskie śpiwory, wzór z czterdziestego dziewiątego roku, leciutkie, puch łabędzi. Japońskie śpiwory były bardzo dobre, ale za krótkie. A nasz watowany ważył co najmniej siedem kilo. Zabitym najemnikom zabieraliśmy kurtki, czapki z długimi daszkami, chińskie spodnie, które nie ocierały pachwin. Wszystkośmy brali. Zabieraliśmy majtki, bo to był towar deficytowy, skarpetki też, adidasy. Zdobyłem małą latarkę, nożyk. No i zawsze chciało się nam jeść... Byliśmy głodni! Strzelaliśmy do dzikich baranów. Za dzikiego uważany był baran, który oddalił się pięć metrów od stada. Albo wymienialiśmy się: dwa kilo herbaty za jednego barana. Herbata też zdobyczna. Z zadań bojowych przynosiliśmy pieniądze, afgani. Wyżsi stopniem nam je zabierali i od razu, w naszej obecności, dzielili między siebie. Tylko jeśli się wsadziło parę papierków do naboju i przysypało z wierzchu prochem, można było coś uratować.

Jedni chcieli się upić, drudzy przeżyć, trzeci marzyli o odznaczeniach. Ja też chciałem być odznaczony. Jak potem w kraju mnie zobaczą, to spytają:

– No, jak tam u ciebie? Co, starszyną byłeś, w intendenturze?

Głupio mi, że byłem taki łatwowierny. Polityczni przekonywali nas do tego, w co sami nie wierzyli.

Oficer polityczny pouczał przed powrotem do domu, o czym można mówić, a o czym nie. O poległych nie wolno, bo jesteśmy wielką i silną armią. Informacji o nieregulaminowych stosunkach w wojsku nie rozpowszechniać, bo jesteśmy armią wielką, silną i zdrową moralnie. Zdjęcia należy podrzeć. Błony fotograficzne – zniszczyć. Myśmy tu nie strzelali, nie bombardowali, nie zatruwali, nie wysadzali. Jesteśmy wielką, silną armią, najlepszą na świecie...

Na granicy zabrali nam prezenty, które wieźliśmy do domu: perfumy, chustki, zegarki.

– Nie wolno, chłopcy.

Nie robili żadnego spisu rzeczy konfiskowanych. To po prostu był ich biznes. Ale tak pachniały zielone wiosenne listki... Dziewczyny chodziły w lekkich sukienkach. W pamięci mignęła i znikła Swietka Afoszka (nie pamiętam nazwiska, tylko ksywkę Afoszka). Pierwszego dnia po przyjeździe do Kabulu przespała się z żołnierzem za sto afoszek (afgani), dopóki się nie zorientowała, że może za więcej. Po paru tygodniach brała po trzy tysiące. To już nie na żołnierską kieszeń. A gdzie jest Pawka? Naprawdę miał na imię Andriej, ale ze względu na nazwisko Korczagin został Pawką.

– Pawka, popatrz, jakie dziewczyny!!!

Pawka-Andriej miał dziewczynę, która przysłała zdjęcie ze swojego ślubu. Dyżurowaliśmy przy nim po nocach, baliśmy się o niego. Któregoś ranka powiesił zdjęcie na skale i rozstrzelał z karabinu maszynowego.

– Pawka, popatrz, jakie dziewczyny!

W pociągu mi się śniło, że wychodzimy na zadanie bojowe, a Saszka Kriwcow pyta:

– Dlaczego masz trzysta pięćdziesiąt naboi, a nie czterysta?

– Bo mam lekarstwa.

Zastanowił się i zapytał:

– A czy mógłbyś rozstrzelać tamtą Afgankę?

– Którą?

– Tamtą, która wciągnęła nas w zasadzkę. Pamiętasz, zginęło wtedy czterech naszych?

– Nie wiem... Ja pewnie nie. W przedszkolu i w szkole mówili na mnie „Babiarz", bo broniłem zawsze dziewczynek. A ty?

– Wstydzę się...

Nie zdążył wytłumaczyć, dlaczego się wstydzi, bo się obudziłem. W domu czekał na mnie telegram od mamy Saszy: „Przyjeżdżaj, Sasza nie żyje".

Stałem przy jego grobie.

– Saszka, wstydzę się tego, że na końcowym egzaminie z komunizmu naukowego dostałem piątkę za krytykę demokracji burżuazyjnej. Przeprowadziłem analizę porównawczą. Rozumiesz mnie… Pojechaliśmy do Afganistanu ślepi… Teraz już wszyscy mówią, że ta wojna to hańba, a nam niedawno dali nowiutkie odznaki „Żołnierz-internacjonalista". A ja milczałem… Nawet powiedziałem: „Dziękuję!". Ty, Saszka, jesteś tam, a ja tu.

Muszę z nim rozmawiać…

Starszyna, sanitariusz kompanii zwiadowczej

Był taki maleńki. Urodził się wątły, jak dziewczynka, ważył dwa kilo, a mierzył trzydzieści centymetrów. Bałam się go trzymać w rękach…

Przyciskałam go do siebie:

– Moje ty słoneczko…

Nie bał się niczego poza pająkami. Przychodzi z ulicy… Kupiliśmy mu nowy płaszczyk. Właśnie skończył cztery lata… Powiesiłam płaszczyk na wieszaku, i słyszę z kuchni: człap, człap, człap, człap… Wybiegam, a tam przedpokój pełen żab, wyskakiwały z kieszeni płaszczyka. A on je zbierał.

– Nie bój się, mamo, one są dobre.

I z powrotem wpycha je do kieszeni.

– Moje ty słoneczko.

Lubił militarne zabawki. Kupiłam mu czołg, automat, pistolet. A on to dźwigał na sobie i maszerował po mieszkaniu.

– Jestem żołnierz… Jestem żołnierz…

– Moje ty słoneczko… Pobaw się czymś pokojowym.

– Jestem żołnierz…

Kiedy szedł do pierwszej klasy, nie mogliśmy nigdzie znaleźć dla niego ubranka, przymierzamy różne – każde za duże, przepastne.

– Moje ty słoneczko…

Poszedł do wojska. Modliłam się nie o to, żeby go nie zabili, tylko żeby nie bili. Bałam się, że silniejsi koledzy będą się nad nim znęcać, taki był mały. Opowiadał, że czasem każą czyścić ubikacje szczotką do zębów albo prać cudze majtki. Tego właśnie się bałam. Poprosił: „Tato, mamo, siostro, przyślijcie wszyscy swoje zdjęcia. Wyjeżdżam…".

Nie napisał dokąd. Po dwóch miesiącach przysłał list z Afganistanu. „Nie płacz, mamo, nasze pancerze są mocne".

– Moje ty słoneczko... Nasze pancerze są mocne...

Wtedy już go wyczekiwałam, bo do końca służby został mu miesiąc. Kupiłam koszulę, szalik, buty. Teraz są w szafie. Dałabym mu do trumny... Sama bym go ubrała, ale nie pozwolili mi otworzyć. Popatrzeć na synka, dotknąć... Czy mundur dla niego nie za duży? W czym on tam leży?

Pierwszy przyszedł kapitan z komisji wojskowej.

– Musi pani być silna...

– Gdzie jest mój syn?

– Tutaj, w Mińsku. Zaraz go przywiozą.

Osunęłam się na podłogę.

– Moje ty słoneczko!

Wstałam i rzuciłam się na kapitana z pięściami.

– Dlaczego ty żyjesz, a mój syn nie? Jesteś taki zdrowy, taki silny. A on był mały... Jesteś mężczyzną, a on chłopcem. Dlaczego żyjesz?!

Przywieźli trumnę, tłukłam o nią pięściami.

– Moje ty słoneczko! Moje ty słoneczko!

Teraz chodzę do niego na grób. Padam na płytę, obejmuję.

– Moje ty słoneczko...

Matka

Włożyłem do kieszeni grudkę ojczystej ziemi – taką potrzebę poczułem w pociągu...

Uuuch! Wojna! Pójdę walczyć. Byli oczywiście między nami i tchórze. Jednego komisja uznała za niezdolnego z powodu wzroku, i wybiegł rozradowany: „Udało się!". Za nim szedł następny i tego też nie wzięli, ale o mało nie płakał: „Jak ja wrócę do swojej jednostki! Chłopaki mnie żegnały przez dwa tygodnie. I żebym choć miał wrzody żołądka, ale nie – ból zębów". W samych gaciach wdarł się do generała – jak przez głupie zęby go nie wzięli, to niech mu te dwa zęby wyrwą!

Z geografii miałem w szkole piątkę. Zamykam oczy i wyobrażam sobie: góry, małpy, a my się opalamy, jemy banany... A było tak: wsadzili nas na czołgi, w szynelach, jeden karabin maszynowy w prawo, drugi w lewo, i jeszcze jeden skierowany w tył, wszystkie otwory strzelnicze otwarte, automaty wysunięte. Jak jakiś żelazny jeż. Spotykamy dwa nasze beteery – chłopaki siedzą na pancerzu w tiszertach, w kapeluszach, patrzą na nas i dławią się ze śmiechu. Jak zobaczyłem zabitego najemnika, byłem wstrząśnięty. Jaki napakowany, atleta! A ja trafiłem w góry i nie wiedziałem, jak stąpać na kamień, że trzeba najpierw lewą nogą. Dziesięć metrów po wiszącej skale niosłem telefon... Wybucha pocisk, ja zamykam usta, a to trzeba otwierać, żeby bębenki nie pękły. Wydali nam maski gazowe. Wyrzuciliśmy je pierwszego dnia, bo „duchy" nie miały broni chemicznej. Swoje hełmy sprzedaliśmy w dukanie. Tylko zbędny ciężar na głowie, a nagrzewa się jak patelnia. Ciągle kombinowałem, jak ukraść dodatkowy magazynek z nabojami. Wydali nam po cztery, za pierwszy żołd kupiłem od kolegi piąty, a szósty dostałem w prezencie. W walce dostaje się ostatni magazynek i ostatni nabój – w usta. To dla siebie.

Przyjechaliśmy budować socjalizm, a ogrodzono nas drutem kolczastym. „Chłopcy, tam nie wolno chodzić. Nie agitujcie za socjalizmem, od tego są odpowiedni ludzie". Oczywiście było przykro, że tak nam nie ufają. Jednemu sklepikarzowi powiedziałem:

– Niedobrze do tej pory żyłeś. My cię teraz nauczymy. Będziemy tu budować socjalizm.

On się uśmiecha.

– Przed rewolucją handlowałem i teraz też handluję. A ty wracaj do domu. To nasze góry. Sami sobie damy radę...

Jedziemy czołgami przez Kabul, kobiety w nas ciskają kijami i kamieniami. Dzieci klną wulgarnie, bez akcentu, i wołają: „Rusek, wracaj do domu".

Po co tu jesteśmy?

Strzelali z granatnika. Zdążyłem obrócić karabin maszynowy i to mnie uratowało. Pocisk leciał prosto w pierś, a tak przebił tylko jedną rękę, w drugą trafiły odłamki. Pamiętam takie łagodne, przyjemne uczucie... Żadnego bólu... A nad sobą słyszę krzyk: „Strzelaj! Strzelaj!". Naciskam, ale karabin milczy. Potem zobaczyłem, że ręka mi zwisa, cała spalona. Wydawało mi się, że naciskam palcem, ale palców już nie miałem...

Nie straciłem przytomności, wyczołgałem się z pojazdu razem z innymi. Nałożyli mi opaskę. Trzeba było iść, zrobiłem dwa kroki i upadłem. Straciłem jakieś półtora litra krwi. Słyszę:

– Okrążają nas...

Ktoś mówi:

– Trzeba go zostawić, bo wszyscy zginiemy.

Prosiłem:

– Dobijcie mnie...

Jeden z chłopaków od razu odszedł, drugi odbezpieczył automat, ale powoli. A kiedy się to robi powoli, nabój może się krzywo ustawić. No i rzeczywiście tak się stało. Facet rzucił automat i krzyczy:

– Nie mogę! Masz, sam...

Przyciągnąłem automat do siebie, ale jedną ręką nie da się nic zrobić.

Miałem szczęście, bo to było w niewielkim wąwozie, a ja leżałem za kamieniami. Zasłaniał mnie wielki głaz, więc jak duszmani przechodzili obok, to mnie nie widzieli. Myślałem: „jak tylko mnie zobaczą, będę musiał się jakoś zabić". Wybrałem jeden kamień, przysunąłem do siebie, przymierzyłem się...

Rano znaleźli mnie nasi. Tych dwóch, którzy uciekli, niosło mnie na buszłacie. Zrozumiałem: bali się, że powiem prawdę. A mnie już było wszystko jedno. W szpitalu od razu położyli mnie na stół. Przyszedł chirurg i od razu mówi: „Amputacja"... Kiedy się zbudziłem, poczułem, że nie mam ręki... A leżeli tam różni: bez jednej ręki, bez obu, bez nogi... Płakali po cichu. I zaczynali popijać. Ja zacząłem się uczyć, jak trzymać ołówek lewą dłonią.

Wróciłem do domu, do dziadków, więcej nikogo nie miałem. Babcia w płacz – jej ukochany wnuk został bez ręki. Dziadek na nią huknął: „Nie rozumiesz polityki partii!". Przychodzą znajomi i pytają:

– Przywiozłeś kożuch? Przywiozłeś japoński magnetofon? Nic nie przywiozłeś... Czy ty w ogóle byłeś w tym Afganistanie?

Szkoda, że nie przywiozłem ze sobą automatu!

Zacząłem szukać swoich kolegów. On był tam, ja tam byłem – mamy wspólny język. Własny. Po prostu się rozumiemy. Rektor uczelni wzywa mnie i mówi: „Przyjęliśmy cię z trójkami, dali stypendium. Nie chodź do nich... Po co zbieracie się na cmentarzu? Tak być nie może". Początkowo nie pozwalano nam się spotykać. Bali się, że będziemy rozpowszechniać plotki, że zrobi się niezdrowy szmerek. No a jeśli się organizujemy, to pewnie będziemy walczyć o swoje prawa, a oni będą musieli dawać nam mieszkania, pomagać matkom tych, którzy leżą w grobach. Zażądamy, żeby ogrodzić te groby, żeby postawić tam pomniki. No a niech kto powie, komu to jest potrzebne? Przekonywano nas, żebyśmy nie gadali za dużo o tym, co tam było, co tam widzieliśmy. Tajemnica państwowa. Sto tysięcy żołnierzy w obcym kraju i tajemnica! Nawet to, jakie upały panują w Kabulu...

Wojna nie czyni człowieka lepszym. Wyłącznie gorszym. Bez żadnych wątpliwości. Nigdy nie wrócę do tego dnia, kiedy wyruszyłem na wojnę. Nie będę tym, kim byłem przed wojną. Jak mogę się stać lepszym, jeśli widziałem... jak ludzie za czeki kupują u medyków dwie szklanki moczu chorego na żółtaczkę. Potem taki go wypija. Zaczyna chorować. Zwalniają go. Widziałem, jak odstrzeliwują sobie palce. Jak kaleczą się zamkami karabinów maszynowych. Jak... jak... Jak w tym samym samolocie lecą do domu cynkowe trumny i walizki z kożuchami, dżinsami, damskimi majtkami... Z chińską herbatą...

Kiedyś z wielkim przejęciem wymawiałem słowo „ojczyzna". Teraz jestem inny. Walczyć za... Za co walczyć? Biliśmy się i już. Zwykła rzecz. A może walczyliśmy za sprawę? U nas każde pokolenie dostaje własną wojnę. Gazety piszą, że to słuszne.

No więc jest słuszne. A potem te same gazety oskarżają nas, że jesteśmy mordercami. Komu wierzyć? Nie wiem. Nikomu już nie wierzę. Gazety? Nie czytam ich. Nawet nie prenumeruję. Dziś piszą tak, jutro inaczej. Taki czas... Pierestrojka. Wiele prawd... A gdzie jest jedna, moja prawda? Zostali mi tylko przyjaciele. Jednemu, dwóm, trzem wierzę. Na nich mogę polegać we wszystkim. A poza tym – nikomu. Jestem tu już sześć lat i wszystko to widzę...

Dali mi książeczkę inwalidzką – przysługują mi zniżki! Podchodzę do kasy dla weteranów wojny.

– Ty dokąd, chłopcze? Coś ci się pomyliło.

Zaciskam zęby i nic nie mówię. Za sobą słyszę:

– Ja broniłem ojczyzny, a ten...

Nieznajomy czasem pyta:

– Gdzie ręka?

– Pociąg mi odciął, po pijaku wpadłem.

Wtedy jest w porządku. Pożałują.

U Walentina Pikula w powieści *Mam zaszczyt. Spowiedź oficera rosyjskiego sztabu generalnego* czytałem niedawno: „Obecnie (chodzi o haniebne skutki wojny rosyjsko-japońskiej 1905 roku) wielu oficerów prosi o zwolnienie, bo wszędzie, gdziekolwiek się pojawią, spotykają się z drwinami i pogardą. Dochodzi do tego, że oficer wstydzi się nosić mundur, stara się chodzić po cywilnemu. Nawet inwalidzi wojenni nie wywołują współczucia, a ludzie dają o wiele więcej beznogim żebrakom, jeśli ci mówią, że nie mają nic wspólnego z Mukdenem i Liaoyangiem*, a nogę odciął im tramwaj na rogu Newskiego i Litiejnego Prospektu". Wkrótce i o nas tak będą pisali...

Wydaje mi się, że teraz mógłbym nawet zmienić ojczyznę na inną. Wyjechać.

Szeregowy, wojska łączności

---

*Liaoyang, Mukden (obecnie Shenyang) – miasta w Mandżurii, miejsca krwawych bitew w czasie wojny rosyjsko-japońskiej 1904–1905.

Sam się napraszałem... Marzyłem, żeby walczyć w tej wojnie... Byłem ciekawy...

Wyobrażałem sobie, jak tam jest. Chciałem się dowiedzieć, co to znaczy mieć jedno jabłko i dwóch przyjaciół i oddać im to jabłko, choćby się było tak samo głodnym jak oni. Myślałem, że wszyscy tam żyją w przyjaźni, wszyscy są braćmi. Po to tam pojechałem.

Wysiadam z samolotu, gapię się na góry, a rezerwista (facet wracał już do Sojuza) szturcha mnie w bok.

– Dawaj pas.

– Czego?! – pasek miałem własny, od handlarza, zagraniczny.

– Ty głupi, i tak ci zabiorą.

Zabrali już pierwszego dnia. A ja myślałem, że w Afganistanie wszyscy żołnierze żyją w przyjaźni. Idiota! Młody żołnierz jest przedmiotem. Można go zerwać w nocy i bić, tłuc krzesłami, pięściami, kopać. W dzień można go uderzyć, pobić w ubikacji, zabrać mu plecak, rzeczy, konserwy, przywiezione z domu herbatniki. Nie ma telewizji, nie ma radia, nie ma gazet. Rozrywano się według podziału na silnych i słabych. „Kocie, wypierz mi skarpety" – to jeszcze nic, ale bywa inaczej: „No, kocie, wyliż mi skarpety. Wyliż dobrze i tak, żeby wszyscy widzieli". Żar, prawie sześćdziesiąt stopni, a ty chodzisz i chwiejesz się... Nosi cię na wszystkie strony... W czasie operacji bojowych „stare wojsko" szło jednak z przodu, osłaniało nas. Chroniło. To prawda. Ale jak wracaliśmy do koszar, to znowu: „No, kocie, wyliż mi skarpety...".

To jest straszniejsze niż pierwsza walka... Pierwsza walka była ciekawa! Patrzy się jak na film fabularny. W kinie widziałem setki razy, jak żołnierze idą do ataku, a okazało się, że to bzdura. Nie idą, tylko biegną, i to nie truchtem, ładnie pochyleni, tylko pędzą ze wszystkich sił, a sił ma człowiek wtedy jak wariat i kluczy jak wściekły zając. Kiedyś lubiłem defilady na placu Czerwonym, sprzęt wojskowy. Podobało mi się... Teraz wiem, że zachwycać się tym nie należy, niechby te czołgi, transportery, karabiny maszynowe czym prędzej odstawili na miejsce i przykryli pokrowcami. Jak najszybciej! Bo to wszystko jest po to, żeby zniszczyć człowieka... Wdeptać go w ziemię... w glinę! Takiego człowieka jak ja sam... A jeszcze lepiej, żeby po placu Czerwonym przedefilowali wszyscy afgańscy „protezowcy"... Ja bym poszedł... Niech pani patrzy! Mam obie nogi odcięte powyżej kolana... Gdyby jeszcze poniżej... Miałbym szczęście! Byłbym szczęśliwy. Zazdroszczę tym, którym odcięto poniżej kolan... Po opatrunku szarpie się człowiek godzinę czy półtorej, i taki mały robi się nagle ze zdjętymi protezami. Leży w slipach i w koszulce desantowca, a ta koszulka jest równie długa jak całe jego ciało. Początkowo nie dopuszczałem nikogo do siebie. Milczałem. No żeby mi choć jedna noga została, a tu obie. Najtrudniej jest zapomnieć, że się miało dwie nogi... Z czterech ścian wybiera człowiek jedną, tę z oknem.

Matce dałem ultimatum: „Jak będziesz płakała, to nie chcę wracać". Nawet tam najbardziej bałem się, że zginę, przywiozą mnie do domu, a matka będzie płakać. Po walce żałuje się rannego, a zabitego nie... Żal tylko jego mamy. W szpitalu chciałem podziękować salowej, ale nie mogłem, nawet słów zapomniałem.

– Pojechałbyś jeszcze raz do Afganistanu?

– Tak.

– Dlaczego?

– Bo tam przyjaciel to przyjaciel, a wróg to wróg. A tutaj stale to samo pytanie: za co zginęli moi koledzy? Za tych nażartych spekulantów? Urzędasów? Czy też młodych obiboków, którzy mają wszystko gdzieś. Byleby rano była puszka piwa. Tutaj wszystko jest nie tak. Czuję się tu zbędny. Obcy.

Uczę się chodzić. Ktoś potrąca mnie z tyłu. Upadam. „Spokój – mówię do siebie. – Pierwsza komenda – odwróć się i podnieś na rękach, druga – wstań i idź".

W pierwszych miesiącach lepiej byłoby mówić: „nie idź, tylko się czołgaj". Ja się czołgałem. Najwyrazistszy tamtejszy obrazek: czarny chłopaczek o rosyjskiej twarzy... Tam jest ich wielu. Przecież jesteśmy tam od siedemdziesiątego dziewiątego roku...

Siedem lat... Tam bym pojechał... Koniecznie! Gdyby nie dwie nogi powyżej kolana... Gdyby choć poniżej...

Pojechałbym do Afganistanu...

Szeregowy, obsługa moździerza

Zadawałem sobie pytanie: dlaczego tam się znalazłem?

A odpowiedzi – setka... Ale najważniejsza zawarta jest w tym wierszu, nie zapamiętałem tylko, kto go napisał... Może któryś z naszych chłopaków?

Dwie rzeczy od wieków na świecie tym słyną:
Ta pierwsza – kobiety, ta druga to wino.
Mężczyzna wie jednak, że bardziej upojna
Od obu tych rzeczy jest wojna.

Zazdrościłem kolegom, którzy byli w Afganistanie – zebrali olbrzymie doświadczenie życiowe. Gdzie w czasie pokoju takie można zdobyć? Jestem chirurgiem... Miałem za sobą już dziesięć lat pracy w szpitalu w wielkim mieście, ale kiedy przyszedł pierwszy transport z rannymi, omal nie zwariowałem. Nie mają rąk, nóg, leży taki kadłubek, który oddycha. Czegoś takiego nie ma nawet w filmach dla sadystów. Robiłem tam operacje, o których u nas można tylko marzyć. Młode pielęgniarki tego nie wytrzymywały. Jedna płakała tak, że aż się jąkała, a potem nagle zaczynała śpiewać. Druga stała i uśmiechała się przez cały czas. Takie odsyłano do domu.

Człowiek umiera całkiem inaczej niż na filmach. Niezgodnie z zasadami Stanisławskiego. Kula trafiła faceta w głowę, ten macha rękami i upada. A tak naprawdę jak dostanie w łeb, to mózg leci, a gość za nim biegnie, może tak pół kilometra biec i go łapać. To przekracza wszelkie granice. Człowiek biegnie, dopóki nie nastąpi śmierć fizjologiczna. Łatwiej byłoby go zastrzelić, niż patrzeć i słuchać, jak pochlipuje albo leży i błaga o śmierć jak o wybawienie. Jeśli w ogóle zostały mu jakieś siły. Inny leży w szpitalu, a strach podkrada się ku niemu... Serce zaczyna walić. Krzyczy, woła kogoś... Idę i sprawdzam, co z nim...

Uspokajam go... A mózg czeka na moment, kiedy człowiek się rozluźni... Wystarczy odejść od łóżka, żeby chłopczyna umarł. A przed chwilą żył...

Coś takiego nieprędko można zapomnieć... Jak ci chłopcy--żołnierze podrosną, to wszystko przeżyją na nowo. Zmienią się ich poglądy, coś się zapomni, a coś wychynie z „magazynu". Mój ojciec podczas drugiej wojny światowej był lotnikiem, ale nic nie opowiadał... O wojnie milczał... Wtedy go nie rozumiałem, a teraz rozumiem. Szanuję go za milczenie. Wspominać to jak wsunąć rękę do ogniska. Wystarczy słowo, aluzja... Czytałem wczoraj w gazecie, że ktoś bronił się do ostatka, a ostatnim nabojem się zastrzelił. Co to znaczy „zastrzelić się"?

W walce sprawa jest postawiona na ostrzu noża – ja czy on? Naturalnie to ja powinienem przeżyć. Ale wszyscy odeszli, a ty ich osłaniasz, kazano ci albo sam wybrałeś, wiedząc, że prawie na pewno wybrałeś śmierć. Jestem pewien, że w takiej chwili to nie jest trudne. W takiej sytuacji samobójstwo odbierane jest jako coś normalnego, wielu jest do tego zdolnych. Potem nazywa się ich bohaterami. To tutaj, w zwykłym życiu samobójców uważa się za nienormalnych. A tam? Tam wszystko jest na odwrót... Są inne reguły... Ledwie dwie linijki w gazecie, a przez całą noc nie zamkniesz oka, wszystko w tobie się kotłuje. Powraca.

Ci, którzy tam byli, nie będą chcieli już walczyć. Nam się nie da wcisnąć, że mięso rośnie na drzewach. Możemy być różni – naiwni, okrutni, kochający żonę i dzieci czy też niekochający – tak czy owak, zabijaliśmy. Zrozumiałem, że byłem w legii cudzoziemskiej, ale niczego nie żałuję. Teraz wszyscy zaczęli mówić o poczuciu winy. Ja go nie mam. Winni są ci, którzy nas tam posłali. Z chęcią noszę mundur afgański, czuję się w nim facetem. Kobiety są zachwycone! Kiedyś włożyłem i poszedłem do restauracji. Kierowniczka zatrzymała na mnie wzrok, a ja na to czekałem.

– Co, może ubrany jestem nie tak? A gdzie miejsce dla strudzonego weterana...?

Niech no ktoś tylko powie, że mój polowy mundur mu się nie podoba, niech tylko piśnie słowo. Nie wiem, dlaczego szukam kogoś takiego...

Lekarz wojskowy

Najpierw urodziłam dziewczynkę...

Przed jej urodzeniem mąż mówił, że wszystko jedno, co się urodzi, ale lepiej dziewczynka, potem niechby pojawił się braciszek, a on mu będzie zawiązywać sznurówki. Tak właśnie było... Mąż zadzwonił do szpitala. Odpowiedzieli mu, że córka.

– Dobrze. Będą dwie dziewczynki.

Wtedy powiedzieli prawdę:

– Ależ to syn! Ma pan syna!

– No dzięki! Dziękuję pani!

Dziękował za syna.

Pierwszy dzień... Drugi... Wszystkim salowe przynoszą dzieci, a mnie nie. Nikt nic nie mówi. Zaczęłam płakać, dostałam gorączki. Przyszła lekarka.

– Czemuż to, mamusiu, się martwisz? Masz prawdziwego olbrzyma. Jeszcze śpi, nie budzi się. Jeszcze nie zgłodniał. Proszę się nie przejmować.

Przynieśli, rozwinęli, rzeczywiście spał. Wtedy się uspokoiłam.

Jak dać mu na imię? Wybieraliśmy z trzech imion – Sasza, Alosza, Misza. Wszystkie mi się podobały. Kiedy mąż z Tanieczką mnie odwiedzili, ona powiedziała: „Ciągnęłam loś". Okazało się, że powrzucali kartki do czapki i ciągnęli. Dwa razy wyciągnęli „Saszę". Tak więc Tanieczka zdecydowała. Urodził się ciężki, miał cztery kilo pięćset. Wielki – sześćdziesiąt centymetrów. Zaczął chodzić, jak miał dziesięć miesięcy. Jak miał półtora roku, już dobrze mówił, choć do trzech lat nie radził sobie z literami „r" i „s"; zamiast „ja sam" mówił „ja siam". Na kolegę mówił „Tiglej" zamiast Siergiej. Przedszkolanka Kira Nikołajewna została „Kiłą Kaławną". Kiedy zobaczył pierwszy raz morze, zawołał: „Ja się nie urodziłem, fala mnie wyrzuciła na brzeg".

Kiedy skończył pięć lat, podarowałam mu pierwszy album. Ma cztery – dziecinny, szkolny, wojskowy (to kiedy studiował na uczelni wojskowej) i „afgański", z tych fotografii, które przysyłał. Córka miała oddzielne albumy, każde dziecko dostawało swoje. Kochałam dom, dzieci. Pisałam dla nich wiersze:

Śnieżyczka spod śniegu wyziera,
Pierwszy tegoroczny kwiat.
To wiosna rozpędu nabiera,
Mój synek przyszedł na świat…

W szkole uczniowie kiedyś mnie lubili. Byłam wesoła…
Długo lubił się bawić w Kozaków i rozbójników. Mówił: „Jestem odważny". Gdy miał pięć lat, a Tanieczka dziewięć, pojechaliśmy nad Wołgę. Zeszliśmy ze statku, z przystani do domu babci było pół kilometra. Nagle Sasza stanął jak wryty.

– Nie idę. Weź mnie na ręce.
– Takiego dużego na ręce?!
– Nie chcę iść i już.

No i nie poszedł. Cały czas mu później to wypominaliśmy.
W przedszkolu lubił tańczyć. Chodził w czerwonych portkach, w takich szarawarach. Miał w nich zdjęcie, przechowuję je do dzisiaj. Do ósmej klasy zbierał znaczki – zostały albumy. Potem zaczął zbierać odznaki – zostało pudełko pełne odznak. Pasjonował się muzyką. Zostały kasety z jego ulubionymi piosenkami…
Przez całe dzieciństwo chciał zostać muzykiem. Ale widocznie wchłonął, wrosło w niego to, że ojciec był w wojsku, że całe życie mieszkaliśmy w miasteczku wojskowym. Zajadał z żołnierzami kaszę, czyścił z nimi samochody. Nikt mu nie powiedział „nie", kiedy wysłał dokumenty do szkoły wojskowej. Przeciwnie, mówiliśmy: „Będziesz, synku, bronił ojczyzny". Uczył się dobrze, w szkole zawsze był aktywistą. Uczelnię też skończył z bardzo dobrym wynikiem. Komendant przysłał nam list z wyrazami wdzięczności.
Rok osiemdziesiąty piąty… Sasza jest w Afganistanie… Jesteśmy zachwyceni, dumni z syna – trafił na wojnę. Opowiadam

swoim uczniom o Saszy, o jego kolegach. Czekamy, kiedy przyjedzie do domu na urlop. Jakoś o złych rzeczach się nie myślało...

Przed przeprowadzką do Mińska żyliśmy w miasteczkach wojskowych, więc zostało nam takie przyzwyczajenie, że kiedy jesteśmy w domu, nie zamykamy drzwi na klucz. Pewnego dnia Sasza wchodzi, nie dzwoniąc, i mówi: „Państwo wzywali do naprawy telewizora?". Z Kabulu przyleciał razem z kolegami do Taszkentu, stamtąd wzięli bilety do Doniecka, bliżej nie było. A z Doniecka (Mińsk nie przyjmował) polecieli do Wilna. W Wilnie na pociąg trzeba było czekać trzy godziny, a to dla nich było za długo, jeśli dom jest tuż-tuż – stamtąd jakieś dwieście kilometrów. Wzięli taksówkę.

Opalony, szczupły, tylko zęby się świecą. A ja w płacz.

– Synku, jakżeś ty wychudł!

– Mamusiu – uniósł mnie i nosi po pokoju – jestem żywy! Żyję, mamo! Rozumiesz, żyję!

Dwa dni później świętowaliśmy Nowy Rok. Pod choinką Sasza położył prezenty dla nas. Dla mnie – dużą chustę. Czarną.

– Syneczku, dlaczego wybrałeś czarną?

– Tam były różne, mamusiu. Ale kiedy przyszła moja kolej, zostały tylko czarne. Popatrz, do twarzy ci w niej...

Tę chustę miałam, kiedy go chowałam, chodziłam w niej później przez dwa lata.

Zawsze lubił robić prezenty, nazywał je „niespodziewankami". Pewnego razu, gdy dzieci były jeszcze małe, nie zastaliśmy ich po powrocie do domu. Ja do sąsiadów, na ulicę, nigdzie ich nie ma, nikt ich nie widział. Jak zaczęłam krzyczeć, płakać! Wtedy otwiera się pudło od telewizora (kupiliśmy akurat telewizor i nie zdążyli wyrzucić pudła) i wyłażą moje dzieci.

– Czemu płaczesz, mamusiu?

Nakryły do stołu, nastawiły herbatę, czekały na nas, a nas nie ma i nie ma. Wtedy Sasza wymyślił „niespodziewankę" – schowały się do pudła i w nim zasnęły.

Był czuły, chłopcy rzadko tacy bywają. Zawsze mnie ucałował, uścisnął: „Mamusiu... Mamuńciu...". Po Afganistanie zrobił się jeszcze czulszy. Wszystko mu się w domu podobało. Ale były chwile, kiedy siadał i nic nie mówił, nikogo nie widział. W nocy się czasem zrywał, chodził po pokoju. Kiedyś obudziły mnie jego krzyki: „Wybuchy! Wybuchy! Mamusiu, strzelają...". Innym razem usłyszałam w nocy, że ktoś płacze. Kto u nas może płakać? Małych dzieci przecież nie mamy. Otwieram jego pokój, a on objął głowę rękami i płakał...

– Synku, dlaczego płaczesz?

– Strasznie jest, mamusiu.

I więcej już ani słowa. Ani ojcu, ani mnie.

Wyjechał jak zazwyczaj. Napiekłam mu całą walizkę orzeszków, takich ciasteczek. To były jego ulubione. Całą walizkę, żeby starczyło dla wszystkich. Każdy tam tęsknił za swoim domem.

Następnym razem też przyjechał na Nowy Rok. Najpierw myśleliśmy, że przyjedzie latem. Pisał: „Mamusiu, przygotuj więcej kompotów i nasmaż konfitur, jak przyjadę, to wszystko zjem i wypiję". Z sierpnia przeniósł urlop na wrzesień, chciał pójść do lasu, nazbierać kurek. Nie przyjechał. Na listopadowe święta też nie. Dostaliśmy list, w którym pytał, czy nie lepiej byłoby przyjechać na Nowy Rok. Bo wtedy już będzie choinka, tata ma urodziny w grudniu, a mama w styczniu...

30 grudnia... Cały dzień siedziałam w domu, nigdzie nie wychodziłam. Przedtem dostałam list: „Mamusiu, zamawiam zawczasu pierogi z jeżynami, pierogi z wiśniami i pierogi z serem". Kiedy mąż wrócił z pracy, postanowiliśmy, że teraz on będzie czekał, a ja pojadę do sklepu i kupię gitarę. Rano akurat przyszła kartka, że w sprzedaży są gitary. Sasza prosił.

– Nie trzeba drogiej, kupcie zwyczajną, taką podwórzową.

Wróciłam ze sklepu i zastałam go w domu.

– Oj, synku, przegapiłam!

Zobaczył gitarę.

– Jaka ładna! – I dalej tańczyć po pokoju. – Jestem w domu. Jak u nas ładnie! Nawet zapach w naszej klatce schodowej jest wyjątkowy.

Mówił, że nasze miasto jest najpiękniejsze, nasza ulica najładniejsza, że najładniejszy dom, najładniejsze akacje na podwórzu. Kochał ten dom. Teraz trudno nam tu mieszkać – wszystko przypomina nam o Saszy, ale wyjechać też trudno, bo on to wszystko kochał.

Był inny podczas tego ostatniego pobytu. Nie tylko my, domownicy, ale i wszyscy jego koledzy to zauważyli. Mówił im:

– Jacyście wy szczęśliwi! Nawet sobie nie wyobrażacie, jacy szczęśliwi! Codziennie macie święto!

Wróciłam od fryzjera z nową fryzurą. Spodobała mu się:

– Mamusiu, powinnaś się tak zawsze czesać. Jesteś taka ładna.

– Synku, codzienne czesanie u fryzjera dużo by kosztowało.

– Przywiozłem pieniądze. Mnie są niepotrzebne.

Jego koledze urodził się syn. Pamiętam, z jaką miną poprosił: „Daj potrzymać". Wziął dziecko na ręce i zamarł. Pod koniec urlopu rozbolał go ząb, a dentysty bał się zawsze. Musiałam go siłą ciągnąć do przychodni. Siedzimy, czekamy. Ja patrzę, a on ma twarz spoconą ze strachu.

Jeśli w telewizji był program o Afganistanie, to wychodził do drugiego pokoju.

Na tydzień przed wyjazdem wyraźnie posmutniał; smutek po prostu bił mu z oczu. A może to tylko dzisiaj tak mi się wydaje? Wtedy byłam szczęśliwa, bo syn w wieku trzydziestu lat został majorem, wrócił z Orderem Czerwonej Gwiazdy. Na lotnisku patrzyłam na niego i nie wierzyłam, że ten przystojny, młody oficer jest moim synem. Byłam z niego dumna.

Po miesiącu przyszedł list. Były w nim życzenia dla ojca z okazji Dnia Armii Radzieckiej, a dla mnie – podziękowanie za ciasto z grzybami. Po tym liście coś się jednak ze mną stało... Nie mogłam spać... Położyłam się i leżałam... Leżałam z otwartymi oczami do piątej rano. Nie mogłam zamknąć oczu.

4 marca miałam sen... Wielkie pole, i na tym polu wszędzie widać wybuchy. Coś wylatuje w powietrze... I ciągną się długie, białe wstęgi... Mój Sasza biegnie, biegnie... Miota się... Nie ma się gdzie ukryć... Tam wybuch... i tam wybuch... Ja biegnę za

nim. Chcę go wyprzedzić, żebym była z przodu, a on za mną...
Jak kiedyś na wsi z nim maleńkim zaskoczyła mnie burza. Zasłoniłam go swoim ciałem, a on pode mną cichutko drapał jak
myszka:

– Mamusiu, ratuj mnie!

Ale we śnie go nie dogoniłam... Był taki wysoki, dawał takie
strasznie wielkie susy... Biegłam z całej siły. Czułam, że za chwilę
pęknie mi serce. A dopędzić go nie mogłam...

Stuknęły drzwi wejściowe. Wchodzi mąż. My z córką siedzimy
na kanapie. Mąż idzie do nas przez cały pokój, w butach, w płaszczu i czapce. Nigdy tak się nie zachowywał, zawsze utrzymywał
porządek, bo całe życie spędził w wojsku. Zawsze był zdyscy-
plinowany. Podszedł i ukląkł przed nami.

– Dziewczyny, nieszczęście się stało...

Wtedy zobaczyłam, że w przedpokoju są jeszcze inni ludzie.
Wchodzi pielęgniarka, komisarz wojskowy, koledzy, nauczyciele
ze szkoły, znajomi męża...

– Saszeńko! Synku!

Już trzy lata... A my do tej pory nie jesteśmy w stanie otworzyć
walizki. Są w niej rzeczy syna... Przywieźli je razem z trumną...
Ciągle mam wrażenie, że pachną Saszą.

Dostał naraz piętnaście odłamków. Zdążył tylko powiedzieć:
„Mamusiu, boli".

Za co? Dlaczego on? Taki czuły. Taki dobry. To niemożliwe,
że go nie ma. Powoli dobijają mnie te myśli. Wiem, że umieram,
bo nie ma już sensu żyć. Chodzę do ludzi, ciągnie mnie do nich.
Idę z Saszą, z jego imieniem, opowiadam o nim... Przemawia-
łam w Instytucie Politechnicznym, potem podeszła do mnie
studentka i powiedziała: „Gdyby pani mniej ładowała w niego
tego patriotyzmu, toby żył". Po tych słowach zrobiło mi się niedobrze. Upadłam na podłogę.

Chodziłam dla Saszy. Dla uczczenia jego pamięci. Byłam
z niego dumna... A teraz mówią: fatalny błąd, nikomu to nie
było potrzebne – ani nam, ani narodowi afgańskiemu. Przedtem nienawidziłam tych, którzy zabili Saszę. Teraz nienawidzę

państwa, które go tam wysłało. Proszę nie wymieniać nazwiska... Teraz należy tylko do nas. Nikomu go nie oddam, nawet pamięci o nim...

(*Zadzwoniła znowu po kilku latach*).

Chcę dokończyć swoją opowieść... Bo nie miała zakończenia. Wtedy nie zrobiłam tego. Nie byłam jeszcze gotowa... Ale... Nie jestem już młoda... ale pół roku temu wzięliśmy chłopca z domu dziecka. Ma na imię Sasza... Jest bardzo podobny do naszego Saszy, kiedy był mały. Zamiast „ja sam" mówi „ja siam". I z literami „r" i „s" też sobie nie radzi. Znowu mamy syna... Pani mnie rozumie? Ale przysięgłam sobie i wymusiłam na mężu przysięgę, że nigdy nie pozwolimy, żeby został wojskowym...

Nigdy!

Matka

Strzelałem... Strzelałem jak wszyscy. Nie wiem, jak to jest urządzone, jak jest urządzony ten świat... Ale strzelałem...

Nasza jednostka stacjonowała w Kabulu... (*Nagle wybucha śmiechem*). Mieliśmy taką „czytelnię" — mamo jedyna, to była olbrzymia ubikacja, dół o wymiarach dwadzieścia metrów na pięć, a głęboki na sześć metrów, tam było czterdzieści otworów, przegródki z desek i na każdej przegródce na gwoździu wisiały „Prawda", „Komsomolska Prawda", „Izwiestia". Spuszcza się portki, papieros w zęby, zapala się go i czyta gazetę. Piszą o Afganistanie... Rządowe wojska afgańskie wkroczyły tam a tam... Zdobyły to a to... O nas, kurna, ani słowa... A wczoraj z naszych czterdziestu chłopaków zrobili siekane kotlety. Z jednym z nich dwa dni wcześniej siedzieliśmy w kiblu i czytaliśmy te gazety. Rechotaliśmy. O kurna!!! Deprecha taka, że nic, tylko wsadzić lufę w gębę i – mózg na ścianie! Wszędzie kłamią... Te ohydne koszary... Żarcie takie, że się zrzygać można, tylko jedna pociecha – iść na wojnę. Na akcję, na zadanie. Zabiją, nie zabiją... Rwaliśmy się do walki, ale nie dlatego że ojczyzna kazała, tylko dlatego że brakowało nam wrażeń. Kolejne tygodnie za drutami. Przez cztery miesiące sama kasza gryczana – kasza na śniadanie, na obiad, na kolację. A na zadania wydawali suchy prowiant, mielonkę w puszkach, czasem nawet czekoladę Alonka. Po walce przeszukiwało się zabitych „duchów" – i nagle człowiek stawał się bogaty: puszka dżemu, dobre konserwy i papierosy z filtrem. Mój Boże! Tu mają marlboro, a my tylko myśliwskie... Na pewno już to pani słyszała. Na paczce facet z kijem idzie przez bagno, myśmy na nie mówili „Śmierć na bagnach". Były jeszcze pamiry – te nazywali „Śmierć w górach". W Afganistanie pierwszy raz jadłem kraby, amerykańskie konserwy. Paliłem drogie papierosy... Po drodze można nawet było wejść do sklepiku i coś buchnąć, nie dlatego że tacy z nas szabrownicy, ale dlatego że człowiek zawsze chce smaczniej zjeść i dłużej pospać. A nas zabrali od mamy i powiedzieli: „Naprzód, gówniarze, to wasz święty obowiązek, musicie, bo macie po osiemnaście lat. O kurna!".

Najpierw przywieźli nas do Taszkentu... Wyszedł polityczny z takim brzuchem... i powiada:

– Piszcie! Kto chciałby do Afganistanu, niech pisze podanie.

Chłopaki gryzmoliły: „Proszę mnie skierować...". Ja nie napisałem, a i tak następnego dnia wszystkim wydali prowiant, wypłacili żołd, a potem załadowali całą grupę do ciężarówek i przewieźli na punkt przesyłowy. Wieczorem „dziadki" podchodzą do nas i mówią: „No, dawajcie radzieckie pieniądze! Tam, dokąd was wysyłają, są afgani". Co za chujoza? Wiozą nas jak barany... Jeden się cieszy, bo sam prosił, drugi nie chce, histeryzuje, trzeci opił się wody kolońskiej. Kurna... A we mnie nagle jakaś pustka, zrobiło mi się wszystko jedno. „Dlaczego, do kurwy nędzy – mówię sobie – nie przeszliśmy jakiegoś specjalnego przeszkolenia? Kurna! Przecież wiozą nas na prawdziwą wojnę". Nawet strzelać nas nie nauczyli. Ile było na ćwiczeniach tego strzelania? Trzy pojedynczymi i sześć seriami... Mamo jedyna! Pierwsze wrażenia z Kabulu... Piasek, pełne usta piachu... No i od razu w dniu przyjazdu rezerwa mnie wytłukła na wartowni... Od rana się zaczęło: „Biegiem do mnie! Naczynia wymyłeś? Biegiem! Stać! Nazwisko?". Bili nie w twarz, żeby oficerowie nie zauważyli, tylko w pierś, w guziki wojskowe, taki guzik wbija się łatwo w skórę. Kiedy trafiałem na wartę, byłem szczęśliwy – ani „dziadków", ani rezerwy, przez dwie godziny człowiek miał spokój. Na cztery dni przed naszym przybyciem jeden „młody" podszedł do namiotu rezerwistów i wrzucił tam granat – siedmiu od razu trzask! – i nie ma ich. A potem sam strzelił sobie w usta, aż mózg wyleciał. Zapisano go jako poległego w walce. Mateczka wojenka ze wszystkim sobie da radę... Kurna! Po kolacji „dziadki" wołają: „Ty, Moskwa (jestem rzeczywiście spod Moskwy), przynieś kartofelki. Masz czterdzieści minut. Wyjazd!". I kopa w tyłek. Pytanie: „A skąd je wziąć?". Odpowiedź: „A chcesz żyć?". Kartofle musiały być z cebulą, pieprzem i olejem słonecznikowym, nazywało się to „po cywilnemu". I jeszcze z listkiem bobkowym na wierzchu. Spóźniłem się o dwadzieścia minut, dali mi wpierdol... Mamo jedyna! Znalazłem kartofle u pilotów śmigłowców, tam siedziały koty i obierały dla oficerów, więc zwyczajnie poprosiłem: „Ludzie, dajcie, bo mnie skurwysyny zabiją". Dali mi pół wiadra. „A po olej – podpowiedzieli – idź do naszego kucharza Uzbeka. Pierdol mu o przyjaźni narodów, on to lubi". Uzbek dał mi oleju i cebuli z pańskiego stołu. Ugotowałem to w wąwozie nad ogniskiem, a potem biegłem, żeby nie zjawić się z zimną patelnią... Teraz, kiedy czytam o „afgańskim braterstwie", chce mi się rechotać. Kiedyś może będą kręcić filmy o tym braterstwie i wszyscy będą w nie wierzyć. A ja jeśli na coś takiego pójdę, to tylko po to, żeby zobaczyć widoki z Afganistanu. Jak się tam podniesie głowę, to widać góry. Takie fioletowe. A niebo! A człowiek jest jak w więzieniu. Jak nie zabiją cię „duchy", to zatłuką swoi. Kiedy opowiadałem to potem w Sojuzie byłemu więźniowi, nie wierzył, żeby swoi mogli się tak nad swoimi znęcać: „Niemożliwe!!!". A odsiedział dziesięć lat i widział niejedno! Kurna... Byle nie zwariować. Nie skurwić się! Jedni pili, inni palili... Trawkę... Pili bimber... Pędziliśmy go, z czego się dało – z rodzynek, z cukru, z morwy, z drożdży, jeszcze chleba powrzucali. Kiedy brakowało papierosów, to zamiast tytoniu paliliśmy herbatę, robili skręta z gazety. Smak – prawdziwe gówno! Ale dym jest. Oczywiście był i czars... Czars to pyłek z konopi... Jeden spróbuje i będzie

się śmiał, łazi i śmieje się sam do siebie, drugi wlezie pod stół
i siedzi tam do rana. Bez tego... bez narkotyków i samogonu
dostalibyśmy szmergla... Stawiają człowieka na warcie i dają
dwa magazynki nabojów. Gdyby się coś zaczęło, te sześćdziesiąt
nabojów wystarczyłoby na pół minuty porządnej walki. A „duchy" miały strzelców wyborowych tak wyćwiczonych, że strzelali,
kiedy widzieli dymek z papierosa, płomyk zapałki.

Wiem... Opowiadam pani nie o wojnie, ale raczej o człowieku.
O tym człowieku, o którym mało piszą w naszych książkach.
Boją się go. Chowają przed nim. O człowieku biologicznym. Bez
idei... Kiedy słyszę słowa „heroizm", „duchowość", to mnie mdli.
Skręca mnie, jak ktoś gada coś takiego. (*Milknie*).

No więc... mówię dalej... bardziej ucierpiałem od swoich,
bo „duchy" robiły z nas mężczyzn, a swoi – gówno. Dopiero
w wojsku zrozumiałem, że każdego można złamać, różne są
tylko środki i ilość czasu. Leży „stary żołnierz", brzuchem do
góry, i woła mnie:

– Obliż mi buty do czysta. Masz pięć minut.

Ja stoję, a on:

– Dajcie tu Rudego!

Przyjaźnię się z Rudym, przyjechaliśmy tu razem. Za chwilę
dwa byczki zaczynają strasznie grzmocić tego Rudego, a ja widzę,
że zaraz mu rozwalą kręgosłup. On patrzy na mnie... Wtedy
zaczyna się lizać buty, żeby tamten nie umarł i nie został kaleką.
Przed wojskiem nie miałem pojęcia, że można człowiekowi tak
dać po nerkach, że padnie. Tylko kiedy jest samotny, kiedy nie
ma nikogo... wtedy gówno mogą mu zrobić.

Miałem kumpla... Ksywka Niedźwiedź, drab wielki, chyba
dwumetrowy. Wrócił z Afganistanu i po roku się powiesił. Nie
wiem... nikomu innemu też się nie zwierzał, więc nikt nie wie,
czemu się powiesił. Dlatego że walczył czy też dlatego że się
przekonał, jakie z człowieka bydlę? Na wojnie nie stawiał sobie pewnie takich pytań, a po niej zaczął myśleć. No i odbiło
mu... Jeden z kumpli się rozpił... Napisał do mnie, dostałem dwa
listy... Sens był taki, że „tam, bracie, było prawdziwe życie, a tu

samo gówno, tam walczyliśmy i starali się przeżyć, a tu ni chuja można zrozumieć". Gdy kiedyś zadzwoniłem do niego, był pijany w trzy dupy... Za drugim razem to samo... (*Zapala papierosa*). Pamiętam, jak przyjechaliśmy z Niedźwiedziem do Moskwy na Dworzec Kazański, jechaliśmy cztery dni z Taszkentu, pili dniem i nocą. Zapomnieliśmy wysłać telegramy, żeby po nas wyszli na stację. Wychodzimy o piątej rano na peron... W oczy uderzyły nas kolory! Wszyscy rozmaicie ubrani – na czerwono, żółto, niebiesko... Baby młode, ładne. Kurna... Całkiem inny świat. Ogłupieliśmy! Wróciłem 8 listopada... A po miesiącu poszedłem na uniwersytet, na drugi rok. Miałem szczęście... Od razu nabiłem sobie głowę nauką... Nie miałem więc czasu grzebać w pamięci, miałem sesję, musiałem zdawać od zera. Przez dwa lata wszystko zapomniałem, pamiętałem tylko „Kurs młodego żołnierza" – od razu obieranie kartofli i bieg na osiemnaście kilometrów. Nogi po kolana otarte. A Niedźwiedź? Kiedy wrócił, nie miał nic. Ani zawodu, ani pracy, dookoła tylko myślenie „kiełbasiane": byleby była kiełbasa po dwa ruble dwadzieścia i flacha wódki za trzy sześćdziesiąt dwa. Kogo wtedy obchodziło, że faceci wracają z przestawionym mózgiem albo z dziesięcio- czy dwunastocentymetrowym kikutem, że mają dwadzieścia lat, a skaczą na dupie. Nasz system łamie cię i w woju, i w cywilu. Dostałeś się w tryby systemu i skoro cię chwyciły, to cię zmiażdżą, choćbyś był nie wiem jak dobry i nie wiadomo jakie pieścił w duchu marzenia. (*Milknie*). Brakuje mi odpowiednich słów... Nie umiem znaleźć... Ale chcę powiedzieć, że najważniejszą sprawą jest nie trafić w te tryby. A jak je ominąć? Trzeba służyć ojczyźnie, legitymacja Komsomołu w kieszeni to rzecz święta. W regulaminie napisane jest: „Żołnierz obowiązany jest dzielnie i wytrwale znosić trudy służby wojskowej". Dzielnie i wytrwale. Mamo jedyna! (*Milknie. Wyciąga rękę do stołu po nowego papierosa, ale paczka już jest pusta*). Kurna. Już paczka dziennie nie wystarcza...

Trzeba zacząć od tego, że jesteśmy zwierzętami, a ta zwierzęcość przysłonięta jest cieniutkim nalotem kultury, ciu-ciu-ciu. Ach, ten Rilke! Ach, ten Puszkin! A bydlę wyłazi z nas błyskawicznie... Człowiek nawet okiem nie mrugnie... Wystarczy, żeby zlękł się o siebie, o swoje życie. Albo dostał władzę. Choćby niewielką. Malusieńką! Wojskowy system stopni: najpierw – kot, pół roku potem – wicek, do półtora roku służby – dziadek, a po dwóch latach – rezerwa. A w rzeczywistości jest się bezcielesnym duchem, a nasze życie – kiblem pełnym gówna...

Ale że strzelałem, to fakt... Strzelałem jak wszyscy. Tak czy owak, to najważniejsze... Tyle że nie chce się o tym myśleć... Nie potrafię o tym myśleć.

Łaziliśmy tam na heroinie... W nocy gówniarzeria schodziła z gór i ją rozrzucała. A potem znikali, jakby ich wiatr zdmuchnął. My jednak woleliśmy trawkę, herę rzadko kto brał, a tam była czysta hera. Raz i drugi spróbujesz – już po tobie, koniec. Siedzisz na igle. Ja się trzymałem. No i był jeszcze drugi warunek przeżycia – o niczym nie myśleć! Zjadłeś, pospałeś, poszedłeś na zadanie. A co zobaczyłeś, to od razu zapomniałeś, zapędziłeś do podziemia. Na potem... Widziałem, jak człowiekowi źrenice robią się tak wielkie jak oko, jak życie z niego uchodzi... źrenice się rozszerzają... Ciemnieją... Widziałem i od razu zapomniałem. A teraz tu z panią wspominam...

Strzelałem! Jasne, że strzelałem. Brałem człowieka na muszkę i... naciskałem... Teraz mam nadzieję, że nie zabiłem wielu, chciałbym, żeby tak było, bo oni... Bronili swej ojczyzny... Jednego... pamiętam dobrze... Ja wystrzeliłem, on upadł. Podniósł ręce do góry i upadł... Tego jednego zapamiętałem... Bałem się walki wręcz, opowiadali mi tylko, jak nabija się człowieka na żelazo i patrzy mu w oczy... Kurna... Niedźwiedź zwierzył mi się po pijanemu, kiedyśmy jechali te cztery dni z Taszkentu do Moskwy. Mówił:

– Nie masz pojęcia, jak człowiek chrypi, kiedy mu krew ciekie z gardła. Zabijać trzeba umieć... Człowieka, który nikogo nie zabił, nawet nie był na polowaniu, trzeba nauczyć, jak się innego człowieka zabija.

Niedźwiedź opowiadał... Leży facet ciężko ranny w brzuch, ale żyje, więc dowódca wziął nóż desantowy i wręczył mu: masz, dobij go, tylko musisz mu patrzeć w oczy. A wie pani, dlaczego tak trzeba? Żeby potem mógł zabijać, nie zastanawiając się, kiedy trzeba będzie ratować kolegów. I za pierwszym razem musi to wszystko przeżyć... Przejść przez to... Niedźwiedź... Bierze nóż, przystawia go do gardła... Rannemu na pierś... I nie może zarżnąć człowieka... Jakże tak – przebić żywemu klatkę piersiową? Tam gdzie bije serce... „Duch" wodzi wzrokiem za nożem... Niedźwiedź długo nie był w stanie... Długo zabijał. A potem, kiedy się upijał, to płakał... Zaklepał sobie miejsce w piekle...

Po przejściu do cywila poszedłem na studia, mieszkałem w akademiku, tam studenci dużo piją, wrzeszczą. Grają na gitarze. Jak ktoś zapuka do drzwi, to zrywam się jak oparzony i staję za drzwiami. W pogotowiu. Jak usłyszę grzmot albo deszcz zacznie bębnić o parapet, to mi serce podchodzi do gardła. Wypijałem całą butelkę naraz, niby zwykła rzecz, ale wkrótce jedna przestała wystarczać. Odbiło się to na wątrobie, zaczęła mi nawalać. Trafiłem do szpitala, a tam powiedzieli: „Jak chcesz, chłopcze, dożyć choćby czterdziestki, to skończ z piciem". Pomyślałem wtedy: „Nie poznałem jeszcze kobiety, tyle jest ładnych dziewczyn, a ja tu wezmę i się wykończę". Rzuciłem picie. Znalazłem dziewczynę...

Miłość... To kategoria nieziemska... Nie mogę powiedzieć, że kocham. Teraz jestem już żonaty, mam małą córeczkę, ale nie wiem, czy to miłość, czy coś innego, chociaż za nie obie mógłbym skoczyć do gardła, rozwalić wszystko. Życie bym oddał! Ale co to jest miłość? Ludzie twierdzą, że kochają, tak sobie wyobrażają, ale miłość to jest codzienna, krwawa i straszna praca. Czy kochałem? Uczciwie powiem, że nie wiem. Doznawałem jakichś uczuć, był we mnie jakiś poryw wewnętrzny, wykonywałem jakąś duchową pracę, niezwiązaną z tym zasranym życiem, ale nie wiem, co to jest. Miłość czy diabli wiedzą co? Na wojnie uczyli nas, że „trzeba kochać ojczyznę". Ojczyzna powitała nas, szeroko otwierając ramiona, po czym każdą z pięści zadała nokautujący cios. Niech mnie pani lepiej spyta, czy byłem szczęśliwy. A ja wtedy odpowiem, że byłem, kiedy po Afganistanie wracałem swoją ulicą do domu... To był listopad... Był listopad i w nozdrza, w głowę uderzył mnie zapach ziemi, której nie widziałem dwa lata, uderzył tak, aż mi poszło w pięty, ściskało mnie w gardle. Nie mogłem się ruszyć, bo chciało mi się płakać. Po czymś takim mogę powiedzieć: „tak, byłem w tym życiu szczęśliwy". Ale czy kochałem? Co to znaczy, skoro widziałem śmierć? A śmierć zawsze jest brzydka... Co to jest miłość? Byłem przy tym, kiedy moja żona rodziła. W takich chwilach niezbędny jest ktoś bliski obok, żeby trzymał nas za rękę. Każdemu bydlęciu płci męskiej kazałbym stać przy wezgłowiu baby, kiedy rodzi, kiedy ma rozstawione nogi i jest cała we krwi, w paskudztwie. „Popatrzcie, gnoje, jak przychodzi na świat dziecko! A wy je tak zwyczajnie zabijacie". Zabić jest łatwo. To proste. Sam myślałem, że zemdleję. Ludzie wracają z wojny, a tutaj mdleją. Kobieta to nie drzwi, przez które można wejść i wyjść. Dwa światy wywróciły do góry nogami moje życie – wojna i kobieta. Kazały się zastanowić, po co ja, zasrany kawał mięcha, przyszedłem na tę ziemię.

Człowiek nie na wojnie się zmienia, zmienia się po wojnie. Zmienia się, kiedy tymi samymi oczami, którymi widział to, co tam było, patrzy na to, co jest tutaj. W pierwszych miesiącach ma podwójne widzenie – jest i tam, i tu. Załamanie następuje tutaj. Teraz mogę się zastanawiać nad tym, co się tam ze mną działo... Strażnicy w bankach, ochroniarze bogatych biznesmenów, kilerzy – to są wszystko nasi chłopcy. Spotykałem się z nimi, rozmawiałem i wiem, że nie chcą wracać z wojny. Wracać tutaj. Tam im się bardziej podobało. Stamtąd... po tamtym życiu... Pozostają przeżycia, o których nie da się opowiedzieć... Najważniejsze to pogarda śmierci, coś powyżej niej... Duszmani nie bali się śmierci. Przykład: choć wiedzieli, że ich następnego dnia rozstrzelają, śmiali się i rozmawiali, jakby im nic nie groziło. Wydawało się nawet, że się cieszą. Są radośni i spokojni. Śmierć to wielkie przejście, trzeba na nią czekać jak na narzeczoną. Tak napisane jest w ich Koranie...

Lepiej powiem dowcip, bo nastraszyłem pisarkę. (*Śmieje się*). No więc... Ktoś umarł i trafił do piekła, rozgląda się: ludzie gotują w kotle, piłują na stole... Idzie dalej. A tam widzi stolik, siedzą przy nim jacyś faceci i piją piwo, grają w karty i w domino. Podchodzi do nich:

— Co pijecie? Piwo?

— Piwo.

— Można spróbować?

Próbuje. Rzeczywiście piwo. W dodatku zimne.

— A to co — papierosy?

— Papierosy. Chcesz zapalić? — Zapala.

— No to co tu właściwie jest? Piekło czy co innego?

— Piekło oczywiście. Rozgość się. — Śmieją się. — A tam, gdzie smażą i piłują, to też piekło. Dla tych, którzy tak je sobie wyobrażali.

Według wiary waszej niech wam się stanie. Według wiary... i modlitw wewnętrznych... Jeśli oczekuje się śmierci jak narzeczonej, to przyjdzie jako narzeczona.

Szukałem kiedyś znajomego wśród zabitych... W kostnicy trupy przyjmowali żołnierze. Nazywano ich szabrownikami, bo wyjmowali wszystko z kieszeni. Leży chłopak z dziurą w piersi albo z kiszkami na wierzchu, a ci grzebią mu po kieszeniach. Brali wszystko: zapalniczki, wieczne pióra, nożyczki do paznokci, potem dawali to dziewczynom w Sojuzie. Mamo jedyna!

Widziałem mnóstwo rozbitych wiosek, ale ani jednego przedszkola, ani jednej zbudowanej przez nas szkoły czy też posadzonego drzewa, o których pisały nasze gazety. (*Milknie*).

Czeka się na list z domu, czeka... Dziewczyna przysyła zdjęcie, jak stoi po pas w kwiatach. Lepiej by w kostiumie przysłała! W bikini. Albo przynajmniej całej figury, żeby nogi było widać... w krótkiej spódniczce... Nam ci polityczni na zajęciach truli o ojczyźnie, o obowiązku żołnierskim... A dla nas, kiedy w nocy leżeliśmy, tematem numer jeden były baby... Kto jaką miał i co z nią robił... To się można było nasłuchać! Wszyscy mieli ręce w jednym miejscu... Mamo jedyna! U nich tam... u Afgańczyków... homoseksualizm to rzecz normalna. Jak się weszło samemu do dukanu, to od razu: „Chodź, towarzysz... chodź tutaj... Wsadzę ci w tyłek, a ty za to możesz wziąć, co zechcesz. Weź chustę dla matki...". Filmów tam przysyłali mało, jedyne co przychodziło regularnie i w dużej ilości, to gazeta „Frunzeniec". Gazeta garnizonowa. Od razu nieśliśmy ją do naszej „czytelni", pamięta pani... Czasem udawało się złapać jakąś muzykę i kiedy słuchaliśmy Ludmiły Zykiny *Płynie Wołga*, wszyscy płakali. Siedzieli i płakali.

W domu nie umiałem zbudować normalnego zdania, bo od razu „kurr..!". Tylko mięsem umiałem rzucać. Matka początkowo pytała:

– Synku, czemu nic nie opowiadasz?

Ja wtedy coś tam zacząłem mówić... Matka mi przerwała:

– A sąsiedzi załatwili synowi służbę zastępczą w szpitalu. Ja tobym się spaliła ze wstydu, gdyby mój syn wynosił nocniki po staruchach. Jakiż z niego mężczyzna?

– Wiesz, mamo – powiedziałem – kiedy będę miał dzieci, to zrobię wszystko, żeby nie służyły w naszym wojsku.

Ojciec z matką popatrzyli jak na psychicznego i już więcej ze mną o wojnie nie rozmawiali, zwłaszcza przy znajomych. Szybko uciekłem z domu... Pojechałem na studia... Czekała na mnie dziewczyna. No, myślę sobie, dobiorę się do niej pierwszego dnia... Przelecę ją od razu. A ona zdjęła z ramienia moją rękę i mówi: „Masz na niej krew". No i tak mi zabrała libido na trzy lata – tak długo bałem się zbliżyć do dziewczyny. Kurna! Przecież nas uczyli, że trzeba bronić ojczyzny, bronić swojej dziewczyny... Jesteś mężczyzną... Podobała mi się mitologia skandynawska, lubiłem książki o wikingach. Wikingowie umierali w walce. A jeśli mężczyzna umarł w łóżku, uważali to za hańbę. Od piątego roku życia oswajali chłopaka z orężem. Ze śmiercią. Wojna to nie pora na pytania: jesteś człowiek czy nędzna kreatura? Przeznaczeniem żołnierza jest zabijanie, jest narzędziem mordu. Ma taką samą rolę jak pocisk czy karabin maszynowy. Teraz filozofuję... Chciałbym zrozumieć siebie...

Kiedyś poszedłem na spotkanie do klubu „afgańców"... Więcej nie poszedłem. Tylko raz... To było spotkanie z Amerykanami, weteranami wojny wietnamskiej. Siedzieliśmy w kawiarni, przy każdym stoliku jeden Amerykanin i trzech Rosjan. Temu, który siedział z nami, jeden z naszych chłopaków wygarnął: „Jestem wściekły na Amerykanów, bo wyleciałem na amerykańskiej minie. Teraz nie mam jednej nogi". A tamten mu odpowiada: „A mnie w Sajgonie trafił odłamek radzieckiego pocisku". I w porządku! Mamo jedyna! Wypiliśmy, uściskaliśmy się, niby jako weterani. I dalej poszło... Chlaliśmy po rosyjsku: na bruderszaft, na jedną nogę, na drugą... Dotarła do mnie jedna prosta prawda: żołnierz jest wszędzie żołnierzem, jest taki sam, mięso to mięso. Dział mięsny. Z jedną tylko różnicą: tamci na śniadanie mieli lody w dwóch smakach, a my – kaszę na śniadanie, obiad i kolację. Owoców w ogóle nie oglądaliśmy, marzyliśmy tylko o jajkach i świeżych rybach. Jedliśmy cebulę jak jabłka. Wyszedłem z wojska bez zębów.

Był grudzień, mróz trzydzieści stopni. A tamten facet był z Kalifornii... Poszliśmy go odprowadzić do hotelu. Miał kurtkę puchową, grube rękawice. Idzie taki zakutany przez Moskwę, a z naprzeciwka toczy się ruski Wańka – kożuch rozpięty, bez czapki i rękawiczek, nawet koszulka desantówka wylazła mu z portek, tak że szedł z gołym brzuchem.

– Cześć, chłopaki!

– Cześć!

– A to kto?

– Amerykanin.

– Aha, Amerykanin! – Uścisnął mu dłoń, poklepał po ramieniu i poszedł dalej.

Weszliśmy do pokoju hotelowego, Amerykanin nic nie mówi.

– Hej! Co ci jest, koleś? – pytamy.

A on:

– Ja w kurtce puchowej, w rękawicach, a on goły. I ręce ma ciepłe. Z takim krajem nie da się walczyć.

Odpowiadam mu:

– No jasne, że się nie da. Trupami was zarzucimy!

Mamo jedyna! Pijemy, co się tylko da, rżniemy wszystko, co się rusza, a jak się nie rusza, to rozruszamy i też zerżniemy.

Od dawna już nie rozmawiam o Afganistanie... Nie ciekawią mnie te rozmowy... Ale gdyby mi pozwolili wybierać: dowiesz się o wojnie tego i tamtego, przeżyjesz to i tamto albo zostaniesz chłopaczkiem i nie trafisz tam, mimo wszystko wolałbym przejść to jeszcze raz i zostać tym, kim jestem teraz. Przeżyć na nowo, na nowo tego doświadczyć. Dzięki Afganistanowi znalazłem przyjaciół... Spotkałem żonę i mam taką wspaniałą córeczkę. Tam się dowiedziałem, jakie gówno we mnie siedzi i jak głęboko jest schowane. Wróciłem i przeczytałem Biblię z ołówkiem w ręku. I czytam ciągle, cały czas. Dobrze śpiewał Galicz: „Bój się tego, który mówi, że wie jak". Ja nie wiem. Sam szukam. Śnią mi się fioletowe góry. I tumany kłującego piasku...

Tutaj się urodziłem... Ojczyzna jest jak ukochana – nie wybiera się jej, tylko ją dostaje. Jeśli urodziłeś się w tym kraju, to zdołaj w nim także umrzeć. Chcę żyć w tym kraju, niech sobie będzie biedny, nieszczęśliwy, ale tutaj żyje Mańkut, który potrafi podkuć pchłę, a faceci pod budką z piwem rozstrzygają problemy wagi światowej. Ten kraj nas oszukał... A ja go mimo to kocham.

Widziałem... Teraz wiem, że dzieci rodzą się jasne. Są aniołami.

Szeregowy, piechota

Wybuch... Fontanna światła... I koniec...

Potem noc... Ciemność... Otwieram jedno oko i wodzę nim po ścianie – gdzie jestem? W szpitalu... Potem sprawdzam. Ręce mam na swoim miejscu? Na miejscu. Niżej... Dotykam rękami... A gdzie są nogi? Moje nogi!!!

(*Odwraca się do ściany i długo nie chce mówić*).

Zapomniałem wszystko, co było przedtem. Bardzo ciężka kontuzja... Zapomniałem całe swoje życie... Otworzyłem dowód i przeczytałem swoje nazwisko. Gdzie się urodziłem? W Woroneżu. Trzydzieści lat... Żonaty... Dwoje dzieci... chłopcy...

Nie pamiętałem żadnej twarzy...

(*Jeszcze raz milknie na dłuższy czas. Patrzy w sufit*).

Pierwsza przyjechała mama... Mówi: „Jestem twoją mamą".
Przyglądałem się jej... Nie mogłem jej sobie przypomnieć, ale
zarazem ta kobieta nie była dla mnie kimś obcym. Wiedziałem
tylko tyle, że nie jest obca... Opowiedziała mi o moim dzieciństwie... o szkole... Nawet o takich drobiazgach – jaki miałem
ładny płaszcz w ósmej klasie i jak podarłem go, przechodząc
przez płot. Jakie dostawałem stopnie... Czwórki, trafiały się
i piątki, ale z zachowania – trzy. Rozrabiałem. A najbardziej
lubiłem grochówkę... Słuchałem matki i czułem się tak, jakbym
patrzył na siebie z boku...

Dyżurna w stołówce woła:

– Siadaj na wózek. Zawiozę cię. Żona do ciebie przyjechała.

Przed salą stoi ładna kobieta... Spojrzałem... Dobrze, no to
niech sobie stoi. A gdzie moja żona? A to właśnie była moja
żona... Niby znajoma twarz, ale jej nie poznałem...

Opowiedziała mi o naszej miłości... Jak się poznaliśmy... Jak
pierwszy raz ją pocałowałem... Przywiozła zdjęcia z naszego
ślubu. Jak nasi chłopcy się urodzili. Dwóch chłopaków... Słuchałem i nie przypominałem sobie, tylko zapamiętywałem...
Z napięcia zaczęły się silne bóle głowy... A obrączka... Gdzie
obrączka ślubna? Przypomniała mi się obrączka... Popatrzyłem
na lewą rękę – nie mam palców...

Synków przypomniałem sobie ze zdjęć... Przyjechali jacyś
inni. Moi i zarazem nie moi. Jasnowłosy zrobił się ciemny, mały
urósł. Przejrzałem się w lustrze – podobni!

Lekarze mówią, że pamięć może mi wrócić... Wtedy będę miał
dwa życia: to, o którym mi opowiedzieli, i to, które przeżyłem.
Wtedy niech pani przyjedzie, opowiem o wojnie...

Kapitan, pilot śmigłowca

Ogień się przemieszczał... Długo szedł po górskim zboczu...

Pod wieczór wyskoczyło z naprzeciwka stado owiec. Hurra!
To dar Allacha. *Allachu Akbar!* Byliśmy głodni i zmęczeni po
dwóch dniach marszu, swoje racje dawno zjedliśmy. Zostały tylko suchary. A tu mamy zgubione stado. Bez gospodarza.

Nie trzeba kupować ani wymieniać na herbatę (jedna owca – kilo herbaty albo dziesięć kawałków mydła), nie trzeba grabić. Najpierw złapaliśmy wielkiego barana i przywiązali do drzewa, bo wtedy owce nigdzie nie uciekną. Tego już się nauczyliśmy. Pamiętaliśmy... W czasie bombardowania owce się rozbiegają, a potem zbiegają z powrotem. Do przodownika. Potem... Potem wybraliśmy najtłustszą owcę... Poprowadzili...

Wiele razy obserwowałem, jak to zwierzę bez sprzeciwu przyjmuje śmierć. Kiedy zarzyna się świnię lub cielę... To co innego... Te nie chcą umierać. Wyrywają się, kwiczą. A owca nie ucieka, nie beczy, nie szarpie się histerycznie, tylko idzie w milczeniu. Z otwartymi oczami. Idzie za człowiekiem z nożem.

To nigdy nie wyglądało jak morderstwo, zawsze przypominało rytuał. Rytualną ofiarę.

Szeregowy, zwiadowca

Dzień drugi

„Inny zaś umiera w gorzkości ducha..."*

Zadzwonił jeszcze raz. Na szczęście byłam w domu...
  – Nie myślałem, że zadzwonię... Ale wszedłem dzisiaj do autobusu i usłyszałem, jak dwie kobiety się kłócą: „Jacy tam z nich bohaterowie? Oni tam zabijali dzieci, kobiety... Czy są normalni? A zapraszają ich do szkół, do naszych dzieci. I jeszcze dają im zniżki". Wyskoczyłem na pierwszym przystanku... Byliśmy żołnierzami i wykonywali rozkazy. Niewykonanie rozkazu w czasie wojny grozi rozstrzelaniem! Sądem polowym! Oczywiście generałowie nie strzelają do kobiet i dzieci, ale wydają rozkazy. A teraz to my jesteśmy wszystkiemu winni! My, żołnierze! Teraz nam mówią, że wykonać zbrodniczy rozkaz to zbrodnia. A ja wierzyłem tym, którzy wydawali rozkazy! Wierzyłem! Jak pamięcią sięgam, zawsze uczono mnie wierzyć. Tylko wierzyć! Nikt mnie nie uczył myśleć: wierzyć czy nie wierzyć, strzelać czy nie strzelać? Słyszałem ciągle: „Musisz mocno wierzyć!". Tacy stąd wyjeżdżaliśmy, ale wróciliśmy stamtąd inni.
  – *Możemy się spotkać... Porozmawiać...*
  – Mogę rozmawiać tylko z takimi jak ja. Z tymi, którzy stamtąd wrócili... Rozumiesz to? Tak, zabijałem, jestem cały we krwi...

---

* Księga Hioba 21, 25; za Biblią Gdańską.

Ale on leżał... Mój kolega, był dla mnie jak brat. Osobno głowa, osobno ręce... Skóra... Od razu poprosiłem, żeby mnie wysłali na wypad... Zobaczyłem pogrzeb w wiosce. Było dużo ludzi. Nieśli ciało zawinięte w coś białego... Obserwowałem ich przez lornetkę. I wtedy dałem rozkaz: „Strzelać!".

– *Zastanawiam się, jak teraz z tym żyjesz. Jak strasznie musisz się czuć...*

– Tak, zabijałem... Bo chciałem żyć... Chciałem wrócić do domu. A teraz zazdroszczę martwym. Martwi nie cierpią...

Rozmowa znowu się urwała...

Autorka

Jak we śnie... Jakbym gdzieś to oglądał... Na jakimś filmie... Teraz tak to odczuwam, że nikogo nie zabijałem...

Pojechałem sam. Poprosiłem... Pewnie pani chce wiedzieć, czy dla idei, czy po to, żeby zrozumieć. Oczywiście to drugie. Chciałem wypróbować siebie, sprawdzić, do czego jestem zdolny. Mam duże ego. Studiowałem na uczelni, tam nie można się wykazać, dowieść, kim się jest. Chciałem zostać bohaterem, szukałem okazji, żeby nim zostać. Odszedłem z drugiego roku. Mówili... Słyszałem, że to wojna chłopców... Bili się smarkacze, niedawni dziesiątoklasiści. Na wojnie tak zawsze jest. W czasie Wielkiej Wojny Ojczyźnianej też tak było. Dla nas to jak zabawa. Bardzo ważna była nasza ambicja, nasza duma. Potrafię czy nie potrafię? On potrafił, a ja? Tym byliśmy zajęci, a nie polityką. Od dziecka szykowałem się do jakichś prób. Jack London był moim ulubionym pisarzem. Prawdziwy mężczyzna powinien być silny. Silni stają się takimi na wojnie. Moja dziewczyna mi odradzała:

– Pomyśl, czy coś podobnego mógłby powiedzieć Bunin albo Mandelsztam.

Nikt z przyjaciół mnie nie rozumiał. Jeden się ożenił, drugiego pochłonęła filozofia Wschodu, trzeci zaczął uprawiać jogę. Tylko ja poszedłem na wojnę.

W górze były szczyty, wypalone w słońcu... Na dole dziewczynka pokrzykiwała na kozy, kobieta wieszała bieliznę... Jak

u nas na Kaukazie... Nawet byłem rozczarowany... W nocy –
strzał do naszego ogniska. Podnoszę czajnik, a pod nim leży kula.
Wojna! Podczas marszów pragnienie, męczące, poniżające. War-
gi suche, nie sposób zebrać śliny, żeby ją przełknąć. Czujesz się
tak, jakbyś miał pełne usta piachu. Lizaliśmy rosę, lizali własny
pot... Chcę żyć. Muszę żyć! Złapałem żółwia. Ostrym kamykiem
przebiłem mu gardło. Piłem jego krew. Inni nie mogli. Nikt nie
mógł. Pili własny mocz...

Zrozumiałem, że mógłbym zabić. Mam broń w ręku. Podczas
pierwszej walki widziałem, jak ludzie wpadają w szok. Tracą
przytomność. Niektórych mdli na samo wspomnienie tego, jak
zabijali. Po walce na drzewie wisi czyjeś ucho... Po ludzkiej twarzy spływa oko... A ja wytrzymywałem! Był wśród nas myśliwy,
który chwalił się, że przed wojskiem zabijał zające, strzelał do
dzików. Ten zawsze wymiotował. Zabić zwierzę a zabić człowieka to dwie różne rzeczy. W walce człowiek staje się drewnem.
Chłodny umysł. Wyrachowanie. Mój automat to moje życie.
Automat przyrasta do ciała. Tak jak jeszcze jedna ręka...

To była wojna partyzancka, rzadko dochodziło do wielkich
bitew. Zawsze tak: tylko ty i on. Robisz się wrażliwy jak młody
ryś. Puszczasz serię – tamten usiadł. Kto teraz? Jeszcze nie usły-
szałeś strzału, a już poczułeś, że przeleciała kula. Czołgasz się
od kamienia do kamienia... Chowasz... Uganiasz się za nim jak
myśliwy. Cały jesteś napiętą sprężyną. Nie oddychasz. Łapiesz
jakąś chwilę... Gdybyście się zetknęli, mógłbyś zabić kolbą. Za-
bijesz i mózg przeszywa myśl, że znowu przeżyłeś. Nadal żyjesz!
Zabicie człowieka to żadna radość. Zabijasz, żeby ciebie nie
zabili. Wojna to nie tylko śmierć, to jeszcze coś innego. Wojna
ma nawet swój zapach. Swoje brzmienie.

Zabici są różni... Nie ma dwóch jednakowych. Leżą w wodzie... W wodzie coś się dzieje z martwą twarzą, wszystkie mają
jakiś uśmiech. Po deszczu ludzie leżą czyści. Bez wody, w kurzu,
śmierć jest bardziej jawna. Zabity ma nowiutki mundur, a zamiast głowy – suchy czerwony liść... Jego głowa rozpłaszczona
jak jaszczurka pod kołami... Ale ja żyję! Drugi siedzi pod ścianą...

Koło domu. Obok rozłupane orzechy. Siedzi... Z otwartymi oczami... Nie miał kto ich zamknąć... Od dziesięciu do piętnastu minut po śmierci można jeszcze trupowi zamknąć oczy. Potem już nie, powieki nie chcą opaść... Ale ja żyję! Trzeci się pochylił... Rozporek ma rozpięty... Nawet jeszcze... kapie... Jak żyli w tamtym momencie, cokolwiek robili, tak zostali... Jeszcze na tym świecie, ale już tam... Już na górze... Ale ja żyję! Gotów jestem obmacać się, skontrolować. Ptaki nie boją się śmierci. Siedzą, patrzą. Dzieci nie boją się śmierci. Też siedzą, patrzą spokojnie, z ciekawością. Jak ptaki. Widziałem, jak orzeł śledził walkę... Siedział jak mały sfinks... Je człowiek zupę w kantynie, popatrzy na sąsiada i wyobraża sobie, jak wyglądałby martwy. Przez pewien czas nie mogłem patrzeć na fotografie swoich bliskich. Widok dzieci, kobiet jest nieznośny, kiedy się wróci z zadania. Odwraca się głowę... Potem to mija. Biega się rano na gimnastykę... Dużo ćwiczyłem ze sztangą. Myślałem o tym, w jakiej wrócę formie. Nie wysypiałem się, to prawda. Wszy dokuczały, zwłaszcza zimą. Materace posypane były proszkiem.

Lęk przed śmiercią poznałem w domu. Wróciłem, syn mi się urodził. Strach – jeśli umrę, mój syn będzie rósł beze mnie. Siedem swoich kul zapamiętałem... Mogły mnie, jak mówiono u nas, "wysłać na górę"... Ale przeleciały obok... Nawet miałem takie uczucie, że się nie wybawiłem do syta. Nie nawalczyłem.

Nie odczuwam winy, koszmarów się nie obawiam. Zawsze wybierałem uczciwy pojedynek – on i ja. Kiedy zobaczyłem, jak biją jeńca... biją we dwóch, a tamten związany... leży jak szmata... Wtedy przepędziłem ich, nie pozwoliłem bić. Takimi gardziłem. Bierze któryś automat i strzela do orła... Jednemu dałem w pysk... Ptaka – za co?

Rodzina pytała:

– I jak tam jest?

– W porządku. Przepraszam. Opowiem potem.

Skończyłem uczelnię, pracuję jako inżynier. Chcę być tylko inżynierem, a nie weteranem wojny afgańskiej. Nie lubię wspominać. Chociaż nie wiem, co będzie z nami, z pokoleniem, które przeżyło. Przeżyło wojnę, która nikomu nie była potrzebna. Nikomu! Niko... Niko... Wreszcie się wygadałem... Jak w pociągu... Spotkali się nieznajomi ludzie, pogadali i wysiedli na różnych stacjach. Ręce mi drżą... Nie wiem, czemu się denerwuję... A wydawało mi się, że wyszedłem z gry bez problemu. Proszę nie wymieniać mojego nazwiska...

Niczego się nie boję, ale już nie chcę tkwić w tej historii...

Dowódca plutonu piechoty

W grudniu miałam wziąć ślub... Miesiąc przed ślubem, w listopadzie, pojechałam do Afganistanu. Przyznałam się narzeczonemu, a ten się roześmiał.

– Bronić południowych rubieży naszego kraju?

A kiedy zrozumiał, że nie żartuję, powiedział:

– Co, nie masz tu z kim sypiać?

Jechałam tam i myślałam: „Nie zdążyłam na BAM*, nie zdążyłam na nowe ziemie – ale jest Afganistan!". Uwierzyłam piosenkom, które przywozili chłopcy, całymi dniami je puszczałam:

Tu, na ziemi afgańskiej,
Matko Rosjo, niemało
Twoich synów zostało
Wśród przepaści i skał...

Byłam dziewczyną z Moskwy, wychowaną na książkach. Wydawało mi się, że prawdziwe życie jest gdzieś daleko. Tam, gdzie mężczyźni są silni, a kobiety piękne. Czeka nas wiele przygód. Miałam ochotę wyrwać się z tego, co zwykłe, codzienne...

Trzy noce jechałam do Kabulu, nie spałam. Celnicy uznali, że jestem naćpana. Pamiętam, że ze łzami w oczach tłumaczyłam:

– Nie jestem narkomanką. Chce mi się spać.

---

* BAM (z ros. *Bajkało-Amurskaja magistral*) – Kolej Bajkalsko-Amurska, linia kolejowa na Syberii i Dalekim Wschodzie, kończąca się nad Oceanem Spokojnym. Jej budowie, niezwykle kosztownej, nadano w czasach Breżniewa wielką oprawę propagandową.

Dźwigam ciężką walizkę, a w niej konfitury, ciastka od mamy. Nikt z mężczyzn mi nie pomógł. I to nie zwyczajni mężczyźni, ale młodzi oficerowie, silni, przystojni. A do mnie zawsze chłopcy się zalecali, adorowali mnie. Byłam autentycznie zdziwiona.

– Pomoże mi ktoś?!

Popatrzyli na mnie dosyć dziwnie...

Jeszcze trzy noce spędziłam na punkcie przesyłowym. Od razu pierwszego dnia przyszedł chorąży i mówi:

– Jak chcesz zostać w Kabulu, to przyjdź w nocy...

Taki grubasek, dobrze odżywiony. Miał ksywkę Balon.

Wzięli mnie do jednostki jako maszynistkę. Miałyśmy stare wojskowe maszyny. W pierwszych tygodniach otarłam palce do krwi. Potem stukałam obandażowana, bo paznokcie odchodziły od palców.

Po paru tygodniach którejś nocy puka do mnie żołnierz.

– Dowódca wzywa.

– Nie pójdę.

– Czego się łamiesz? Nie wiedziałaś, dokąd jedziesz?

Rano dowódca zagroził, że wyśle mnie do Kandaharu. No i różne takie...

W Kandaharze – tylko muchy,
karaluchy oraz „duchy".

W owych dniach bałam się, że wpadnę pod samochód... Dostanę kulkę w plecy... Albo że mnie pobiją...

W hotelu moimi sąsiadkami były dwie dziewczyny: jedna miała ksywkę Elektryczka, bo odpowiadała za elektryczność, a drugą, prowadzącą pralnię chemiczną, przezywano Chlorka. Wszystko komentowały w ten sam sposób:

– Takie jest życie...

Akurat w tym czasie w „Prawdzie" zamieszczono reportaż *Afgańskie madonny*. Dziewczyny z kraju pisały, że wszystkim się podobał, a niektóre nawet poszły do komisji uzupełnień, żeby je wysłano do Afganistanu. W szkołach czytano ten reportaż na lekcjach. A myśmy nie mogły przejść spokojnie koło żołnierzy, bo ci rechotali: „Beczkówki, to z was takie bohaterki?! Spełniacie w łóżku obowiązki internacjonalistyczne?". Co to są „beczkówki"? „Beczkami" nazywano takie wagoniki, w których mieszkały wyższe rangi, nie niższe od majora. Dlatego kobiety, z którymi ci się..., przezwano „beczkówkami". Ci chłopcy, którzy tu służą, nie ukrywają: „Jeśli się dowiem, że dziewczyna była w Afganistanie, to przestanie dla mnie istnieć...". Wszystkie chorowałyśmy na to samo co oni, miałyśmy zapalenie wątroby, malarię... Tak samo nas ostrzeliwano... Ale jak spotkamy się w kraju, to nie będę mogła temu chłopakowi rzucić się na szyję. Dla nich wszystkie jesteśmy k...... albo wariatkami. Nie spać z kobietą – nie brudzić się... „A ja z kim śpię? Śpię z automatem..." Spróbuj się do kogoś uśmiechnąć po czymś takim...

Moja mama chwali się znajomym: „Moja córka jest w Afganistanie". Mama jest naiwna! Mam ochotę napisać jej: „Mamo, cicho siedź, żebyś nie usłyszała czegoś gorszego!". Może wrócę i wszystko przemyślę? Przyjdę do siebie, nabiorę otuchy. Bo teraz wszystko we mnie jest połamane, pomięte. Czego się tu nauczyłam? Czyż tu można nauczyć się dobroci i miłosierdzia? Radości?

Bacza biegną za samochodem:

– *Chanum*, pokaż...

Mogą też wciskać pieniądze. Widać są takie, co je od nich biorą.

Raz mi przemknęło przez głowę, że nie dożyję powrotu. Teraz już przez to przeszłam. Mam ciągle dwa sny, na przemian te same...

Pierwszy z nich.

Wchodzimy do bogatego dukanu... Na ścianach dywany, kosztowności. A nasi chłopcy sprzedają mnie. Przynoszą im worek pieniędzy... Liczą afoszki... A dwa „duchy" nawijają sobie moje włosy na ręce... Dzwoni budzik... Krzyczę przerażona i budzę się. Nigdy nie dospałam do końca tych swoich koszmarów.

Drugi sen.

Lecimy z Taszkentu do Kabulu samolotem wojskowym Ił-65. W iluminatorze pojawiają się góry i jaskrawe światło ciemnieje. Zaczynamy lecieć w jakąś otchłań i przykrywa nas warstwa ciężkiej afgańskiej ziemi. Ryję w niej jak kret, drapię się na wierzch, ale nie mogę się wydostać. Duszę się. I ryję, ryję...

Jeśli sama się nie zatrzymam, to będę opowiadała bez końca. Tutaj codziennie dzieje się coś takiego, że flaki człowieka bolą. Wczoraj znajomy chłopak dostał list z kraju, od swojej dziewczyny: „Nie chcę być z tobą, masz brudne ręce...". Przyleciał do mnie, bo ja go zrozumiem.

Wszyscy myślimy o domu, ale mało mówimy, bo jesteśmy przesądni. Bardzo chcemy wrócić. Dokąd wrócimy? O tym też nie mówimy. Tylko same dowcipy.

– Dzieci, powiedzcie, kim są wasi tatusiowie?

Wszyscy podnoszą ręce.

– Mój tato jest lekarzem.

– Mój tatuś jest instalatorem.

– Mój pracuje w cyrku.

Tylko Wowa nic nie mówi.

– Wowa, a ty nie wiesz, kim jest twój tatuś?

– Kiedyś był lotnikiem, a teraz został faszystą w Afganistanie.

Dawniej lubiłam książki o wojnie, tutaj przywiozłam ze sobą Dumasa. Na wojnie człowiek nie ma ochoty rozmawiać o wojnie. Ani czytać o niej. Dziewczyny chodziły oglądać zabitych... Mówiły, że leżą w samych skarpetkach... Ja nie pójdę... Nie lubię jeździć do miasta, po zakupy do dukanów... Tam na ulicach jest pełno jednonogich mężczyzn... Dzieci chodzących o kulach domowego wyrobu... Nie mogę się przyzwyczaić... Marzyłam, żeby być dziennikarką, a teraz nie wiem, trudno mi uwierzyć w cokolwiek. Coś pokochać.

Jak wrócę do domu, to już nigdy nie pojadę na południe. Nie mam już siły patrzeć na góry. Kiedy je widzę, wydaje mi się, że zaraz zacznie się ostrzał. Kiedyś nas ostrzeliwano, a jedna z naszych dziewczyn klęczała i żegnała się... odmawiała modlitwę. Ciekawe, o co prosiła niebo? Wszyscy tutaj jesteśmy trochę skryci, nikt do końca się nie otwiera. Każdy przeżył jakieś rozczarowanie...

A ja cały czas płaczę. Płaczę za tamtą wychowaną na książkach dziewczyną z Moskwy...

Pracownica cywilna

Czego tam się dowiedziałem? Że dobro nigdy nie zwycięża. Ilość zła w świecie nigdy się nie zmniejsza. Człowiek jest straszny. A natura piękna... No i kurz. Usta miałem stale pełne piasku. Nie da się wtedy mówić...

Przeczesujemy wioskę... Idziemy w parze z jednym chłopakiem. Otwiera kopnięciem drzwi w duwale – a stamtąd leci dziewięć kul z karabinu maszynowego, prosto w niego... Nienawiść tłumi świadomość... Wystrzelaliśmy wszystkich, łącznie ze zwierzętami domowymi, chociaż do zwierzęcia trudniej strzelać. Szkoda ich. Nie pozwalałem strzelać do osiołków... Czemu one są winne? Na szyjach miały zawieszone amulety, takie same jak dzieci... Z imionami... Kiedy podpaliliśmy łan pszenicy, zrobiło mi się niedobrze, bo jestem ze wsi. Z poprzedniego życia wspominaliśmy tylko dobre rzeczy, najczęściej dzieciństwo. Jak leżałem na trawie wśród dzwonków i rumianków... Jak nad ogniem smażyliśmy kłosy pszenicy i jedli...

Dookoła toczyło się życie, któregośmy nie rozumieli. Obce życie. Dlatego łatwiej tam było zabijać niż... (*Milknie*). Niż w znajomej okolicy. Podobnej do naszych... Gdybym miał szczerze opowiedzieć o swoich uczuciach... Wstręt i zarazem duma – zabiłem! Żar był taki, że na dachach dukanów pękała blacha. Pole zapaliło się od razu, wybuchło ogniem. Pachniało chlebem... Ogień uniósł w górę ten dziecięcy zapach chleba...

Tam noc nie nadchodzi, tylko spada na człowieka. Był dzień i nagle już jest noc. Świt jest piękny... Byłeś chłopcem, a tu już mężczyzna. To robi wojna. Tam deszcz pada i można go zobaczyć, ale nie dolatuje do ziemi. Ogląda się z satelity program o Sojuzie, wspomina, że jest tamto inne życie, ale ono już w nas nie wnika... Wszystko to można opowiedzieć... Wszystko można wydrukować... Ale dzieje się coś dla mnie przykrego... Nie umiem wyrazić sensu...

Co to znaczy żyć z wojną, wspominać? To znaczy, że nigdy się nie jest samemu. Zawsze jest dwoje – ja i wojna... Wybór mamy niewielki: zapomnieć i milczeć albo oszaleć i krzyczeć. To drugie nikomu nie jest potrzebne... Nie tylko władzy, ale także bliskim. Rodzinie. Pani przychodzi... Po co pani przyszła? To nie jest ludzkie... (*Nerwowo zapala papierosa*).

Czasem sam mam ochotę napisać o wszystkim, co widziałem... O wszystkim... Z wykształcenia jestem filologiem. W szpitalu... Jeden jest bez ręki, a obok, na jego łóżku, siedzi drugi, bez nogi, i pisze list do matki. Mała afgańska dziewczynka... Wzięła cukierek od radzieckiego żołnierza. Rano odrąbali jej obie ręce... Opisać wszystko tak, jak było, bez żadnych komentarzy. Padał deszcz... I tylko o tym, że padał... Żadnych dywagacji, czy to dobrze, czy źle, że padał deszcz. Deszcz... tam woda nigdy nie jest tylko wodą. Woda z manierki jest prawie gorąca. W smaku gorzka. Nie sposób się ukryć przed słońcem...

O czym jeszcze bym napisał?

Krew... Kiedy zobaczyłem pierwszą krew, zrobiło mi się zimno, bardzo zimno. Dygotałem. Zimno w czterdziestostopniowym upale... W piekle...

Przyprowadzili dwóch jeńców... Jednego trzeba zabić, bo w helikopterze nie ma miejsca dla dwóch, a potrzebowaliśmy „języka". No i nie umiałem podjąć decyzji którego.

W szpitalu... Żywi i martwi zmieniali się stale... Już ich nie rozróżniałem, kiedyś pół godziny gadałem do nieżywego...

Dosyć! (*Wali pięścią w stół. Potem się uspokaja*).

Myślałem... marzyłem o tym, jak pierwszy raz będę nocował w domu. Po wszystkim... Wracaliśmy z nadzieją, że w domu czekają na nas z otwartymi ramionami. I nagle odkrywamy, że nikogo nie obchodzi to, cośmy przeżyli. Na podwórzu stoją znajome chłopaki. „A, przyjechałeś? To dobrze". Poszedłem do szkoły na spotkanie absolwentów. Nauczyciele też mnie o nic nie pytali. Moja rozmowa z dyrektorką szkoły wyglądała tak:

Ja:

– Trzeba upamiętnić tych, którzy zginęli, wypełniając internacjonalistyczny obowiązek.

Ona:

– To byli dwójarze, chuligani. Jak moglibyśmy powiesić na ścianie tablicę ich pamięci? No i czegoście takiego bohaterskiego dokonali? Przegrali wojnę? A komu ona była potrzebna? Breżniewowi i jego generałom? Fanatykom rewolucji światowej...

Wychodzi na to, że moi koledzy zginęli niepotrzebnie... Ja też mogłem zginąć na darmo... A moja mama zobaczyła mnie przez okno i biegła przez całą ulicę, krzycząc z radości. „Nie – mówię sobie – niech się świat wali, ale to się nie zmieni: w ziemi leżą bohaterowie. Bohaterowie!"

Na uczelni stary wykładowca przekonywał mnie:

– Padliście ofiarą błędu politycznego... Uczynili was wspólnikami zbrodni...

– Miałem wtedy osiemnaście lat. A pan ile? Kiedy nam tam skóra pękała od żaru, to pan milczał, tak? Kiedy nas przywozili w „czarnych tulipanach", też pan milczał? Słuchał pan, jak na cmentarzach grają orkiestry i padają salwy honorowe... Kiedyśmy tam zabijali, pan milczał? Teraz nagle zaczął pan mówić: bezsensowne ofiary... Błąd...

A ja nie chcę być ofiarą błędu politycznego. I będę o to walczył! Niech się świat zawali, ale tego nic nie zmieni: w ziemi leżą bohaterowie. Bohaterowie! Sam o tym kiedyś napiszę... Człowiek jest straszny... A natura piękna... (*Powtarza potem, kiedy już posiedział chwilę i się uspokoił*).

Dziwne, że zapamiętuje się piękno... Śmierć i piękno...

Szeregowy, obsługa granatnika

Miałem szczęście...

Wróciłem do domu z obiema rękami, nogami, dwojgiem oczu, nienadpalony i nieszalony. Już tam zrozumieliśmy, że to nie ta wojna, na którą jechaliśmy. Postanowiliśmy, że powalczymy do końca, przeżyjemy, wrócimy do domu i ocenimy, co i jak...

Jesteśmy pierwszą zmianą tych, którzy wkraczali do Afganistanu. Nie mieliśmy idei, tylko rozkazy. Nad rozkazami się nie dyskutuje; gdy zaczniemy o nich dyskutować, to już nie będzie wojsko. Niech pani przeczyta klasyków marksizmu-leninizmu: „Żołnierz powinien być jak nabój, w każdej chwili gotowy być wystrzelonym". To sobie dobrze zapamiętałem. Na wojnę jedzie się, żeby zabijać. Mój zawód to zabijanie. Tego się uczyłem. Mój własny strach? Ktoś inny może zginąć, ja nie. Tego zabili, a mnie nie zabiją. Świadomość nie przyjmuje możliwości zniknięcia. A przecież jadąc tam, nie byłem dzieckiem, miałem trzydzieści lat.

Tam dopiero poczułem, co to jest życie. Powiem pani, że to były dla mnie najlepsze lata. Tutaj nasze życie jest szare, małe: praca – dom, dom – praca. Tam wszystkiego spróbowaliśmy, wszystkośmy poznali. Poznaliśmy prawdziwą męską przyjaźń. Zobaczyliśmy egzotykę: poranną mgłę kłębiącą się w szczelinach skalnych jak zasłona dymna, *burubachajki* – kolorowe afgańskie ciężarówki z wysokimi burtami, czerwone autobusy, w których jeżdżą ludzie wymieszani z owcami i krowami, żółte taksówki. Są tam okolice iście księżycowego pejzażu, jakieś kosmiczne, fantastyczne. Same odwieczne góry. Wydaje się, że na tej ziemi nie ma człowieka, że żyją tam tylko kamienie. I te kamienie do nas strzelają. Po prostu czuje się wrogość przyrody, nawet dla niej jest się kimś obcym. Wisieliśmy między życiem a śmiercią, i sami też trzymaliśmy w rękach czyjeś życie i czyjąś śmierć. Czy może być coś silniejszego niż to uczucie? Tak jak tam użyliśmy, nigdzie już nie użyjemy. Tak jak nas tam kochały kobiety, nigdzie już nas nie będą kochać. Wszystko było wyostrzone przez bliskość śmierci, cały czas kręciliśmy się wokół śmierci, ciągleśmy się jej nawijali przed oczy. Było wiele rozmaitych przygód, wydaje mi się, że znam zapach niebezpieczeństwa, wiem, jak ono pachnie, kiedy „trzecim okiem" widzi się własny kark... Wypróbowałem tam wszystko i wyszedłem z ognia cało. To było męskie życie. Odczuwam nostalgię... Syndrom afgański...

Czy sprawa była słuszna, czy nie, nikt się wtedy nie zastanawiał. Robiliśmy to, co nam kazano. Kwestia nawyku, wychowania. Teraz oczywiście wszystko nabrało innego sensu, zweryfikowane zostało przez czas, pamięć, informacje i prawdę, którą nam odsłonięto. Ale to prawie po dziesięciu latach! Wtedy obraz wroga znaliśmy wszyscy z książek, ze szkoły, z filmów o basmaczach*. Film *Białe słońce pustyni* oglądałem pięć razy. No i z tym właśnie wrogiem mieliśmy do czynienia! To przypadło nam w udziale i już wystarczyło... nam... wszystkim zresztą... Duchowe doświadczenia wojny czy też rewolucji nie dały nam innych przykładów.

Zastąpiliśmy pierwszych i zaczęli radośnie wbijać kołki przyszłych koszar, kantyn, klubów wojskowych. Wydano nam pistolety TT-44 z czasów drugiej wojny, z takimi chodzili wychowawcy polityczni. Takim można się tylko zastrzelić albo sprzedać go w dukanie. Chodziliśmy jak partyzanci, w czym kto miał – przeważnie w sportowych trykotach, w dresach. Przypominałem dzielnego wojaka Szwejka. Pięćdziesiąt stopni ciepła, a dowództwo żąda krawata i pełnego umundurowania... tak jak nakazuje regulamin od Kamczatki do Kabulu...

W kostnicy leżały worki z ludzkim mięsem... szok! Pół roku później... Oglądamy film... Pociski smugowe lecą na ekran... A my dalej oglądamy film... Gramy w kosza, zaczyna się ostrzał... Zerknęliśmy, dokąd lecą pociski, i gramy dalej... Filmy przysyłano nam wojenne, o Leninie albo o tym, jak żona zdradza... On wyjechał – ona z innym... A wszyscy chcieli komedii... Tymczasem komedii w ogóle nam nie przysyłali... Miałem ochotę wziąć pistolet maszynowy i puścić serię w ekran! Ekran to były trzy czy cztery pozszywane prześcieradła pod otwartym niebem, widzowie siedzieli na piasku. Raz w tygodniu mieliśmy dzień łazienno-szklankowy. Butelka wódki – trzydzieści czeków. Na wagę złota! Przywozili z Sojuza... Zgodnie z instrukcją

---

*Basmacze – w porewolucyjnej Rosji powstańcy muzułmańscy walczący z władzą radziecką w republikach środkowoazjatyckich.

celną można było przewieźć dwie butelki wódki i cztery wina, a piwo w nieograniczonej ilości. Piwo się wtedy z butelek wylewało, a wlewało wódkę. Etykietka od wody mineralnej, a jak się spróbuje, to czterdzieści procent. Słoik z konfiturą, żona kopiowym ołówkiem wypisała „Jagodowe", „Truskawkowe", otwierasz – znowu czterdzieści procent. Jednego psa nazwaliśmy Wermut. Kto ma czerwone oczy, ten nie ma żółtych*. Piliśmy „szpagę" – zużyty spirytus z samolotów, antyfryz, czyli płyn do chłodnic. Uprzedzało się żołnierzy:

– Możecie pić wszystko, byle nie antyfryz.

Dzień czy dwa po ich przybyciu wołają lekarza.

– Co tam?

– Ci nowi otruli się antyfryzem...

Paliłem narkotyki... Efekty były różne... To dostawałem cykora, to chodziłem zamroczony, to wydawało mi się, że każda kula leci wprost na mnie. Wypali się wieczorem... Potem zaczynają się halucynacje... Całą noc widzę rodzinę, ściskam żonę... Niektórzy mieli kolorowe wizje. Całkiem jak film... Początkowo narkotyki sprzedawali nam w dukanach, potem dawali bezpłatnie. *Bacza* biegają i wciskają żołnierzom:

– Pal, Ruski! Masz, pal...

Trzeba się pośmiać... (*Uśmiecha się, ale oczy ma smutne*). Pamiętam nie tylko straszne rzeczy, śmieszne także. Ulubione dowcipy...

– Towarzyszu podpułkowniku, jak się pisze wasz stopień – razem czy osobno?

– Oczywiście osobno. Tak samo jak „pod stołem".

– Towarzyszu pułkowniku, gdzie mamy kopać?

– Od płotu do obiadu.

Nikt nie chciał umierać... Nie rozumiał tego i nie chciał... Parszywe myśli... Dlaczego poszedłem do szkoły wojskowej, a nie budowlanej? Codziennie się z kimś żegnaliśmy... Zaczepił

---

* Chodzi o przesąd, że wódka chroni przed zapaleniem wątroby, na które powszechnie zapadali żołnierze armii interwencyjnej.

obcasem o linę, usłyszał szczęknięcie zapalnika i jak zawsze
w takich wypadkach nie upadł, nie przywarł do ziemi, tylko ze
zdziwieniem obejrzał się i wziął na siebie dziesiątki odłamków...
Wybuch rozerwał czołg: dno otwarte jak puszka konserw, po-
wyrywane wałki, gąsienice. Kierowca chciał wyleźć przez właz,
pokazały się tylko jego ręce – więcej nie dał rady, spalił się razem
z maszyną. W koszarach nikt potem nie chciał leżeć na łóżku
zabitego. Pojawił się nowy, po naszemu „zastępca".

– Na razie śpij tutaj... Na tym łóżku... I tak go nie znałeś...
Najczęściej wspominaliśmy tych, którzy mieli dzieci. Będą
sierotami. Bez ojca. No a tych, po których nikt nie został? Dziewczyny znajdą nowych narzeczonych, a matki wychowają nowych
synów. Wszystko się powtórzy jeszcze wiele razy.

Za wojnę płacili nam zdumiewająco mało, jakieś dwie pen-
sje, z których jedną wymieniano na dwieście siedemdziesiąt
czeków, z czego odliczano składki, prenumeratę gazet, podatek
i inne rzeczy. W tym samym czasie wolnonajemnemu robotni-
kowi na Sałandze płacono po tysiąc pięćset czeków. Proszę to
porównać z poborami oficera. Doradcy wojskowi dostawali od
pięciu do dziesięciu razy więcej. Nierówność przejawiała się
też na cle... Kiedy ktoś wiózł towary kolonialne... Jeden miał
magnetofon i parę dżinsów, drugi magnetowid i do tego pięć
czy nawet siedem waliz wielkich jak materac. Nazywano je „marzeniem okupanta", żołnierze z trudem je dźwigali. Kółka nie
wytrzymywały. Spłaszczały się.

W Taszkencie pytali:

– Z Afganu? Chcesz dziewczynkę... Dziewczynka jak brzos-
kwinka, kochany – zapraszają do prywatnego burdelu.

– Nie, kochany, dzięki. Chcę do domu. Do żony. Potrzebuję
biletu.

– Za bilet dawaj bakszysz. Masz włoskie okulary?

– Mam.

Zanim doleciałem do Swierdłowska, zapłaciłem sto rubli i oddałem włoskie okulary, japońską chustkę ze złotą nitką i komplet
francuskich perfum. W kolejce mnie pouczyli:

– Co będziesz stał? Czterdzieści czeków do paszportu służbowego i następnego dnia jesteś w domu.

Zastosowałem się do rady:

– Proszę pani, ja do Swierdłowska.

– Nie ma biletów. Proszę włożyć okulary i popatrzeć na tablicę. Czterdzieści czeków do paszportu...

– Proszę pani, chciałem do Swierdłowska...

– Zaraz sprawdzę. O, ma pan szczęście, właśnie ktoś zrezygnował.

Jak przyjeżdżało się do domu na urlop, trafiało się do całkiem innego świata – do rodziny. Początkowo nikogo się nie słyszało, tylko widziało. Dotykało ich. Nie wiem, jak pani wytłumaczyć, co to znaczy pogłaskać ręką główkę własnego dziecka... Rano w kuchni zapach kawy i blinów. Żona woła na śniadanie...

Po miesiącu trzeba znowu jechać. Dokąd, po co – nie wiadomo. O tym się nie myśli, o tym po prostu nie da się myśleć. Wie się tylko jedno – jedzie się, bo tak trzeba. Taka służba. Nocą w zębach zgrzyta afgański piasek, miękki jak puder albo mąka. Dopiero co się leżało w czerwonym kurzu... Albo w suchej glinie... Obok warczały samochody bojowe... Ocknąłem się, zerwałem – nie, jeszcze jestem w domu... Wyjazd jutro... Ojciec poprosił, żeby zarżnąć prosiaka... Dawniej ojciec zarzynał, ja nie podchodziłem, zatykałem uszy, żeby nie słyszeć tego kwiku. Uciekałem z domu. Ojciec:

– Pomóż mi. – I podaje nóż.

Odpowiadam:

– Odejdź, ja sam... Trzeba w serce, o tutaj. – Biorę i wbijam. Każdy sam musiał dbać o własne zbawienie. Sam!

Przypominam sobie...

Siedzą żołnierze. W dole idzie staruszek z osiołkiem. A ci z granatnika: bach! Nie ma staruszka ani osiołka.

– Chłopaki, czyście zwariowali? Staruszek i osiołek... Co wam zrobili?

– Wczoraj też szli staruszek i osiołek. Szedł żołnierz. Staruszek i osiołek przeszli, a żołnierz leży...

– A może to inny staruszek i inny osiołek?

Nie wolno przelać pierwszej krwi. Potem już ciągle będzie się strzelać do wczorajszego staruszka i wczorajszego osiołka. Skończyliśmy walkę. Przeżyliśmy, wrócili do domu. Teraz się nad tym wszystkim zastanawiamy...

Kapitan, artylerzysta

Nigdy przedtem się nie modliłam, teraz się modlę... Chodzę na nabożeństwa do cerkwi...

Siedziałam przy trumnie i pytałam: „Kto tam jest? Na pewno ty, synku?". Ciągle to powtarzałam: „Kto tam jest? Odezwij się, synku. Byłeś taki duży, a trumna taka mała...".

Minęło trochę czasu. Chciałam się dowiedzieć, jak zginął mój syn. Zwróciłam się do komisji uzupełnień:

– Proszę mi powiedzieć, jak zginął mój syn. Nie wierzę, że go zabito. Wydaje mi się, że pochowałam żelazną skrzynkę, a syn mój żyje.

Komisarz się rozzłościł i nawet krzyknął:

– Tego nie należy rozgłaszać. A pani chodzi i wszystkim opowiada, że syn zginął. Rozkaz: nie rozgłaszać!

Zanim go urodziłam, męczyłam się przez całą dobę. Dowiedziałam się, że to syn, i bóle przeszły – nie na darmo się męczyłam. Bałam się o niego od pierwszych dni, poza nim nie miałam nikogo. Mieszkaliśmy w baraku i wyglądało to tak: w pokoju stały moje łóżko, wózek i jeszcze dwa krzesła. Miałam posadę zwrotniczej na kolei, pensja sześćdziesiąt rubli. Wróciłam ze szpitala i od razu na nocną zmianę. Jeździłam do pracy z wózkiem. Brałam ze sobą maszynkę, jak nakarmiłam synka, to zasypiał, a ja przepuszczałam pociągi. Kiedy podrósł, zostawiałam go już w domu samego. Przywiązywałam za nóżkę do łóżka i wychodziłam. Wyrósł z niego ładny chłopiec.

Poszedł do szkoły budowlanej w Pietrozawodsku. Przyjechałam go odwiedzić, a on pocałował mnie i dokądś uciekł. Byłam nawet obrażona. A on wchodzi uśmiechnięty do pokoju i mówi:

– Zaraz przyjdą dziewczyny.

– Jakie dziewczyny?

Okazało się, że pobiegł do dziewcząt pochwalić się, że mama go odwiedziła. Chciał, żeby przyszły i zobaczyły, jaką ma mamę.

Kto mi dawał prezenty? Nikt. Przyjechał na Dzień Kobiet. Witam go na dworcu.

– Daj, synku, to ci pomogę nieść.

– Mamo, torba jest ciężka. Lepiej weź moją tubę kreślarską. Tylko ostrożnie nieś, bo tam są rysunki.

No więc niosę, a on jeszcze sprawdza, jak niosę. Cóż to za rysunki?! W domu rozebrał się, ja czym prędzej do kuchni – jak tam paszteciki? Podnoszę wzrok i widzę, że ma w ręku trzy czerwone tulipany. Skąd je wziął na północy, w Karelii? Zawinął w szmatkę i tubę na rysunki, żeby nie zmarzły. A mnie jeszcze nikt nie podarował kwiatów...

Latem pojechał z hufcem budowlanym. Wrócił akurat przed moimi urodzinami.

– Mamo, przepraszam, że nie złożyłem ci życzeń. Ale przywiozłem ci... – I pokazuje potwierdzenie przekazu pieniężnego. Czytam:

– Dwanaście rubli pięćdziesiąt kopiejek.

– Mamo, zapomniałaś o większych liczbach. Tysiąc dwieście pięćdziesiąt...

– Takich pieniędzy jeszcze w życiu nie trzymałam w ręku i nie wiem, jak się to pisze.

A on był zadowolony.

– Odpoczniesz teraz, a ja będę pracował. Będę dużo zarabiał. Pamiętasz? Kiedy byłem mały, obiecałem ci, że jak będę duży, to będę cię nosił na rękach...

To prawda, mówił tak. No i urósł duży, metr dziewięćdziesiąt sześć. Podnosił mnie i nosił, jak małą dziewczynkę.

Na pewno tak bardzo się kochaliśmy, bo nie mieliśmy nikogo innego. Nie wiem, czy byłabym w stanie oddać go żonie. Nie zniosłabym tego.

Przysłali powołanie do wojska. Chciał, żeby go wzięli do wojsk desantowych.

– Mamo, biorą do desantowców. Niestety, powiedzieli, że mnie nie wezmą, bo taki chłop to im wszystkie liny poobrywa. Ale podobają mi się te ich berety...

Mimo wszystko trafił do dywizji desantowej w Witebsku. Przyjechałam na przysięgę. Nawet go nie poznałam, taki był wyprostowany, już się nie wstydził swojego dużego wzrostu.

– Mamo, czemu jesteś taka mała?

– Bo tęsknię i dlatego nie rosnę – próbowałam jeszcze żartować.

– Mamo, wysyłają nas do Afganistanu, a mnie znowu nie chcą wziąć, bo masz mnie jednego. Dlaczego nie urodziłaś jeszcze dziewczynki?

Na przysiędze było wielu rodziców. Słyszę:

– Mama Żurawlowa tu jest? Niech pani idzie pogratulować synowi.

Podeszłam, chcę go pocałować, ale nie mogę dosięgnąć, przecież ma metr dziewięćdziesiąt sześć.

Dowódca daje rozkaz:

– Szeregowy Żurawlow, nachylcie się, niech was matka pocałuje.

Pochylił się i mnie ucałował, a w tej chwili ktoś nam zrobił zdjęcie. To jedyna fotografia z wojska, jaką mam.

Po przysiędze miał parę godzin wolnego, więc poszliśmy do parku i usiedli na trawie. Zdjął buty. Zobaczyłam, że ma nogi zdarte do krwi. Mieli marszobieg pięćdziesięciokilometrowy, a nie było butów numeru czterdzieści sześć, więc dali mu czterdziesty czwarty. Nie skarżył się, przeciwnie:

– Biegliśmy z plecakami wypchanymi piaskiem. I jak myślisz, które miejsce miałem?

– Przez te buty pewnie ostatnie?

– Nie, mamo, pierwsze. Zdjąłem buty i tak biegłem, no i nie wysypałem piasku jak inni.

Chciałam zrobić dla niego coś specjalnego.

– Synku, może pójdziemy do restauracji? Nigdy razem nie byliśmy w restauracji.

– Lepiej, mamo, kup mi kilo cukierków. To będzie prezent! Kiedy trzeba było się rozstać, pomachał mi na pożegnanie torbą cukierków.

Nas, rodziców, zakwaterowano w jednostce, na matach w sali gimnastycznej. Ale położyliśmy się dopiero nad ranem, przez noc chodziliśmy wokół koszar, gdzie spali nasi chłopcy. Zagrała trąbka, wtedy się zerwałam. Będzie gimnastyka, może jeszcze raz go zobaczę, choćby z daleka. Biegli, wszyscy w jednakowych pasiastych koszulkach – ale nie widziałam go, jakoś przegapiłam. Chodzili w szyku do ubikacji, w szyku na gimnastykę, do stołówki. Pojedynczo im nie pozwalali, bo kiedy chłopcy dowiedzieli się, że mają jechać do Afganistanu, jeden od razu powiesił się w ubikacji, a dwóch przecięło sobie żyły. Pilnowali ich.

Wsiedliśmy do autobusu, a jedna z matek płakała. Coś mi wtedy mówiło, że zobaczyłam go po raz ostatni. Wkrótce napisał: „Mamo, widziałem wasz autobus i tak biegłem, żeby jeszcze raz na ciebie popatrzeć". Kiedy siedzieliśmy w parku, przez radio nadawano piosenkę *Jak rodzona matka mnie pożegnała*… Kiedy teraz słyszę tę piosenkę… (*Ledwo powstrzymuje łzy*).

Drugi list zaczynał się: „Przesyłam ci pozdrowienia z Kabulu…". Przeczytałam i zaczęłam tak krzyczeć, aż się sąsiedzi zbiegli.

– Gdzie prawo? Gdzie obrona? – Tłukłam głową o stół. – Mam jego jedynego, nawet w carskich czasach nie brali do wojska jedynych żywicieli. A teraz posłali na wojnę!

Pierwszy raz po urodzeniu Saszy pożałowałam, że nie wyszłam za mąż, że teraz nie ma kto mnie bronić. Sasza drażnił się ze mną czasem:

– Mamo, dlaczego nie wyjdziesz za mąż?

– Bo ty jesteś zazdrosny.

Śmiał się wtedy i nic więcej nie mówił. Chcieliśmy jak najdłużej mieszkać razem.

Przyszło jeszcze kilka listów, później nastało milczenie, takie długie, że zwróciłam się do dowódcy jednostki. Zaraz potem

Sasza napisał: „Mamo, nie pisz więcej do dowódcy, wiesz, jak mi się dostało? Nie mogłem pisać, osa mnie w rękę ugryzła. Nie chciałem nikogo prosić, cudzy charakter pisma tylko by cię wystraszył". Żal mu mnie było, więc wymyślał bajeczki, jakbym nie oglądała codziennie telewizji i nie mogła się domyślić, że jest ranny. Odtąd, jeśli któregoś dnia nie było listu, to nogi odmawiały mi posłuszeństwa. Usprawiedliwiał się: „No, jakże codziennie mogą przychodzić listy, skoro nam tu nawet wodę wożą raz na dziesięć dni?". Jeden list był radosny: „Hura! Hura! Ochranialiśmy kolumnę jadącą do Związku Radzieckiego. Dojechaliśmy do granicy, dalej nas nie puścili, ale chociaż z daleka popatrzyliśmy na swoją ojczyznę. Nie ma lepszego kraju". W ostatnim liście napisał: „Jeśli przeżyję lato, to wrócę".

29 sierpnia uznałam, że lato już się skończyło, kupiłam mu garnitur, buty. Wiszą dziś w szafie...

30 sierpnia... Zanim poszłam do pracy, zdjęłam kolczyki i obrączkę. Jakoś nie byłam w stanie ich nosić.

30 sierpnia Sasza zginął.

Za to, że żyję, powinnam dziękować bratu. Przez tydzień leżał jak pies koło mojej kanapy. Warował przy mnie. A ja miałam w głowie jedno – dobiec do balkonu i skoczyć z szóstego piętra... Pamiętam, jak do pokoju wniesiono trumnę, a ja położyłam się na nią i mierzyłam... jeden metr, drugi... Syn miał prawie dwa metry... Mierzyłam rękami, czy trumna jest odpowiednia do wzrostu... Jak wariatka rozmawiałam z trumną: „Kto tam jest? Na pewno ty, synku?". Przywieźli go w zamkniętej trumnie – „Masz tu, matko, syna... Oddajemy ci go...". Nie mogłam go ucałować ostatni raz. Pogłaskać. Nawet nie widziałam, w co jest ubrany...

Powiedziałam, że sama wybiorę mu miejsce na cmentarzu. Zrobili mi dwa zastrzyki i poszliśmy tam z bratem. Przy głównej alei były groby „afgańskie".

– Mojego synka też niech tu położą. Tu, razem z kolegami, będzie mu weselej.

Nie pamiętam, kto tam był z nami, jakiś komendant; pokręcił tylko głową.

– Nie wolno ich grzebać razem. Rozrzucamy ich po całym cmentarzu.

Oj, zła się wtedy zrobiłam. Niedobra! „Nie wściekaj się, Sonia. Tylko się nie wściekaj" – błagał mnie brat. No, a jak mam być dobra? W telewizji pokazują ten Kabul... A ja bym wzięła karabin maszynowy i wszystkich wystrzelała, siadam przed telewizorem i „strzelam"... To oni zabili mojego Saszę. A kiedyś pokazali starą kobietę afgańską, pewnie matkę. Patrzyła wprost na mnie... Pomyślałam: „Tam przecież jest jej syn, może jej go zabili?". Potem już przestałam „strzelać".

Nie jestem szalona, ale czekam na niego... Opowiadają, że jednej matce przywieźli trumnę, pogrzebała ją. A po roku syn wrócił... To ja też czekam. I nie jestem szalona.

Matka

Od samego początku... Zacznę od tej chwili, kiedy wszystko dla mnie runęło. Wszystko się rozsypało...

Szliśmy na Dżalalabad... Stoi przy drodze dziewczynka, może siedmioletnia... Jej przebita ręka zwisa na jakiejś nitce, jak podartej szmacianej zabawce. Oczy jak oliwki bez przerwy na mnie patrzą... Jest w szoku pourazowym... Zeskakuję z samochodu, żeby wziąć ją na ręce i zanieść do naszych sióstr... A ta strasznie przerażona, jak zwierzątko, odskakuje ode mnie i krzyczy, ucieka i krzyczy. Rączka jej dynda, za chwilę całkiem odpadnie... Ja też biegnę i krzyczę... Dopędzam ją, przytulam, głaszczę. A ona gryzie, drapie, cała dygoce. Jakby złapało ją jakieś dzikie zwierzę, a nie człowiek. Wtedy jak błyskawica przeszywa mnie myśl: nie wierzy, że chcę jej pomóc, myśli, że ją zabiję... Rosjanie nic innego nie potrafią, tylko zabijać...

Obok przechodzą z noszami, siedzi na nich stara Afganka i się uśmiecha.

Ktoś pyta:

– Jaka to rana?

– W serce – mówi pielęgniarka.

A jak tam jechałem, to oczy mi płonęły jak wszystkim. Myślałem, że będę tam komuś potrzebny. Byłem gotów życie za to oddać! A jak ona przede mną uciekała... Jak drżała! Nie zapomnę tego...

Nic wojennego mi się tam nie śniło. A tutaj po nocach walczę. Dopędzam tę małą dziewczynkę... Oczy jak oliwki...

– Czy mam iść do psychiatry? – pytałem chłopaków.

– Że co?

– Że walczę.

– My wszyscy walczymy.

Nie myślcie, że to byli supermeni... Że z papierosem w zębach siedzieli na zabitych i otwierali puszkę tuszonki... Jedli arbuzy... Bzdura! Zwyczajne chłopaki. Na naszym miejscu mógł znaleźć się każdy – także ten, który dzisiaj nas potępia: „Wyście tam zabijali...". Miałbym ochotę trzasnąć takiego w gębę! Nie byłeś tam... Nie osądzaj! Nie możecie porównywać się z nami. I nikt nie ma prawa nas potępiać. Zrozumcie nas przynajmniej... Spróbujcie... Zostawiliście nas samych z tą wojną. Macie, sami się z tym męczcie. Chodzimy jako winni, musimy się usprawiedliwiać... Albo cicho siedzieć... Niby przed kim usprawiedliwiać? Nas tam wysłano, a my wierzyliśmy. Z tym ginęliśmy. Nie można stawiać w jednym szeregu tych, którzy tam wysyłali, i tych, których wysłano. Mój przyjaciel poległ... Major Sasza Krawiec... Niech ktoś powie jego mamie, że jest winien... Niech powie jego żonie... Jego dzieciom... „Wszystko ma pan w normie" – powiedział mi lekarz. Co mamy w normie?! Myśmy tyle w sobie przynieśli...

Tam ojczyznę traktowaliśmy całkiem inaczej. Mówiliśmy „Związek Radziecki". Odchodzących do cywila żegnaliśmy:

– Kłaniajcie się Związkowi Radzieckiemu.

Wydawało nam się, że za plecami mamy coś wielkiego i silnego, coś, co nas zawsze obroni. Pamiętam jednak, że kiedyś wieczorem po walce, w której ponieśliśmy straty – zabitych i ciężko rannych – włączamy telewizor, żeby się rozerwać... Jak tam w kraju? Na Syberii zbudowano gigantyczną fabrykę, królowa angielska wydała obiad na cześć dostojnego gościa... W Woroneżu nastolatkowie z nudów zgwałcili dwie uczennice. W Afryce zabito księcia... Cośmy wtedy czuli? Że nikomu nie jesteśmy potrzebni, a kraj żyje własnym życiem.

Pierwszy nie wytrzymał Sasza Kuczinski.

– Wyłącz to! Bo puszczę serię w telewizor.

Po walce melduje się przez radio:

– Notujcie: „trzechsetnych sześciu", „zero dwudziestych pierwszych – czterech".

„Trzechsetni" to ranni, „zero dwudzieści pierwsi" – zabici. Patrzy się na zabitego i myśli o jego matce: „Ja wiem, że jej syn poległ, a ona jeszcze nie. A może to poczuła?". Jeszcze gorzej, jak spadł do rzeczki albo w przepaść, a ciała nie znaleziono. Matce przekazuje się wiadomość, że zaginął bez śladu. Czyja to była wojna? Wojna matek, to one ją toczyły. I będą toczyć do śmierci. Pielęgnować nas, wypraszać nas, nasze dusze. Niecały naród cierpiał. Naród nic nie wie, mówiono mu, że walczymy z „bandami". Stutysięczna regularna armia przez dziewięć lat nie może pokonać rozproszonych grupek „bandytów"? Armia z najnowocześniejszym sprzętem... Nie daj Boże trafić pod ogień naszej artylerii, kiedy cel niszczą wyrzutnie rakietowe Grad albo Uragan... Fruwają słupy telegraficzne. Gotów byłem wpełznąć pod ziemię jak dżdżownica... A „bandyci" mieli karabiny maszynowe Maxim, które widywaliśmy tylko w kinie. Te stingery, japońskie działa bezodrzutowe, pojawiły się u nich dopiero potem... Kiedyś przyprowadzili jeńców. Patrzę, a to chudzi, zmordowani ludzie, mają spracowane chłopskie ręce... Jacy tam bandyci! To był lud!

Tam dopiero zrozumieliśmy, że oni nie chcą tego, co im niesiemy... A jeśli nie chcą, to po co to robimy? Mijamy porzucone kiszłaki... Jeszcze wije się dymek ogniska, pachnie jedzeniem. Idzie wielbłąd i wlecze za sobą kiszki, tak jakby rozwijał własne garby. Trzeba było go dobić... A świadomość mimo wszystko zaprogramowana jest na życie w pokoju, więc nikt nie ma ochoty dobijać. Ręka nie od razu się podniesie. Inny weźmie i palnie w wielbłąda. Ot, tak zwyczajnie! Z zapału, z głupoty. W kraju by go za to przymknęli, a tutaj – bohater! Mści się na bandytach. Dlaczego osiemnasto- czy dziewiętnastoletnim chłopakom łatwiej zabijać niż na przykład trzydziestoletniemu mężczyźnie? Bo im nie szkoda. Po wojnie nagle stwierdziłem, jakie straszne są bajki dla dzieci. Cały czas tam ktoś kogoś zabija, Baba Jaga nawet wsadza ludzi do pieca. Ale dzieci się nie boją. Bardzo rzadko płaczą.

Każdy jednak nadal chciał być normalny. Przyjechała do nas piosenkarka. Ładna kobieta, piosenki śpiewa takie tkliwe. A tam się tęskni za kobietą, czeka na nią jak na kogoś bliskiego. Wychodzi na scenę i mówi:

– Kiedy tu do was leciałam, dali mi postrzelać z karabinu maszynowego. Oj, jak dobrze mi się strzelało...

Śpiewa, a przy refrenie prosi:

– Chłopcy, dalej, klaszczcie! Klaszczcie, chłopcy!

Nikt nie klaszcze. Siedzą cicho. Piosenkarka wyszła, koncert przerwano. Przyjechała superdziewczyna do superchłopaków. A ci chłopcy w koszarach co miesiąc oglądają jakieś osiem czy dziesięć pustych łóżek... Ci, którzy na nich spali, już są w lodówkach... W kostnicy... A na łóżkach, po przekątnej, leżą tylko listy... Od mamy, od dziewczyny. „Leć, liściku, na zdrowie, niech na ciebie odpowie..."

Najważniejszą rzeczą na tej wojnie było przeżyć. Nie wylecieć na minie, nie spalić się w transporterze, nie zostać celem dla strzelca wyborowego. A dla niektórych – przeżyć i przywieźć coś jeszcze: telewizor, kożuch... Dobry magnetofon... Krążył dowcip, że o wojnie w kraju dowiadują się w komisach. Po nowym towarze. Zimą jedzie się przez nasz Smoleńsk, a dziewczyny chodzą w afgańskich futrach. Moda!

Każdy żołnierz wieszał na szyi amulet.

– Co tam masz? – pytasz.

– Mama dała, z modlitwą.

Kiedy wróciłem, mama się zwierzyła:

– Tola, nie wiesz, ale ja cię zamówiłam, dlatego jesteś żywy i zdrowy.

Kiedy szliśmy na wypad, to jedną karteczkę wkładało się do górnej części ubrania, drugą do dolnej. Jak się wyleci na minie, to jakaś część zostanie: górna lub dolna. Albo nosiliśmy bransoletki z wygrawerowanym nazwiskiem, grupą krwi i numerem osobistym oficera. Nigdy nie mówiliśmy: „Idę", tylko: „Wysyłają mnie". Nie wymawiano też słowa „ostatni".

– Chodź, pójdziemy ostatni raz...

– Czyś ty zgłupiał? Nie ma takiego słowa... Skrajny... no, czwarty, piąty... A tego nigdy tutaj nie wymawiaj.

Reguły wojny bywają podłe: sfotografował się przed wyjściem na zadanie bojowe – zginął, ogolił się – zabity. Pierwsi ginęli ci, którzy przyjeżdżali nastawieni na heroiczne wyczyny, z rozpromienionym wzrokiem. Widziałem takiego, co mówił: „Zostanę bohaterem!". Zginął od razu. Podczas operacji bojowej człowiek, za przeproszeniem, załatwia się tam, gdzie leży. Przysłowie żołnierskie: lepiej deptać własne gówno, niż samemu zostać gównem na drodze. Powstał nasz własny żargon: „burta" – samolot, „odporka" – kamizelka kuloodporna, „zielenina" – krzaki albo trzciny, „śmigło" – śmigłowiec, „halucynki" widziało się po narkotyku, „podskoczył" – wyleciał w powietrze, „zmianowiec" – ten, kto jedzie do domu. Tyle tego wymyślono, że można nawet stworzyć specjalny słownik „afgański". A ludzie ginęli najczęściej w pierwszych i w ostatnich miesiącach. W tych pierwszych byli za bardzo ciekawscy, a w ostatnich mniej czujni, coraz bardziej ogłupiali, w nocy się wtedy człowiek zastanawia, kim jest, gdzie jest i po co... Czy to naprawdę jemu się wydarza? „Zmianowcy" źle śpią półtora do dwóch miesięcy. Mają własną rachubę: „43 marca" albo „56 lutego", co oznacza, że mają ich zmienić w końcu marca albo w końcu lutego. Bardzo intensywnie się wtedy czeka. Zaczyna drażnić menu w kantynie: czerwona ryba albo biała, czyli kilka w pomidorach albo w oleju; drażnią kwietniki w centrum garnizonu; dowcipy, z których jeszcze niedawno śmiali się do rozpuku, już się nie podobają. Dziwne, że jeszcze wczoraj i przedwczoraj śmieszyły. Co w nich takiego śmiesznego?

Przyjechał oficer na delegację do kraju. Poszedł się ostrzyc. Siada na fotelu, a fryzjerka go pyta:

– Jak tam sytuacja w Afganistanie?

– Normalizuje się...

Po kilku minutach:

– Jak tam sytuacja w Afganistanie?

– Normalizuje się...

Po jakimś czasie znowu:

– Jak tam sytuacja w Afganistanie?

– Normalizuje się...

Ostrzygła, facet poszedł. Koleżanki dziwią się:

– Po coś tak męczyła człowieka?

– Bo jak pytam ludzi o Afganistan, to włosy stają im dęba i łatwiej strzyc.

Lubię dowcipy. Wszelkie takie głupstwa. A jak poważnie się człowiek zastanowi, to strach go ogarnia.

Amerykanie zestrzelili radzieckiego lotnika nad Wietnamem, ale można to zmienić na „Afganistan"... Agenci z CIA pokazują mu części zestrzelonego samolotu i pytają: „Co to za część?... A ta?...". Ten nie odpowiada. Biją go, on dalej milczy. Potem wymienili jeńców, facet wraca do jednostki. Pytają: „No, jak tam było w niewoli? Ciężko?". Pilot na to: „E nie, można wytrzymać, tylko trzeba się znać na konstrukcjach lotniczych. Bo jak nie, to biją".

Ciągnie mnie tam, ale nie na wojnę, tylko do tamtych ludzi. Niby czeka się i czeka, a ostatniego dnia żal wyjeżdżać, najchętniej bym zapisał sobie adresy wszystkich. Wszystkich!

Jaskierka... Tak nazywaliśmy Walerkę Szyrokowa, był taki delikatny, wytworny. Zdaje się za chwilę ktoś zaśpiewa: „Ręce jak jaskry...". Ale charakter miał żelazny, nie powiedział nigdy zbędnego słowa. Mieliśmy takiego chciwca, ten gromadził, kupował, wymieniał wszystko, co się dało. Walerka stanął kiedyś przed nim, wyjął z portfela dwieście czeków, pokazał tamtemu, ogłupiałemu, i w tejże chwili... podarł na kawałki. Potem wyszedł bez słowa.

Saszy Rudika... Nowy Rok witaliśmy razem na wypadzie. Ustawiliśmy automaty w piramidę, i to była nasza choinka. Na niej powiesiliśmy granaty, i to były ozdoby. A na wyrzutni Grad napisaliśmy pastą do zębów „Szczęśliwego Nowego Roku!!!". Właśnie tak, z trzema wykrzyknikami. Sasza dobrze rysował. Przywiozłem do domu prześcieradło z jego obrazkiem: pies, dziewczyna i klony. Nie rysował tylko gór, przestaliśmy tam lubić góry. Kogokolwiek się spytało, za czym tęskni, odpowiadał: „Chciałbym pójść do lasu... wykąpać się w rzece... Wypić duży kubas mleka...".

W Taszkencie, w restauracji podchodzi kelnerka.

– Kochani, mleka chcecie?

– Po dwie szklanki zwykłej wody. A na mleko przyjedziemy jutro. Dopiero wróciliśmy...

Z kraju każdy przywoził walizkę konfitur i brzozową miotełkę łaziebną. Chociaż w Afganistanie sprzedawali eukaliptusowe, po prostu marzenie! Ale nie, woleliśmy nasze, brzozowe...

Saszki Łaszczuka... Bardzo w porządku chłopak. Często pisywał do domu. „Moi rodzice są już starzy. Nie wiedzą, że tu jestem. Zmyślam, że służę w Mongolii". Przyjechał z gitarą i wyjechał z nią. Różni faceci tam walczyli. Niech pani nie myśli, że wszyscy byli tacy sami. Bo najpierw o nas nic nie mówiono, potem zaczęto sobie nas wyobrażać jako bohaterów, teraz zaczęli demaskować, żeby wkrótce o nas zapomnieć. Tam jeden mógł rzucić się na minę i ocalić nawet nieznanych sobie żołnierzy, a drugi – podejść i poprosić: „Ja będę wam prać rzeczy, tylko nie posyłajcie mnie na zadania bojowe".

Jadą kamazy, a na osłonach dużymi literami mają napisane: Kostroma, Dubna, Leningrad, Nabierieżnyje Czełny... Albo „Chcę do Ałma Aty!". Leningradczycy znajdowali leningradczyków, kostromianie – kostromian... Ściskali się jak bracia. W kraju też byliśmy jak bracia. No bo kto z młodych mógłby dzisiaj iść ulicą o kuli i z nowym orderem? Tylko swój. Mój brat „afganiec"... Nasz brat... Uściskamy się, innym razem tylko posiedzimy na ławce i wypalimy po papierosie, a tak jakbyśmy cały dzień przegadali. Wszyscy cierpimy na dystrofię... Tam to było skutkiem dysproporcji między wagą a wzrostem... Tutaj – dysproporcji między uczuciami a możliwością ich wyrażenia w słowach, w czynach. W tym życiu jesteśmy dystrofikami.

Jechaliśmy już z lotniska do hotelu. Pierwsze godziny spędzone w domu. Przycichliśmy, nic nie mówimy. W jednej chwili wszystkim nerwy nie wytrzymały i chórem zawołaliśmy do kierowcy:

– Koleina! Trzymaj się koleiny!

Potem wybuch śmiechu. A jeszcze później – jakie szczęście, że już jesteśmy w domu! Możemy jeździć po poboczu... Koleiną... Po całej ziemi... Taka myśl upaja człowieka...

Po kilku dniach stwierdziliśmy:

– Panowie! My tu wszyscy się garbimy.

Nie mogliśmy chodzić wyprostowani, nie nauczyliśmy się. Przez pół roku przywiązywałem się do łóżka, żeby się znowu wyprostować.

Spotkanie w Domu Oficera. Pytania: „Proszę opowiedzieć o romantyzmie służby w Afganistanie", „Czy pan sam też tam zabijał?". Zwłaszcza dziewczęta lubią takie krwiożercze pytania. Dla podrażnienia nerwów. Pytają: „A czy mógł pan nie pojechać do Afganistanu?". „Ja? Ja..." U nas tylko jeden odmówił – dowódca baterii, major Bondarienko. Powiedział:

– Ojczyzny bym bronił. A do Afganistanu nie jadę.

Od razu oficerski sąd koleżeński wyraził mu pogardę za tchórzostwo. Czym to jest dla męskiej ambicji!? Pętla na szyję, pistolet do skroni. Od razu został zdegradowany z majora na kapitana, czyli, jak u nas się mówi, „zdrapali mu gwiazdkę". Przenieśli go do batalionu budowlanego. Miałem się narazić na coś takiego? Usunęli z partii. Na to też? Wyrzucili z wojska. Czy i przez to miałem przechodzić? To jeszcze gorsze, niż trafić na wojnę. Czterdzieści pięć lat... Z nich dwadzieścia pięć w wojsku – skończył szkołę imienia Suworowa, akademię wojskową... Co ma robić w cywilu? Zaczynać od zera?

– Co ty właściwie potrafisz? – pytają oficera.

– Potrafię dowodzić kompanią. Dowodzić plutonem albo baterią.

– Co jeszcze mógłbyś robić?

– Mogę kopać rowy.

– A co jeszcze?

– Mogę nie kopać...

Na granicy rozmagnesowali mi kasety z występem Rozenbauma*.

– Panowie, to świetne piosenki!

– Ale my tu mamy – pokazują – spis piosenek, które wolno przewozić i których nie wolno.

Przyjechałem do Smoleńska – z okien akademików wszędzie słychać Rozenbauma...

A teraz jak trzeba nastraszyć rekieterów, milicja zgłasza się do nas.

– Chłopaki, pomóżcie nam.

Albo rozpędzić punków czy hipisów...

– Wezwiemy „afgańców".

Bo przecież dla „afgańca" to nic takiego, zwykła rzecz. Mocne pięści, słaba głowa. Wszyscy się takiego boją. Nikt go nie lubi.

Kiedy boli panią ręka, przecież jej sobie pani nie odrąbie, prawda? Tylko zajmie się nią i będzie ją leczyć.

Dlaczego się spotykamy? Razem się ratujemy... Ale do domu wraca się samemu...

Major, specjalista od propagandy w pułku artylerii

Każdej nocy... śni mi się to samo, wszystko wyświetla się od nowa. Wszyscy strzelają, ja też. Wszyscy biegną, ja też biegnę. Padam, budzę się.

Leżę w szpitalu... Budzę się... Chcę zeskoczyć z łóżka, żeby wyjść na korytarz i zapalić. Nagle mi się przypomina, że nie mam nóg... Wtedy wracam do rzeczywistości...

*Aleksandr Rozenbaum (ur. 1951) – piosenkarz, największą popularność zyskał na początku pierestrojki dzięki tematyce „afgańskiej" (m.in. piosence *Monolog pilota „czarnego tulipana"*).

Nie chcę słuchać o błędzie politycznym! Nie chcę nic wiedzieć! Jeśli to był błąd, to niech mi teraz oddadzą nogi... (*Zrozpaczony odrzuca od siebie kule*).

– Przepraszam panią... Przepraszam... (*Siedzi jakiś czas w milczeniu i uspokaja się*).

Czy kiedykolwiek wyjmowała pani z kieszeni zabitego niewysłane listy: „Kochana...", „Kochani...", „Ukochana..."? Widziała pani żołnierza, który dostał równocześnie kulę z pistoletu skałkowego i serię z chińskiego pistoletu maszynowego?

Do Afganistanu nas wysłano, wykonywaliśmy rozkaz. W wojsku należy najpierw wykonać rozkaz, a potem można się na niego skarżyć. Powiedziano: naprzód, więc idzie się naprzód. A jak nie, to trzeba oddać legitymację partyjną. Oddać stopień wojskowy. Składało się przysięgę?! Składało. Za późno pić wodę mineralną, kiedy nerki nawaliły. „Myśmy was tam nie posyłali".

A niby kto nas posłał?

Miałem tam przyjaciela. Kiedy szedłem do walki, żegnał się ze mną. Kiedy wracałem, zawsze mnie ściskał. „Żyjesz!" Tutaj nie będę miał takiego przyjaciela...

Na ulicę wychodzę rzadko. Jeszcze się krępuję...

Czy pani kiedyś przypinała protezy albo widziała je z bliska? Chodzi się na nich i boi skręcić kark. Podobno w innych krajach „proteziarze" jeżdżą na nartach, grają w tenisa, tańczą. Kupcie je za dewizy zamiast francuskich kosmetyków... Zamiast kubańskiego cukru... Marokańskich pomarańcz i włoskich mebli...

Mam dwadzieścia dwa lata, całe życie przede mną. Trzeba szukać żony. Miałem dziewczynę, ale powiedziałem jej: „Nienawidzę cię", żeby mnie zostawiła. Bo się nade mną litowała, a ja chciałem, żeby mnie kochała.

> Często mi się śni rodzinny dom
> i rząd białych brzóz na skraju lasu.
> Trzydzieści, dziewięćdziesiąt, sto?
> Sporo mi, kukułko, dajesz czasu!

To z naszych piosenek...Ulubiona... A czasem nawet jednego dnia nie ma się ochoty przeżyć...

Ale nawet teraz marzę o tym, by choć zerknąć na tamten kawałek ziemi. Biblijnej pustyni... Wszystkich nas tam ciągnie... Tak jak ciągnie przepaść albo woda, kiedy stoi się wysoko nad nimi. Tak ciągnie, że w głowie się kręci...

Wojna się skończyła... Teraz będą chcieli o nas zapomnieć, wypchnąć nas gdzieś daleko, gdzieś upchnąć. Tak już było po wojnie z Finlandią... Ile książek napisano o Wielkiej Wojnie Ojczyźnianej, a nie ma nic o fińskiej... Nikt nie lubi wspominać przegranej wojny. Ja też po dziesięciu latach przywyknę, będę to miał gdzieś.

Czy tam zabijałem? Zabijałem! A co pani myśli? Żeśmy tam zostali aniołami? Że stamtąd wrócą anioły?

Starszy lejtnant, dowódca plutonu moździerzy

Służyłem na Dalekim Wschodzie...

Wezwali mnie do dowódcy jednostki. Dyżurny telefonista przyniósł telegram: „Skierować starszego lejtnanta Iwanowa do sztabu armii i omówić z nim sprawę przeniesienia do Turkiestańskiego Okręgu Wojskowego w celu dalszego pełnienia służby". Data i podpis. Myślałem, że mnie wyślą na Kubę, bo kiedy badano mnie na komisji, mowa była o kraju o gorącym klimacie.

Pytają mnie:

– Czy nie macie nic przeciwko wyjazdowi w delegację za granicę?

– Nie, nie mam.

– Pojedziecie do Afganistanu.

– Tak jest.

– Wiecie, że tam strzelają, zabijają...

– Tak jest...

Jakie życie mają saperzy w Związku Radzieckim? Kopią łopatą, tłuką kilofem. A chcieliśmy wykorzystać wiedzę wyniesioną ze szkoły wojskowej. Na wojnie saperzy zawsze są potrzebni. Pojechałem, żeby się nauczyć walki.

Ze wszystkich, których wzywano, odmówił jeden. Wzywano go trzykrotnie.

– Zgodzicie się, że wyślemy was na delegację za granicę?

– Nie zgadzam się.

Nie zazdroszczę mu. Od razu dostał naganę, uznano, że splamił honor oficera, i zablokowano możliwość awansu. A odmówił ze względu na stan zdrowia, miał nieżyt żołądka albo wrzody. Na to jednak nie zważano: gorący czy niegorący klimat, skoro mu proponowali, to powinien się zgodzić. Już drukowano listy wyjeżdżających.

Sześć dni jechałem pociągiem z Chabarowska do Moskwy. Przez całą Rosję, przez rzeki syberyjskie, wzdłuż Bajkału. Następnego dnia konduktorce skończyła się esencja, kolejnego zepsuła się grzałka. Na dworcu witała mnie rodzina. Płakali. Ale jak trzeba, to trzeba.

Właz się otworzył, widzę niebieściutkie niebo, takie jakie u nas bywa tylko nad rzeką. Hałas, krzyk, ale wszystko swoi. Jeden wita swojego zmiennika, drugi kolegów, trzeci czeka na przesyłkę od rodziny. Wszyscy opaleni, weseli. Już nie chciało się wierzyć, że gdzieś może być trzydzieści pięć stopni mrozu i chyba nawet żelazo zamarza. Pierwszego Afgańczyka zobaczyłem na punkcie przesyłowym przez ogrodzenie z drutu kolczastego. Poza ciekawością nie doznałem żadnych uczuć. Zwyczajny człowiek.

Dostałem skierowanie do Bagramu na stanowisko dowódcy plutonu inżynieryjno-drogowego w batalionie saperów...

Wstawaliśmy wcześnie rano i szliśmy jak do pracy – czołg z trałem, grupa strzelców wyborowych, pies wyszukujący miny i dwa wozy bojowe piechoty, które nas osłaniały. Pierwsze kilometry jechaliśmy na pancerzu. Wtedy dobrze widać ślady: droga zakurzona, kurz ją przysypał jak śnieg. Kiedy ptak zleci na drogę, to widać ślady. Jeśli wczoraj jechał tędy czołg, to trzeba się mieć na baczności – w koleinie gąsienicy może być mina. Palcami odtworzą ślady gąsienicy, a swoje zatrą workiem albo turbanem. Droga wiła się między dwiema martwymi wioskami, nie było w nich ludzi, tylko spalona glina. Doskonała kryjów-ka! Zawsze trzeba być czujnym. Wioski zostały z tyłu, złazimy z pancerza. Z przodu biegnie pies, myszkuje tu i tam, a za nim idą saperzy z macką. Idą i nakłuwają ziemię. Tutaj już wszystko zależy od Boga, od własnej intuicji, wyczucia i doświadczenia. Tam złamana gałązka, tam jakieś żelastwo, którego wczoraj nie było, tam kamień. Tamci dla siebie przecież też zostawiali znaki, żeby nie wylecieć w powietrze.

Jeden kawałek żelaza, drugi... Jakiś trzpień... Niby poniewierają się w kurzu... A pod ziemią są bateryjki... Przewód do bomby albo skrzynki z trotylem... Mina przeciwczołgowa nie słyszy człowieka... Działa pod naciskiem dwustu pięćdziesięciu, trzystu kilogramów. Pierwszy wybuch... Tylko ja zostałem na czołgu, siedziałem koło lufy, więc osłoniła mnie wieża, innych strącił podmuch. Najpierw obmacałem się, sprawdziłem – głowa na miejscu? Ręce, nogi na miejscu? Są, jedziemy dalej.

Czekał nas jeszcze jeden wybuch... Lekki ciągnik pancerny najechał na potężny fugas... Ciągnik rozpadł się na dwie części, został dół długi na trzy metry, a taki głęboki, że wyprostowany człowiek mógł się schować. Ciągnik wiózł pociski do moździerzy, około dwustu... Pociski w krzakach, na poboczu... Leżą wachlarzem dookoła... a jechało nim pięciu żołnierzy ze starszym lejtnantem. Kilka razy siedziałem z nim wieczorem, paliliśmy papierosy, rozmawiali. Nikt nie przeżył.

Psy bardzo nam pomagały, były jak ludzie. Zdolne lub nie, miały intuicję lub nie miały. Wartownik zaśnie, a pies nie. Lubiłem Arsa. Ars łasił się do naszych żołnierzy, a na afgańskich szczekał. Mieli mundury bardziej zielone niż nasze, żółtawe. Jak je rozróżniał? Miny wyczuwał z kilku kroków... Przywierał do ziemi, podnosił ogon – nie podchodźcie! Pułapki minowe były rozmaite... Najniebezpieczniejsze były te domowej produkcji, bo się nie powtarzały, trudno wtedy wychwycić jakąś regułę. Nie było żadnych! Stoi zardzewiały czajnik, a w środku materiał wybuchowy... W magnetofonie, w zegarze... W puszce po konserwach... Tych, którzy szli bez saperów, nazywano skazańcami. Na drodze miny, na górskiej ścieżce miny, w domu miny... Saperzy idą pierwsi, jak zwiadowcy...

Grzebaliśmy w okopie... Już tam był wybuch, już tam grabiliśmy, już od dwóch dni wszyscy po nim łazili... A ja zeskoczyłem do niego i – bach! Nie straciłem świadomości... Popatrzyłem na niebo... Niebo jest jasne... Po wybuchu saperzy zawsze starają się najpierw spojrzeć w niebo. Czy oczy są całe? Na kolbie automatu nosiłem opaskę, nią właśnie ucisnęli mi nogę. Powyżej kolana... A ja już wiedziałem: gdzie przewiążą, tam potem, trzy centymetry wyżej, będą odcinać.

– Gdzie wiążesz opaskę? – krzyczę do żołnierza.

– Pod kolanem macie, towarzyszu starszy lejtnancie.

Do szpitala polowego wieźli mnie jeszcze piętnaście kilometrów. Trwało to półtorej godziny. Tam przemyli nogę, wstrzyknęli blokadę z nowokainy. Pierwszego dnia ucięli, piła zgrzytała, jakby była tarczowa. Straciłem przytomność. Na drugi dzień zrobili operację oczu, bo przy wybuchu płomień uderzył mi w twarz. Można powiedzieć, że zacerowali mi oczy, miałem dwadzieścia dwa szwy. Zdejmowali po parę dziennie, żeby gałka oczna się nie rozleciała. Podchodzą, poświecą latarką z lewej strony, z prawej – są reakcje na światło, siatkówka na miejscu?

Latarka jest czerwona... To musi być najsilniejszy kolor...

Mógłbym napisać opowiadanie o tym, jak oficer zmienia się w chałupnika. Zbieram obsadki, gniazdka elektryczne... Sto sztuk dziennie. Mocuję przewody. Jakie? Czerwone, czarne, białe – nie wiem... Nie widzę... Jestem prawie ślepy. Nie całkowicie, ale raczej się domyślam, wyobrażam sobie, niż widzę. Wiążę siatki. Kleję pudełka. Kiedyś myślałem, że tylko wariaci się tym zajmują... Trzynaście siatek dziennie... Już wykonuję normę...

Saperzy mieli niewiele szans, żeby wrócić z wojny cało, czy nawet w ogóle wrócić. Zwłaszcza z kompanii rozminowania czy też rozminowania specjalnego. Albo ranny, albo zabity. Jak szliśmy na operację, nie żegnaliśmy się uściskiem dłoni. W dniu wybuchu nowy dowódca kompanii uścisnął mi rękę. Tak, z porywu serca, nikt go nie uprzedził. No i wyleciałem... Kto chce, niech wierzy, kto nie chce, niech nie wierzy. Był też taki przesąd – jak sam się prosiłeś do Afganistanu, to nie skończysz dobrze, ale jak cię wysłali... no cóż, służba, może się uda. Wrócisz.

Co mi się teraz śni? Długie pole minowe... Tworzę formularz: liczba min, rysunek szeregów i znaki orientacyjne, po których można je znaleźć. No i że zgubiłem ten formularz, często się nam gubiły... Albo bierze się formularz, ale spłonęło drzewo, które było tam znakiem orientacyjnym... Albo zniknęła kupa kamieni, które już wyleciały w powietrze... Nikt nie chodził, nie sprawdził. Bali się. Sami mogli wylecieć na własnych minach. We śnie widzę, że koło mojego pola minowego biegają dzieci... Nie wiedzą, że tam są miny... Muszę zawołać: „Nie chodźcie tam! Tam są miny!". Muszę je wyprzedzić. Biegnę. Znowu mam obie nogi... I znowu widzę...

Ale to tylko w nocy, tylko we śnie...

Starszy lejtnant, saper

Nie wychodzi mi tak, jak innym... Takie życie mi się nie udaje...

To być może bez sensu... Z tą wojną... Ale ja jestem romantyczką, myślę, że jeszcze tak naprawdę nie żyłam i nie żyję, zawsze tylko marzę o życiu. Wymyślam je, wyobrażam sobie. Pierwszego dnia, kiedy tutaj przyjechałam, wezwał mnie komendant szpitala i spytał:

– Co panią skłoniło, żeby tu przyjechać?

Nie rozumiał... Mężczyzna...

Powinnam była opowiedzieć mu całe swoje życie. Obcemu, nieznajomemu mężczyźnie... Wojskowemu... Jak na placu... To było tam dla mnie największą udręką, najbardziej poniżające. Nic ukrytego, intymnego, wszystko wyciąga się na wierzch. Widziała pani film *Biespriedieł**? O życiu więźniów w kolonii karnej? My żyliśmy tam według tych samych zasad. Taki sam drut kolczasty, taki sam skrawek ziemi.

---

* *Biespriedieł* – w świecie przestępczym poważne naruszenie reguł nim rządzących.

Otaczali mnie kucharze, kelnerki. Rozmowy o rublach, o cze-
kach, o mięsie z kością i bez, o wędzonej kiełbasie, o bułgar-
skich herbatnikach. W moich wyobrażeniach to było poświę-
cenie, obowiązek kobiety – ratować, bronić naszych chłopców!
Tak idealnie sobie to wszystko wyobrażałam. Ludzie ocieką
krwią, a ja oddaję swoją. Już na punkcie przesyłowym w Taszkencie zrozumiałam, że się pomyliłam. Wsiadam do samolotu
i płaczę, nie mogę się powstrzymać. Trafiłam tam na to samo,
przed czym uciekałam, od czego chciałam się odwrócić. Wódka lała się strumieniami. „Nie przyśni się nam hałas kosmo-
dromu... zielona trawa w jasny, piękny dzień..." Jakbym leciała
w kosmos... Tutaj w kraju każdy miał swój dom, swoją twierdzę. A tam... W pokoju mieszkały cztery osoby. Dziewczyna,
która była kucharką, przynosiła ze stołówki mięso i upychała
je pod łóżkiem...

– Wymyj podłogę – mówi do mnie.

– Wczoraj myłam, dzisiaj kolej na ciebie.

– Wymyj, to ci dam sto rubli...

Nie odpowiadam.

– Dam ci mięsa.

Dalej milczę. A ona bierze wiadro z wodą i wylewa ją na
moje łóżko.

– Cha, cha, cha – wszystkie się śmieją.

Druga z dziewcząt była kelnerką. Klęła jak szewc i kochała
Cwietajewą. Po zmianie siadała i układała pasjansa.

– Będzie, nie będzie... Będzie, nie będzie...

– Co będzie albo nie będzie?

– Miłość, a tyś co myślała?

A zdarzały się tam śluby... Prawdziwe śluby! I miłość. Ale
rzadko. Miłość była przed Taszkentem; stamtąd – ona na lewo,
on na prawo. Jak w piosence: „Rozkaz wysłał go na zachód, ją –
w przeciwną stronę śle".

Tania Beteer (wysoka, tęga) lubiła wysiadywać do późna i rozmawiać. Piła tylko czysty spirytus.

– Jak możesz?

– No a co, wódka mnie nie bierze, za słaba.

Wywiozła ze sobą pięćset czy sześćset pocztówek z aktorami filmowymi. W dukanach dużo kosztowały, a ona się chwaliła: „Na sztukę nigdy nie żałuję pieniędzy".

Wierkę Charkową zapamiętałam siedzącą stale przed lustrem z otwartymi ustami i wysuniętym językiem. Bała się tyfusu brzusznego. Ktoś jej powiedział, że trzeba codziennie przeglądać się w lustrze. Przy tyfusie na języku zostają ślady zębów.

Nie akceptowały mnie. Uznały, że jestem jakąś idiotką, co nosi probówki z mikrobami. Pracowałam jako lekarka bakteriolog w szpitalu zakaźnym. Na języku miałam zawsze: tyfus, zapalenie wątroby, paratyfus. Ranni nie od razu trafiali do szpitala. W górach, w piachu, leżeli przez pięć, dziesięć godzin, a czasem nawet dobę; do ran dostawały się zarazki. Ranny jest reanimowany, a ja u niego stwierdzam tyfus brzuszny.

Umierali w milczeniu. Tylko raz widziałam, jak oficer się rozpłakał. Mołdawianin. Podszedł do niego chirurg, jego rodak, i zapytał po mołdawsku:

– Na co się pan uskarża? Co pana boli?

A tamten się rozpłakał.

– Niech mnie pan ratuje. Ja muszę żyć. Mam ukochaną żonę i ukochaną córkę. Muszę wrócić...

Umarłby w milczeniu, ale rozpłakał się, kiedy usłyszał ojczystą mowę.

Nie byłam w stanie wejść do kostnicy... Przywozili tam ludzkie mięso przemielone z ziemią. A u dziewczyn pod łóżkiem też leżało mięso... Stawiały na stole patelnie i wołały: *Ruba! Ruba!* To po afgańsku znaczy „naprzód". Żar... Pot kapie na patelnię... Widywałam tylko rannych i zajmowałam się tylko bakteriami... Przecież nie mogłam sprzedawać bakterii... W sklepie Wojentorgu można było kupić karmelki... Moje marzenie! „Afganistanie, co za rozkosz!" – śpiewano tam taką piosenkę. Jeśli mam być szczera, to wszystkiego się bałam... Nie jestem zbyt śmiała... Pojechałam tam i nie odróżniałam nawet stopni, gwiazdek na naramiennikach. Do wszystkich mówiłam „pan". Kiedyś ktoś, nie pamiętam już kto, dał mi w szpitalnej kuchni dwa surowe jajka. Bo lekarze chodzili tam na wpół głodni. Żywiliśmy się stale ziemniaczanym klajstrem, mrożonym mięsem, które chyba od czasów potopu leżało w magazynach. Stare zapasy... Istne drewno, bez koloru i zapachu... Złapałam te dwa jajka, zawinęłam w serwetkę – no, w domu zjem sobie z cebulką. Przez cały dzień myślałam, jaką będę miała kolację. A tu wiozą na wózku chłopaka, mają go ewakuować do Taszkentu. Pod prześcieradłem nie widać, co tam z niego zostało, tylko ładna głowa kiwa się na poduszce. Podniósł na mnie wzrok i mówi:

– Jeść mi się chce.

Akurat było przed obiadem, jeszcze nie przywieźli baniek z jedzeniem. A jego zabierają.

– Masz – powiedziałam i daję mu te dwa jajka. Zawróciłam i poszłam, nie spytałam nawet, czy ma ręce i nogi. Położyłam te jajka na poduszce. Nie nadtłukłam, nie podałam mu do ust. A on może nie miał rąk...

Innym razem jechałam dwie godziny samochodem, a obok trupy... Cztery trupy... Zabici leżeli w dresach...

Wróciłam do domu... Nie mogłam słuchać muzyki, rozmawiać na ulicy czy w trolejbusie. Najchętniej zamknęłabym się w pokoju, sama z telewizorem. Na dzień przed odlotem do kraju zastrzelił się Jurij Żybkow, lekarz naczelny naszego szpitala... Dlaczego? Co się tam działo w jego duszy? Ktoś może tego nie rozumieć. A ja... Ja rozumiem, nawet wiem. Coś takiego tam zawsze krąży koło człowieka... Ta ciemność... W Afganistanie przepisałam od któregoś z oficerów: „Jeśli cudzoziemiec, któremu zdarzy się trafić do Afganistanu, wyjedzie stamtąd zdrowy i cały, łącznie z głową na karku, to znak, że cieszy się szczególnymi względami niebios". Francuz Fourier. Wyjść cało trzeba było nie tylko pod względem fizycznym... Człowiek to istota dosyć w środku skomplikowana... Człowiek to ciasto francuskie, jak mówiły moje towarzyszki z pokoju. Pod koniec wojny zaczęły trochę filozofować. Przed powrotem do domu...

Czasem spotykam na ulicy młodego człowieka... Jest w nim coś bliskiego – pewnie też „afganiec". Ale nie zaczepiam go, nie chcę się ośmieszyć. Nie jestem odważna... Mam łagodną naturę... Byłam przerażona, kiedy przyłapywałam się na myśli, że mogę zmienić się w agresywną, okrutną istotę. Człowiek przecież zależy... Nawet do końca nie wie, jak bardzo zależy od swoich postępków, od tego, co mu się przydarzyło. Boi się... Szykujemy chłopaków do wypisania... Chowają się na strychach, w piwnicach szpitala, nie chcą wracać do jednostki. Łapiemy ich, wyciągamy... Na punkcie przesyłowym młode dziewczyny pokazywały mi, komu trzeba dać butelkę wódki, żeby trafić w dobre miejsce... Tak mnie uczyły... Miały po osiemnaście, dwadzieścia lat, a ja mam czterdzieści pięć.

Na granicy, kiedy wracałam, kazali mi zdjąć wszystko aż do biustonosza.

– Kim pani jest?

– Lekarką, bakteriologiem.

– Proszę dokumenty. – Podaję dokumenty. – Proszę otworzyć walizki, robimy rewizję.

A ja wiozłam z powrotem stary płaszcz, koc, narzutę, szpilki, widelce... Wszystko, co wzięłam z domu. Wysypali to na stół.

– A pani co, nienormalna? Pewnie wiersze pani pisuje?

Ja tu nie jestem w stanie żyć. Tutaj jest okropniej niż tam. Tam, kiedy ktoś wrócił z kraju, to cokolwiek by przywiózł, wszyscy siadaliśmy przy jednym stole. Trzeci toast był pity w milczeniu. Za poległych. Siedzimy tak przy stole, a myszy spacerują, włażą do pantofli. O czwartej nad ranem słychać wycie... Za pierwszym razem zerwałam się przestraszona. „Dziewczyny, wilki!". A te się śmieją. „Nie, to muezin śpiewa modlitwę". W domu jeszcze długo budziłam się o tej czwartej.

Chciałam dalszego ciągu... Prosiłam, żeby mnie wysłali do Nikaragui... Dokądkolwiek, gdzie jest wojna. Tutaj... już nie umiem żyć...

Lekarka bakteriolog

Ja pierwsza go wybrałam...

Stoi wysoki, przystojny chłopak. „Dziewczyny – mówię – ten jest mój". Do białego walca, kiedy panie wybierały panów, wybrałam właśnie jego... i zarazem swój los.

Bardzo chciałam mieć syna. Umówiliśmy się, że jeśli urodzi się dziewczynka, to ja dam jej imię. Będzie Oleczką. A jak syn, to imię on wybierze. Będzie Artiom albo Dienis. Urodziła się Oleczka.

– A będzie synek?

– Będzie. Niech tylko Oleczka podrośnie.

Syna też bym mu urodziła.

– Luboczka, nie przestrasz się, bo stracisz pokarm... – Karmiłam córeczkę piersią. – Posyłają mnie do Afganistanu...

– Dlaczego ty? Masz małe dziecko.

– Jak nie ja, to ktoś inny będzie musiał. Partia kazała, to Komsomoł odpowiedział: rozkaz.

Był oddany wojsku. Mawiał: „Nad rozkazami się nie dyskutuje". Jego matka miała bardzo silny charakter, więc przywykł do słuchania, podporządkowywał się. W wojsku dobrze się czuł.

Jak go żegnaliśmy? Mężczyźni palili papierosy. Matka milczała. Ja płakałam, bo komu potrzebna była ta wojna. Córka spała w kołysce.

Spotkałam na ulicy głuptaskę, nawiedzoną, która często pojawiała się w naszym miasteczku wojskowym na targu albo w sklepie. Ludzie mówili, że w młodości została zgwałcona i potem nie poznawała nawet matki. Głuptaska zatrzymała się przy mnie.

– Męża ci w skrzyni przywiozą. – Zaśmiała się i uciekła.

Nie wiedziałam co, ale wiedziałam, że coś na pewno się wydarzy.

Czekałam tak jak w piosence Simonowa: „Czekaj mnie, a wrócę zdrów..."*. Przez jeden dzień mogłam napisać i wysłać po trzy, cztery listy. Wydawało mi się, że kiedy o nim

* Przekład Adama Ważyka.

myślę, kiedy za nim tęsknię, to tym samym go ochraniam. A on pisał, że tam, na wojnie, każdy wykonuje swoją robotę. Wypełnia rozkazy. I każdemu przypada własny los. Mam się nie martwić i czekać.

Kiedy odwiedzałam jego rodziców, nikt nie wspominał o Afganistanie. Ani słowa. Ani matka, ani ojciec. Nie umawialiśmy się, ale tego słowa wszyscy się bali.

Ubrałam córeczkę, żeby ją zaprowadzić do przedszkola. Pocałowałam. Otwieram drzwi, a przed drzwiami stoją wojskowi, jeden ma w ręku walizkę męża, niedużą, brązową. Sama ją pakowałam. Coś mi się stało... Jeśli ich wpuszczę, to wniosą do domu coś strasznego... Jak nie wpuszczę, to wszystko będzie jak dawniej. Oni chwytają za drzwi i ciągną, a ja przyciągam je do siebie, nie wpuszczam.

– Ranny? – Jeszcze miałam tę nadzieję, że ranny.

Pierwszy wszedł komendant komisji uzupełnień.

– Ludmiło Josifowno, z głębokim smutkiem muszę panią powiadomić, że mąż pani...

Nie było łez. Krzyczałam. Zobaczyłam jego kolegę, rzuciłam się do niego.

– Tolik, jeśli ty potwierdzisz, to uwierzę. Dlaczego nic nie mówisz?

Prowadzi do mnie chorążego, który wiózł trumnę.

– Powiedz jej...

A ten dygoce, też nic nie może powiedzieć.

Podchodzą do mnie jakieś kobiety, całują.

– Uspokój się. Daj nam numery telefonów do rodziny.

Usiadłam i od razu podałam wszystkie adresy i telefony, dziesiątki adresów i telefonów, które pamiętałam. Sprawdzali potem w książce telefonicznej i wszystko się zgadzało.

Mieszkanie mieliśmy małe, jednopokojowe. Trumnę ustawili w jednostce, w klubie. Obejmowałam ją i całowałam.

– Za co? Co złego komuś zrobiłeś?

Kiedy wracałam powoli do siebie, patrzyłam na tę skrzynię. „Męża ci w skrzyni przywiozą...” Wtedy znowu krzyczałam:

– Nie wierzę, że w środku jest mój mąż. Udowodnijcie, że to on. Tutaj nawet okienka nie ma. Coście mi przywieźli? Kogoście przywieźli?

Zawołali tego kolegę.

– Tolik – mówię – przysięgnij, że tam leży mój mąż.

– Przysięgam ci na moją córkę, że tam jest twój mąż. Umarł od razu, nie męczył się. Nic więcej ci nie powiem.

Spełniło się to, co mówił: „Jeśli trzeba umrzeć, to tak, żeby się nie męczyć". A myśmy zostały…

Na ścianie wisi jego duży portret.

– Zdejmij tatusia – prosi córka. – Będę się z nim bawiła.

Rozkłada zabawki dookoła portretu, rozmawia z nim. Wieczorem kładę ją do snu.

– A gdzie strzelali do taty? Dlaczego właśnie naszego tatę wybrali?

Przyprowadzam ją do przedszkola. Wieczorem chcę ją odebrać, a ona w ryk.

– Nie pójdę do domu, jak tato po mnie nie przyjdzie. Gdzie jest mój tato?

Nie wiedziałam, co jej odpowiedzieć. Jak wytłumaczyć? Sama mam dopiero dwadzieścia jeden lat… Tego lata zawiozłam ją do mamy na wieś. Może tam o nim zapomni… Nie mam sił każdego dnia płakać… Każdej minuty. Kiedy widzę, jak idą razem mąż, żona i dziecko, to płaczę. Krzyczy moja dusza, moje ciało. Kiedyś w lecie lubiłam sypiać nago, teraz nigdy tak nie sypiam. Ciągle wspominam… Wspominam miłość… Proszę wybaczyć tę szczerość… Tylko pani mogę zaufać. Obcej osobie. Komuś bliskiemu trudno. „Wstałbyś choć na chwilę… Popatrzył, jak córka wyrosła! Dla ciebie ta niezrozumiała wojna się skończyła – mówię do niego nocami. – Dla mnie nie. A dla naszej córki? Nasze dzieci są najbardziej nieszczęśliwe, one będą cierpiały za wszystko. Słyszysz mnie?…"

Do kogo tak wołam? Kto mnie usłyszy?

Żona

Kiedyś marzyłam o synu... Że urodzę sobie mężczyznę, którego będę kochała i który mnie będzie kochał...

Z mężem się rozeszliśmy. Zostawił mnie, odszedł do młodej kobiety, która urodziła mu dziecko zaraz po ukończeniu szkoły. Kochałam go, dlatego nie miałam innego. I nie szukałam.

Syna wychowywałyśmy razem z mamą, dwie kobiety i chłopiec. Cicho stawałam i obserwowałam go z bramy – z kim się zadaje, jakie ma towarzystwo.

Kiedy wracał do domu, mówił:

– Mamo, jestem już dorosły, a ty mnie prowadzisz na sznurku.

Był malutki, jak dziewczynka. Jaśniutki, delikatny, urodził się w ósmym miesiącu, karmiony był z butelki. Nasze pokolenie nie mogło mieć zdrowych dzieci, bo dorastaliśmy w czasie wojny – bombardowania, strzelanina, głód... Strach... Cały czas bawił się z dziewczynkami, dziewczynki go aprobowały, bo ich nie bił. Lubił koty, wiązał im kokardki.

– Mamusiu, kup mi chomika, ma taką ciepłą sierść, jakby mokrą.

Kupiłam chomika. I akwarium z rybkami.

Kiedy szliśmy na targ, mówił:

– Kup mi żywą kurkę... jarzębatkę...

Myślę teraz: czy naprawdę tam strzelał? Mój chowany w domowym cieple chłopczyk... Nie był stworzony do wojaczki. Bardzośmy go kochały, chuchały na niego...

Przyjechałam do niego do Aszchabadu, do kompanii ćwiczebnej.

– Andriusza, chcę porozmawiać z komendantem. Mam ciebie jednego... Tutaj blisko granicy...

– Nie waż się, mamo. Będą się wyśmiewać, że jestem maminsynek. I tak o mnie mówią: „Chudy, blady, spać nie może".

– Jak ci tu jest?

– Lejtnant jest w porządku, traktuje nas jak równych sobie. Ale kapitan to może dać po twarzy.

– Co?! Myśmy z babcią nigdy cię nie biły, nawet małego.

– Tutaj żyją mężczyźni, mamo. Wam z babcią lepiej nic nie opowiadać...

Mój był tylko wtedy, kiedy był mały. Myłam go w łazience, bo taplał się w kałużach i wychodził czarny jak diabełek. Zawijałam w prześcieradło, tuliłam. Myślałam, że nikt mi go nie zabierze. Że go nikomu nie oddam. A potem go zabrali...

Kiedy skończył ósmą klasę, sama go namówiłam, żeby poszedł do szkoły budowlanej. Myślałam, że z takim zawodem będzie miał łatwiej w wojsku. A jak odsłuży, to pójdzie na wyższe studia. Chciał zostać leśnikiem. W lesie zawsze był wesoły. Rozpoznawał głosy ptaków, pokazywał, gdzie jakie kwiaty rosną. Przypominał w tym swego ojca. Tamten był Sybirakiem, lubił przyrodę do tego stopnia, że nie pozwalał kosić trawy na podwórzu. Niech wszystko rośnie! Andriuszy podobał się mundur leśnika, o czapce mówił: „Mamo, jest taka jak wojskowa...".

Teraz myślę: „Czy on tam naprawdę strzelał?".

Z Aszchabadu często pisał do mnie i babci. Jeden list umiem na pamięć, trzymałam go w ręku tysiąc razy:

„Mamo i Babciu, witajcie, kochane! Jestem w wojsku już przeszło trzy miesiące. Moja służba idzie mi dobrze. Na razie ze wszystkimi powierzonymi zadaniami sobie radzę i dowódcy nie robią mi żadnych uwag. Niedawno nasza kompania pojechała na poligon, położony w górach osiemdziesiąt kilometrów od Aszchabadu. Przez dwa tygodnie wszyscy tam mieli ćwiczenia górskie, taktykę i strzelanie z broni osobistej. Ja i jeszcze trzech kolegów nie byliśmy na tym obozie, bo już od trzech tygodni pracujemy w fabryce mebli, budujemy wydział. A fabryka za to robi meble dla naszej kompanii. Wykonujemy tam prace murarskie, tynkujemy.

Mamo, pytasz o swój list – tak, dostałem go. Dostałem także paczkę i dziesięć rubli, które włożyłyście do środka. Za te pieniądze jedliśmy kilka razy w bufecie i kupili z kolegą cukierki..."

Miałam nadzieję, że skoro muruje i tynkuje, to znaczy, że jest potrzebny jako budowlaniec. No więc niech im tam buduje własne dacze, garaże, byle tylko dalej go nie posyłali. Pisał potem, że pracował za miastem u jakiegoś generała...

Był rok osiemdziesiąty pierwszy... Krążyły różne wieści... Ale o tym, że w Afganistanie trwa rzeź, wiedziało bardzo mało ludzi. W telewizji widzieliśmy bratanie się radzieckich i afgańskich żołnierzy, kwiaty na naszych transporterach, chłopów całujących otrzymaną ziemię... Tylko jedno mnie przestraszyło... Kiedy jechałam do niego do Aszchabadu, spotkałam pewną kobietę... Najpierw w hotelu powiedziano mi, że wszystkie pokoje zajęte.

– Mogę spać na podłodze. Przyjechałam z daleka do syna w wojsku. I nigdzie się stąd nie ruszę.

– No dobrze, puścimy panią do pokoju numer czterysta. Tam już mieszka jedna matka, też odwiedza syna.

Od tej kobiety po raz pierwszy się dowiedziałam, że szykuje się nowy nabór do Afganistanu, więc przywiozła duże pieniądze, żeby ocalić syna. Wyjeżdżała zadowolona, a mnie na pożegnanie powiedziała: „Nie bądź naiwną idiotką...". Kiedy opowiedziałam o tym w domu, mama zaczęła płakać.

– Dlaczego nie padłaś im do nóg?! Nie błagałaś? Zdjęłabyś swoje kolczyki i oddała im!

To była najcenniejsza rzecz w naszym domu, te niemal bezwartościowe kolczyki. Przecież nie brylantowe! Mamie, która całe życie przeżyła bardziej niż skromnie, wydawały się bogactwem. Boże! Co z nami wyrabiają? Jak nie on, to pojechałby ktoś inny. Też ma matkę...

To, że trafił do batalionu szturmowo-desantowego, dla niego samego było zaskoczeniem. Rozpierała go chłopięca duma. Nie ukrywał tego.

Jestem kobietą, cywilem do szpiku kości. Może czegoś nie rozumiem. Tylko niech mi ktoś wytłumaczy, dlaczego mój syn wykonywał prace murarskie i tynkarskie w czasie, kiedy powinien szkolić się do walki. Przecież wiedzieli, dokąd ich poślą. W gazetach zamieszczano zdjęcia mudżahedinów... Mężczyźni, po trzydzieści–czterdzieści lat... Na własnej ziemi... Obok rodziny, dzieci... I jakim cudem na tydzień przed wylotem z jednostki ogólnowojskowej trafił do batalionu szturmowo-desantowego? Nawet ja wiem, co to są wojska desantowe, jakich tam potrzebują

silnych chłopaków. Muszą być specjalnie ćwiczeni. Potem dowódca centrum wyszkolenia odpowiedział, że mój syn wyróżniał
się w szkoleniu bojowym i politycznym. Kiedy się tak wyszkolił?
Gdzie? W fabryce mebli? U generała na daczy? Komu powierzy-
łam syna? Komu zaufałam? Nawet żołnierza z niego nie zrobili...

Z Afganistanu dostałam tylko jeden list: „Nie denerwujcie się,
tu jest ładnie i spokojnie. Dużo kwiatów, jakich u nas nie ma,
kwitną drzewa, śpiewają ptaki. Jest dużo ryb". Rajskie ogrody,
a nie wojna. Tak nas uspokajał, żebyśmy, broń Boże, nie zaczęły
zabiegać o wyciągnięcie go stamtąd. Nieostrzelani chłopcy, prawie dzieci. Rzucali ich w ogień, a oni to poczytywali za honor.
Tak ich wychowaliśmy.

Zginął w pierwszym miesiącu... Mój chłopiec... Moja krew...
Jak on tam leżał? Nigdy się nie dowiem.

Przywieźli go po dziesięciu dniach. Przez te dziesięć dni
w snach ciągle coś gubiłam i nie mogłam znaleźć. Przez te dni
gwizdał w kuchni czajnik. Stawiałam wodę na gazie, a czajnik
wyśpiewywał różnymi głosami. Lubię kwiaty doniczkowe, mam
ich dużo na parapetach, na szafie, na półkach z książkami. Co
ranka, kiedy je podlewałam, strącałam doniczki. Wyślizgiwały
mi się z rąk i rozbijały. W domu czuć było wilgotną ziemią...

Pod domem zatrzymały się samochody wojskowe: dwa wojenne gaziki i sanitarka. Od razu się domyśliłam, że to do nas,
do mojego domu. Jeszcze sama doszłam do drzwi i otworzyłam.

– Nie mówcie! Nic do mnie nie mówcie! Nienawidzę was! Od-
dajcie mi tylko ciało mojego syna... Pochowam go po swojemu.
Sama. Nie chcę żadnych honorów wojskowych...

Niech pani pisze! Niech pani napisze prawdę! Całą prawdę!
Już niczego się nie boję... Już dosyć, bałam się przez całe życie...

Matka

Prawdę? Całą prawdę powie pani tylko desperat. Ktoś pogrążony
w absolutnej rozpaczy; taki mógłby opowiedzieć pani wszystko...

Nikt nie zna prawdy. Poza nami... Prawda jest zbyt straszna,
prawdy nie będzie. Nikt nie zapragnie być pierwszy, nikt nie

zaryzykuje. Kto opowie, jak przewozili narkotyki w trumnach? Futra... Zamiast poległych... Kto pokaże sznurek zasuszonych ludzkich uszu? Już pani o tym słyszała czy to nowość dla pani? Trofea wojenne... Przechowywane w pudełkach od zapałek... Skręcały się w małe listki... Niemożliwe? Przykro słuchać takich rzeczy o dzielnych radzieckich chłopcach? A jednak to możliwe. Tak było! I to jest też prawda, przed którą nigdzie się nie schowamy, nie zamalujemy jej tanią srebrną farbą. A pani myślała, że postawimy pomniki i już? Rozdamy medale...

Nie jechałem po to, by zabijać, jestem normalnym człowiekiem. Wbili nam do głów, że tam walczą bandyci, a my będziemy bohaterami, więc wszystkim nam podziękują. Dobrze zapamiętałem plakaty: „Żołnierze, będziemy umacniać południowe rubieże naszej ojczyzny", „Nie splamimy honoru formacji", „Rozkwitaj, ojczyzno Lenina!", „Chwała KPZR!". A wróciłem stamtąd... Tam przecież cały czas było małe lustro, a tu jest wielkie. Popatrzyłem i nie poznałem siebie. Ktoś patrzył na mnie... Miał nowe oczy, nową twarz. Nawet zewnętrznie się zmieniłem...

Służyłem w Czechosłowacji. Usłyszałem, że mają mnie posłać do Afganistanu.

– Dlaczego ja?

– Jesteś kawalerem.

Pakowałem się jak na delegację. Co zabrać ze sobą? Nikt nie wiedział. Pośród nas nie było jeszcze „afgańców". Ktoś radził wziąć gumowe buty, ale przez dwa lata ani razu mi się nie przydały. Zostawiłem je w Kabulu. Z Taszkentu lecieliśmy na skrzyniach z amunicją. Wylądowaliśmy w Szindandzie. *Carandoj*, ich milicja, z naszymi automatami z czasów Wielkiej Wojny Ojczyźnianej, nasi żołnierze i ich – brudni, spłowiali, jakby wyleźli z okopów. Duży kontrast w stosunku do tego, cośmy widzieli w Czechosłowacji. Ładowali tam rannych, jeden miał odłamek w brzuchu. „Nie przeżyje, po drodze umrze" – usłyszałem od pilotów śmigłowców, które przywiozły ich z posterunków. Oszołomił mnie spokój, z jakim mówili o śmierci.

Bo może to było tam najbardziej niepojęte – stosunek do śmierci. No i znowu, jeśli mam całą prawdę... To niemożliwe... To, co tu jest nie do pomyślenia, tam było rzeczą powszednią. Zabijanie jest straszne i przykre. Ale bardzo szybko zaczyna się myśleć, że straszne i przykre jest tylko zabijanie oko w oko, a razem, w grupie, zabija się ochoczo, niekiedy nawet radośnie, sam to widziałem. W czasie pokoju broń jest ustawiona w piramidy, każdą piramidę zamyka się na osobny zamek, w arsenale znajduje się alarm. A tutaj broń ma się nieustannie przy sobie, przywyka się do niej. Wieczorem w łóżku strzelaliśmy do żarówki z pistoletu – nie chciało się wstawać i wyłączyć światła. W upał, kompletnie ogłupiali, strzelaliśmy z automatu w powietrze, gdzie popadnie... Otaczamy karawanę, karawana stawia opór, wali z karabinów maszynowych. Rozkaz: zlikwidować karawanę... Przystępujemy do likwidacji... Nad ziemią unosi się dziki ryk rannych wielbłądów... Chyba za to wręczano nam ordery od wdzięcznego narodu afgańskiego?!

Wojna to wojna, trzeba zabijać. Skoro wydano nam broń, to co – mieliśmy bawić się w podchody z naszymi braćmi klasowymi? Remontować traktory, siewniki? Nas zabijano i myśmy zabijali. Zabijaliśmy, gdzie się dało. Zabijaliśmy tam, gdzie mieliśmy ochotę. Ale to nie była wojna, którąśmy znali z książek i filmów – linia frontu, strefa neutralna, pierwsza linia... To wojna „kirizowa"... *Kirizy* to były podziemne przejścia, niegdyś służyły do nawadniania... Ludzie wyłazili stamtąd dniem i nocą jak widma... Z automatem, z kamieniem w ręku. Niewykluczone, że niedawno z tym widmem targowaliśmy się w dukanie, a teraz był już poza granicą naszego współczucia... Dopiero co zabił naszego kolegę... Zamiast kolegi leży... już nie człowiek... pół człowieka... Ostatnie jego słowa: „Zaklinam was, nie piszcie o tym mojej matce, nie chcę, żeby wiedziała...". A ty, szurawi, ty, człowieku radziecki, jesteś poza granicą współczucia jego, „ducha". Twoja artyleria rozwaliła jego wioskę, on zaś prawie nic nie znalazł, nic nie zostało ani z matki, ani z żony, ani z dzieci. Jeśli więc trafisz na niego, to zrobi z ciebie kotlet. Farsz. Współczesna broń zwiększa nasze zbrodnie. Nożem mógłbym zabić jednego, dwóch... Bombą – dziesiątki... Ale ja jestem wojskowym, mój zawód to zabijanie. Jak tam było w baśni? Jestem sługą cudownej lampy Aladyna... No więc ja jestem sługą... Ministerstwa Obrony. Który kierunek mi wskażą, w tym będę strzelał. Mój zawód to strzelanie.

Ale ja nie jechałem tam zabijać, nie chciałem. Jak do tego doszło? Dlaczego naród afgański wziął nas nie za tych, którymi w rzeczywistości byliśmy? *Bacza* stoją na mrozie w kaloszach na bosą nogę, a nasi żołnierze oddają im swój suchy prowiant. Widziałem to na własne oczy. Podbiega do samochodu obdarty chłopak, o nic nie prosi tak jak inni, tylko patrzy. Miałem w kieszeni dwadzieścia afgani, więc mu dałem. Wtedy ukłąkł na piasku i nie wstał, dopóki nie wsiedliśmy do transportera i nie pojechali... A obok tego były inne obrazy... Chłopakom nosiwodom nasze patrole odbierały pieniądze. Co to za pieniądze? Grosze. Nie, nie chcę tam jechać nawet jako turysta. Nigdy nie pojadę. Przecież pani mówiłem: prawda jest zbyt straszna, prawdy nie będzie. Nie jest nikomu potrzebna. Ani wam, którzy tu zostaliście, ani nam, którzyśmy tam byli. Proszę zauważyć, że was jest więcej. Nasze dzieci dorosną i będą ukrywały, że ich ojcowie tam walczyli.

Spotykałem też samozwańców.

– Jestem – mówi taki – z Afganistanu, i my tam, ja tam...

– Gdzie służyłeś?

– W Kabulu...

– Która jednostka?

– Przecież byłem w specnazie...

Na Kołymie, w barakach dla psychicznych, wznoszono okrzyki: „Jestem Stalin! Jestem Stalin!". A teraz normalni chłopcy oświadczają: „Jestem z Afganistanu". Szaleńcy... Do domu wariatów z nimi!

Wspominam sam... Wypiję sobie. Posiedzę. Lubię posłuchać piosenek z wojny afgańskiej. Ale sam. To było... te karty... Może są zabrudzone, ale nie można się przed nimi schować... Młodzi

zbierają się razem... Są oszukani i wściekli. Im trudniej się od-
naleźć, przyjąć na nowo jakieś wartości moralne. Jeden mi się
przyznał:

– Gdybym wiedział, że mi to ujdzie bezkarnie, mógłbym zabić
człowieka. Tak po prostu. Za nic. Nie szkoda by mi go było.

Był Afganistan, teraz go nie ma. Nie można się przez całe
życie modlić i kajać... Chciałbym się ożenić... Mieć syna... Im
szybciej przestaniemy o tym mówić, tym lepiej dla wszystkich.
Komu jest potrzebna ta prawda? Kołtunowi! Żeby plunął nam
w duszę: „Ci dranie tam zabijali, grabili, a tu chcą przywilejów?".
I tylko my będziemy winni. Wszystko, cośmy przeżyli – psu w d...
Chcę zachować to choćby dla siebie.

Po co to wszystko było? Po co?

Na dworcu w Moskwie wszedłem do toalety. Widzę, że prowa-
dzi ją ajent. Chłopak siedzi i liczy monety. Nad głową ma napis:
„Dzieci do lat siedmiu, inwalidzi i uczestnicy Wielkiej Wojny
Ojczyźnianej, żołnierze internacjonaliści – wejście bezpłatnie".

Głupio się poczułem.

– Sam to wymyśliłeś? – pytam.

A on z dumą:

– Tak, sam. Pokaż legitymację i wejdź.

– Mój ojciec przeszedł całą wojnę, a ja dwa lata łykałem obcy
piach, żeby u ciebie bezpłatnie się odlać?

Takiej nienawiści jak do tego chłopaka nigdy w Afganistanie
nie czułem. Chciał nam zapłacić...

Starszy lejtnant, dowódca działonu

Przyleciałam na urlop do Związku Radzieckiego... Poszłam do
łaźni... Ludzie wzdychali z zadowolenia, leżąc na półkach, a mnie
się wydało, że to jęczą ranni...

W domu tęskniłam do przyjaciół z Afganistanu. A w Kabulu
już po kilku dniach marzyłam o domu. Pochodzę z Symferopola.
Skończyłam uczelnię muzyczną. Szczęśliwi tu nie przyjeżdżają.
Tutaj wszystkie kobiety są samotne, coś je dręczy. Niech pani
spróbuje przeżyć za sto dwadzieścia rubli miesięcznie. To są

właśnie moje zarobki, a przecież trzeba się i ubrać, i ciekawie odpocząć w czasie urlopu. Mówią: „Przyjechałyście po męża". A co? To prawda... Tak, prawda... Mam trzydzieści dwa lata, a jestem sama...

Tutaj dowiedziałam się, że najokropniejszą miną jest „włoszka". Po takiej człowieka zbierają do wiadra. Przyszedł do mnie chłopak i opowiada, opowiada... Już myślałam, że nigdy nie skończy opowiadać... Przestraszyłam się. A on wtedy: „Przepraszam panią, już sobie idę...". Nieznajomy chłopak... Ludzka rzecz. Zobaczył kobietę, zapragnął się zwierzyć. Na jego oczach z kolegów zostało... w sumie – pół buta... Z całej obsługi cekaemu... Znajomi chłopcy... Myślałam, że nigdy nie przestanie gadać. Do kogo później poszedł?

Są tu dwa kobiece hotele: jeden nazwano Koci Dom, tam mieszkają te, które są dwa, trzy lata w Afganistanie, a drugi Rumianek, tam są nowicjuszki, te jeszcze niby czyste – kocha, nie kocha, do serca przytuli, pośle do diabła. W sobotę łaźnia dla żołnierzy, w niedzielę – dla kobiet. Do oficerskiej nie wpuszczają kobiet, bo są brudne... A jednak oficerowie do nas przychodzą... Ciągle po to samo... Przychodzą w nocy z butelką wina. W portfelach mają zdjęcia dzieci i żon. Pokazują je nam. Ludzka rzecz...

Zaczyna się ostrzał... Pocisk leci, ten świst... W człowieku coś się obrywa... Boli w środku... Na zadanie poszli dwaj żołnierze z psem. Pies wrócił, a ich nie ma... (*Milknie*). Zaczyna się ostrzał... Uciekamy i chowamy się w szczelinie. A dzieci afgańskie tańczą na dachach z radości. Wiozą naszego zabitego... Dzieci się śmieją, klaszczą w dłonie. A my im przywozimy prezenty do wioski: mąkę, materace, pluszowe zabawki... Misie, zajączki... One tańczą... (*Milczy*). Zaczyna się ostrzał... Dzieci są szczęśliwe...

Pierwsze pytania w Związku Radzieckim to „Wyszłaś za mąż?" i „Jakie dostaniecie przywileje?". Jedyny przywilej dla pracowników cywilnych jest taki, że jeśli zginiemy, to rodzina dostanie tysiąc rubli. Jak przywiozą towary do sklepu Wojentorgu, to mężczyźni mają pierwszeństwo. „Kim wy jesteście?

A my musimy kupić żonom prezenty". W nocy pukają do nas... Ludzka rzecz... Tutaj tak jest... Spełniają „obowiązek internacjonalistyczny" i zarabiają pieniądze. Jest cennik: puszka mleka w proszku – pięćdziesiąt afgani, czapka wojskowa z daszkiem – czterysta... Lusterko od samochodu – tysiąc, koło od kamaza – od osiemnastu do dwudziestu, pistolet Makarowa – trzydzieści tysięcy, automat Kałasznikowa – sto tysięcy, ciężarówka ze śmieciami z miasteczka wojskowego (w zależności od tego, jakie to śmieci, czy są tam metalowe puszki, ile ich jest) – od siedmiuset do dwóch tysięcy afoszek... Ludzka rzecz... Wśród kobiet najlepiej wiedzie się tym, które sypiają z chorążymi. Kto jest wyżej od chorążego? Tylko starszy chorąży. A na posterunkach żołnierze chorują na szkorbut... Jedzą zgniłą kapustę...

Pielęgniarki opowiadają, że w sali beznogich rozmawia się o wszystkim, tylko nie o przyszłości. Tutaj o przyszłości nikt nie lubi rozmawiać. O miłości też się nie mówi. Bo kiedy się jest szczęśliwym, wtedy na pewno strasznie jest umierać. Straszniej niż innym. A mnie tylko jest żal mamy.

Między zabitymi skrada się kot... Szuka jedzenia, boi się. Leżą chłopcy... Jak żywi... Kot pewnie nie wie, czy są żywi, czy martwi.

Niech mnie pani zostawi samą... Bo ja mogę tak opowiadać i opowiadać. Ale nie zabiłam nikogo...

Pracownica cywilna

Czasem się zastanawiam... A gdybym nie trafił na tę wojnę?

Byłbym szczęśliwy... Nigdy bym się nie zawiódł na sobie samym i nie wiedział nic z tego, czego lepiej o sobie nie wiedzieć. Tako rzecze Zaratustra: nie tylko ty zaglądasz w otchłań, ale i ona zagląda w twoją duszę...

Studiowałem na drugim roku uczelni radiotechnicznej, ale ciągnęło mnie do muzyki, do książek o sztuce. Ten świat był mi bliższy. Zacząłem się miotać i podczas takiej właśnie pauzy dostałem wezwanie na komisję. A jestem człowiekiem bez woli, nie staram się wtrącać we własny los. Bo jak się zacznie człowiek wtrącać, to i tak przegra, a jak się z nim pogodzi, to nie poniesie winy, cokolwiek się stanie. Oczywiście nie byłem przygotowany na wojsko. Znienacka... Znienacka mnie dopadło...

Nie mówili tego wprost, ale było jasne, że jedziemy do Afganistanu. Nie wtrącałem się we własny los... Ustawili nas na placu, odczytali rozkaz, że zostaliśmy żołnierzami internacjonalistami... Wszystko przyjmowaliśmy bardzo spokojnie, nikt przecież nie powie: „Nie chcę! Boję się!". Jedziemy wypełniać obowiązek internacjonalistyczny, wszystko jest na swoim miejscu. Tymczasem na punkcie przesyłowym w Gardezie* się zaczęło... „Stare wojsko" zabrało nam wszystkie cenne rzeczy – buty, berety, koszulki. Wszystko miało swoją cenę: beret – dziesięć czeków, komplet odznak, których desantowiec powinien mieć pięć – gwardyjską, „Wzorowego Żołnierza Sił Powietrznych", odznakę spadochroniarza, odznakę klasy i sportową, tak zwanego „biegacza", jak ją nazywaliśmy – wyceniany był na dwadzieścia pięć czeków. Zabierali paradne koszule, które wymieniali u Afgańczyków na narkotyki. Podchodziło kilku „dziadków" i pytało: „Gdzie masz plecak?". Pogrzebali w nim, zabrali, co im się spodobało, i już. Na kompanii zdjęli wszystkim nowe mundury, w zamian dali stare. Wołają do magazynu i pytają: „Po co ci tutaj nowe? A chłopaki wracają do kraju". Do domu pisałem: „Jakie piękne niebo jest w Mongolii, karmią nas dobrze, słońce świeci...". A to już była wojna...

Wjechaliśmy pierwszy raz do kiszłaku... Dowódca batalionu uczył nas, jak się mamy zachowywać w stosunku do miejscowej ludności:

– Wszyscy Afgańczycy, niezależnie od wieku, to *bacza*. Zrozumiano? Resztę pokażę.

Spotkaliśmy na drodze starca. Rozkaz:

– Zatrzymać wóz. Obejrzeć wszystko!

Dowódca podszedł do staruszka, zrzucił czałmę, pogmerał w brodzie.

– Dobra, idź, *bacza*.

---

* Gardez – miasto we wschodnim Afganistanie, na południe od Kabulu.

To nas zupełnie zaskoczyło.

W wiosce rzucaliśmy dzieciom kaszę perłową w kostkach. Dzieci uciekały, myślały, że rzucamy granaty.

Podczas pierwszego wyjazdu bojowego mieliśmy ochraniać kolumnę... Byliśmy podekscytowani, zaciekawieni – wojna tuż-tuż! W rękach, przy pasie – broń, granaty, które przedtem widzieliśmy tylko na plakatach. Podczas zbliżania się do zielonej strefy... Jako celowniczy bardzo uważnie patrzyłem przez... Zobaczyłem jakąś czałmę...

– Sierioga – krzyczę do tego, kto obsługiwał działo – widzę czałmę! Co robić?

– Strzelać.

– Tak po prostu strzelać?

– A coś myślał?

Strzela.

– Znowu widzę czałmę... Białą... Co robić?

– Strzelać!!!

Wystrzelaliśmy połowę kompletu amunicji wozu. Strzelaliśmy z działa, z karabinu maszynowego.

– Gdzieś ty widział białą czałmę? To zaspa.

– Sierioga, ale twoja zaspa biegnie... Twój bałwan ma automat...

Zeskoczyliśmy z wozu, zaczęli strzelać z automatów.

Zabić człowieka czy nie zabić – takiego problemu tam nie było. Cały czas chciało nam się jeść i spać, cały czas mieliśmy jedno pragnienie – żeby to się jak najprędzej skończyło. Przestać strzelać, przestać iść... A jechać na rozpalonym pancerzu? Oddychać żrącym, suchym piachem... Kule świszczą nad głowami, a my śpimy... Zabić czy nie zabić – to jest pytanie powojenne, psychologia wojny jest prostsza. Nie dało się tam we wrogu widzieć człowieka. Wtedy nie zdołalibyśmy zabijać. Blokowaliśmy kiedyś duszmańską wioskę... Stoimy dobę, dwie... Żar, zmęczenie doprowadzały nas do wściekłości... Robiliśmy się wtedy okrutniejsi niż „zieloni", Afgańczycy... Tamci mimo wszystko byli swoi, oni w końcu wyrośli w tych kiszłakach. A myśmy się nie zastanawiali. To cudze życie... nam łatwiej było cisnąć granatem...

Kiedyś wracamy – siedmiu naszych rannych, dwóch z kontuzjami. Kiszłaki wzdłuż drogi były wymarłe – jedni uciekli w góry, inni kryli się w swoim duwale. Nagle wyskakuje stara Afganka, płacze, krzyczy, rzuca się na transporter z pięściami. Zabili jej syna. Przeklinała nas... U wszystkich wywołała taką samą reakcję – czego tak krzyczy i wygraża? Usunąć ją z drogi! Nie zabiliśmy jej, chociaż mogliśmy. Zepchnęliśmy ją z drogi i pojechali dalej. Wieźliśmy siedmiu swoich rannych...

Małośmy wiedzieli... Byliśmy żołnierzami, więc walczyliśmy... Nasze żołnierskie życie nie łączyło się z afgańskim, Afgańczykom nie wolno było wchodzić na teren naszej jednostki. Wiedzieliśmy o nich tylko tyle, że nas zabijają. A wszyscy chcieliśmy żyć. Dopuszczałem myśl, że mogą mnie zranić, nawet chciałem być lekko ranny, żeby poleżeć i się wyspać. Ale umierać nikt nie chciał. Kiedy trzech naszych weszło do dukanu, wystrzelali rodzinę sklepikarza i obrabowali, zaczęło się śledztwo. Początkowo w jednostce to ukrywano, mówiono, że to nie my, nie nasi. Ale przyniesiono nam nasze kule, znalezione w ciałach zabitych. Zaczęto szukać – kto to zrobił? Znaleźli tych trzech: oficera, chorążego i żołnierza. Ale pamiętam, że kiedy na kompanii robili rewizję, szukali zrabowanych pieniędzy i rzeczy, czuliśmy się poniżeni – dlaczego nas rewidują, przez kogo, przez jakichś tam Afgańczyków? Odbył się sąd wojenny. Dwóch skazano na rozstrzelanie – chorążego i żołnierza. Wszyscy ich żałowali. Że przez taką głupotę zginęli... Nazywano to głupotą, nie zbrodnią. Zamordowanej rodziny sklepikarza tak jakby nie było w ogóle. Wszystko miało swoje miejsce – oni i my. Przyjaciel i wróg. Dopiero teraz, kiedy stereotyp się rozpadł, zacząłem się zastanawiać... A przecież płakałem zawsze nad *Mumu** Turgieniewa!

Na wojnie zawsze coś z człowiekiem się dzieje, jest ten sam i już nie ten sam. Czyż ktoś nas uczył, że „nie będziesz zabijał?". Do szkoły, na uczelnię przychodzili weterani wojny i opowiadali,

---

Mumu – opowiadanie Iwana Turgieniewa o głuchoniemym pańszczyźnianym chłopie Gierasimie, któremu dziedziczka kazała utopić wiernego przyjaciela – pieska Mumu.

jak zabijali. Wszyscy mieli baretki orderów przypięte do od-
świętnych garniturów. Ani razu nie usłyszałem, że na wojnie nie
wolno zabijać. Sądzi się tylko tych, którzy zabijają w czasie pokoju; ci są mordercami. A w czasie wojny nazywa się to inaczej:
„obowiązek wobec ojczyzny", „święta sprawa", „obrona kraju".
Tłumaczono nam, że jesteśmy następcami żołnierzy Wielkiej
Wojny Ojczyźnianej. Jak mogłem w to wątpić? Zawsze nam
powtarzano, że jesteśmy najlepsi. A skoro jesteśmy najlepsi,
to dlaczego miałbym samodzielnie myśleć, przecież wszystko
u nas jest takie, jak należy. Potem dużo myślałem... Szukałem
kogoś, z kim mógłbym podyskutować... Koledzy mówili: „Albo
zwariowałeś, albo chcesz zwariować". A ja... mnie wychowywała
mama, osoba silna, władcza... Nigdy nie chciałem wtrącać się
do własnego losu...

Na szkoleniach zwiadowcy specnazu opowiadali nam pasjo-
nujące historie. Okrutne i piękne. Chcieliśmy być silni tak jak oni.
Pewnie żyję z kompleksem niższości – kocham muzykę, książki,
ale też chciałbym wedrzeć się do kiszłaku, poderżnąć wszystkim
gardła i później się tym chwalić. Ale pamiętam co innego... Jak
doświadczyłem panicznego strachu... Kiedyś jechaliśmy w kolumnie i dostaliśmy się pod ostrzał. Zatrzymaliśmy się. Padła
komenda: „Pozycje obronne!", zaczęliśmy zeskakiwać z pojazdów.
Stanąłem, a na moje miejsce przesunął się następny... Granat
trafił prosto w niego... Poczułem, że spadam z wozu na płask...
opadam powoli jak na kreskówce. A kawałki cudzego ciała spa-
dają szybciej ode mnie... Z jakiegoś powodu spadałem wolniej...

Dziwna rzecz, świadomość wszystko to zapisuje. Pewnie tak
można zapamiętać, prześledzić własną śmierć. Zabawna sprawa. Upadłem... Spełzam do aryku* jak pokraka... Leżę i unoszę
w górę ranną rękę; potem się okazało, że byłem tylko lekko ranny.
Ale trzymałem rękę i nie ruszałem się...

Nie, nie stałem się silnym człowiekiem... Takim, który wdzie-
ra się do kiszłaku i podrzyna komuś gardło... Po roku trafiłem

---

* Aryk – kanał nawadniający w Azji Środkowej.

do szpitala z powodu dystrofii. W plutonie był jeden „młody", dziesięciu „dziadków" i ja, jedyny „kot". Spałem trzy godziny na dobę. Za wszystkich myłem naczynia, rąbałem drwa, sprzątałem teren. Nosiłem wodę. Dwadzieścia metrów do rzeki… Idę rano i czuję, że nie powinienem, bo tam jest mina! Ale bałem się, że mnie znowu stłuką. Obudzą się, a tu wody nie ma, nie ma się jak umyć… Poszedłem i nastąpiłem na minę. Dzięki Bogu to była mina sygnałowa. Rakieta wystrzeliła, oświetliła… Upadłem, posiedziałem… Potem czołgałem się dalej… Żeby choć wiadro wody przynieść. Nawet zębów nie było jak umyć… Nie będą się zastanawiali, zaczną bić. Przez rok z normalnego chłopaka zmieniłem się w dystrofika, bez pielęgniarki nie mogłem przejść przez salę, byłem zlany potem. Kiedy wróciłem do jednostki, znowu zaczęli mnie bić. Bili tak, że uszkodzili mi nogę, trzeba było zrobić operację. W szpitalu odwiedził mnie dowódca batalionu.

– Kto cię bił?

Chociaż bili mnie nocą, ja i tak wiedziałem kto. Ale nie można powiedzieć, bo zostałbym kapusiem. To była zasada, której nie wolno było naruszać.

– Dlaczego nic nie mówisz? Powiedz kto, to oddam drania pod sąd.

Milczałem. Zwierzchnicy byli bezsilni wobec praw rządzących życiem żołnierskim, a właśnie te wewnętrzne prawa określały mój los. Ci, którzy próbowali im się opierać, zawsze ponosili porażkę. Widziałem to. Nie wtrącałem się więc do losu… Pod koniec służby sam usiłowałem bić innych. Nie wychodziło mi to… „Fala" nie zależy od człowieka, dyktuje ją instynkt stadny. Najpierw ciebie biją, potem powinieneś bić ty sam. Ukrywałem przed „dziadkami" to, że nie potrafię bić. Mieliby mnie w pogardzie i ci, którzy biją, i ci, których miałem bić. Wróciłem do domu, poszedłem do komisji uzupełnień, a tam przywieźli cynkową trumnę… To był nasz starszy lejtnant… W liście do domu napisano: „Zginął, wypełniając internacjonalistyczny obowiązek". A ja wtedy akurat sobie przypomniałem, jak się upijał, szedł korytarzem i rozbijał szczęki dyżurnym. Raz na tydzień tak się bawił... Jak się nie ukryjesz, to zęby wyplujesz... Ludzkiego pierwiastka w człowieku jest tyle, co brudu za paznokciem – tyle zrozumiałem na wojnie. Nie ma co jeść – robi się okrutny, jest mu źle – robi się okrutny. No to ile w końcu jest człowieka w człowieku? Tylko raz poszedłem na cmentarz... Na płytach: „Zginął jak bohater", „Wykazał się odwagą i męstwem", „Dobrze wypełnił żołnierski obowiązek". Byli tam oczywiście bohaterowie, jeśli słowo „bohater" rozumieć w wąskim sensie, na przykład w stosunku do kogoś, kto podczas walki zasłonił własnym ciałem kolegę albo wyniósł rannego dowódcę w bezpieczne miejsce... Ale ja wiem, że jeden z naszych zmarł wskutek przedawkowania narkotyków, inny zakradł się do magazynu z żywnością i zginął od kuli strażnika... Wszyscy tam się zakradaliśmy. Marzeniem było mleko skondensowane i herbatniki. Ale pani o tym nie napisze... Nikt nie powie, co kryje ziemia, jaką prawdę. Dla żywych ordery, dla martwych – legendy, i wszyscy są zadowoleni.

Wojna jest taka jak życie tutaj... Wszystko przebiega tak samo, tylko śmierci jest więcej... Dzięki Bogu mam teraz inny świat, który przesłonił mi tamten. To świat książek, muzyki, ten świat mnie ocalił. Nie tam, ale tu zacząłem się orientować, gdzie byłem, co się ze mną i we mnie działo. Ale myślę o tym sam, nie chodzę do „afgańskich" klubów. Nie wyobrażam sobie, żebym miał pójść do szkoły i opowiadać o wojnie, o tym, jak ze mnie, człowieka nieuformowanego, robili mordercę i jeszcze coś takiego, co chce tylko jeść i spać. Nienawidzę „afgańców". Te kluby przypominają mi wojsko. Te same wojskowe zwyczaje. Nie podobają nam się zwolennicy „metalu" – idziemy, chłopaki, skujemy im mordę! Damy wpierdol pedałom! To jest ten fragment mojego życia, od którego chcę się oddzielić, a nie łączyć z nim. Nasze społeczeństwo jest okrutne... Żyje według okrutnych praw... Kiedyś tego nie widziałem...

Kiedyś w szpitalu nakradliśmy fenazepamu... Stosuje się go przy leczeniu chorych psychicznie... Dawka – jedna lub dwie tabletki... Jeden połknął dziesięć, drugi dwadzieścia... O trzeciej w nocy jedni poszli do kuchni myć naczynia, chociaż były czyste.

Drudzy siedzieli ponuro i rżnęli w karty... Trzeci załatwił się na własną poduszkę... Kompletny absurd! Przerażona pielęgniarka uciekła i wezwała wartowników.

No więc taką wojnę zapamiętałem. Z jednej strony zupełny absurd... (*Milknie*). A z drugiej – robiliśmy tam takie rzeczy, za które nie wezmą nas do raju...

Szeregowy, celowniczy

Urodziłam bliźnięta, dwóch chłopców... Ale tylko jeden z bliźniaków przeżył...

Do osiemnastu lat, do pełnoletności, dopóki nie przyszło powołanie do wojska, oboje byliśmy na liście Instytutu Ochrony Macierzyństwa. Czyż takich żołnierzy trzeba było posyłać do Afganistanu? Sąsiadka miała rację, kiedy mi wyrzucała: „Nie mogłaś zebrać paru tysięcy i dać komuś w łapę?". Ktoś dał i ocalił syna. A mój pojechał zamiast tamtego. Nie rozumiałam, że syna trzeba ratować pieniędzmi, ja go ratowałam duszą.

Przyjechałam do niego na przysięgę. Widzę, że jest nieprzygotowany do wojny, zagubiony. Zawsze byliśmy w stosunku do siebie szczerzy, więc mówię.

– Nie jesteś gotów na to, Kola. Spróbuję cię wyreklamować.

– Mamo, nie poniżaj się, o nic się nie staraj. Myślisz, że ktoś się przejmie tym, że nie jestem gotów? Kto tutaj na to zwraca uwagę?

Mimo wszystko udało mi się uzyskać audiencję u dowódcy batalionu. Zaczęłam go prosić:

– To mój jedyny syn... Jeśli coś się stanie, nie dam rady przeżyć. A on nie jest gotowy do wojny. Widzę, że nie jest.

Dowódca potraktował mnie ze zrozumieniem.

– Proszę się zwrócić do swojej komisji uzupełnień. Jeśli dostanę oficjalne pismo, to dam synowi przydział w Związku Radzieckim.

Samolot przyleciał w nocy, a o dziewiątej rano byłam już w komisji. Komisarzem był towarzysz Goriaczow. Siedzi, rozmawia przez telefon. A ja stoję.

– Słucham panią?

Opowiadam. Znowu dzwoni telefon. Komisarz podnosi słuchawkę, a do mnie mówi:

– Żadnego pisma nie będę wysyłał.

Błagam go na klęczkach. Gotowa byłam całować mu ręce.

– Przecież to mój jedyny syn...

Nawet nie wstał zza biurka.

Wychodzę, ale niezrażona dalej go proszę:

– Niech pan zapisze nazwisko...

Mimo wszystko miałam nadzieję – może się namyśli, może rozpatrzy sprawę syna, chyba nie jest z kamienia?

Minęły cztery miesiące. Mieli tam przyśpieszone trzymiesięczne kursy, więc syn napisał już z Afganistanu. Jakieś cztery miesiące... W sumie jedno lato...

Któregoś ranka szłam do pracy... Schodziłam po schodach, a oni wchodzili... Trzech wojskowych i kobieta. Wojskowi szli z przodu, czapkę każdy niósł w lewej, na wpół zgiętej ręce. Skądś już wiedziałam, że to żałoba. Taki znak... Wtedy pobiegłam na górę. A oni najwyraźniej domyślili się, że jestem matką. Poszli za mną... A ja wtedy – do windy i na dół... Musiałam wyskoczyć na ulicę, uciec. Ratować się! Nic nie słyszeć! Nic! Ale zanim zjechałam na parter – bo winda się zatrzymywała, ludzie wchodzili – tamci już stali tam i czekali. Naciskam guzik i w górę... Na swoje piętro. Słyszę, jak wchodzą... Chowam się w sypialni. Oni za mną... Z tymi czapkami na rękach...

Jednym z nich był komisarz Goriaczow... Póki miałam siłę, rzucałam się na niego jak kotka i krzyczałam:

– Pan jest cały we krwi mojego syna! Cały we krwi mojego syna!

Co prawda nic nie mówił, chciałam go nawet uderzyć. Ale milczał. Potem już nic nie pamiętam...

Dopiero po roku zapragnęłam się zbliżyć do ludzi. A przedtem ciągle siedziałam sama, jak trędowata. Nie miałam racji, bo ludzie nic nie byli winni. Ale wtedy mi się zdawało, że wszyscy ponoszą winę za śmierć mego syna – i znajoma sprzedawczyni w piekarni, i nieznajomy taksówkarz, i komisarz Goriaczow – wszyscy. Ciągnęło mnie nie do takich ludzi, ale do takich jak ja.

Poznawaliśmy się na cmentarzu, przy grobach. Pod wieczór po pracy jedna matka śpieszy tam z autobusu, druga już siedzi przy swoim kamieniu, płacze, trzecia maluje ogrodzenie. Rozmawiamy wszystkie o tym samym... O synach... Rozmawiamy tak, jakby żyli. Te rozmowy umiem już na pamięć...

– Wyszłam na balkon, patrzę, a na dole stoi dwóch oficerów i lekarz. Weszli do bramy. Patrzę przez wizjer, dokąd pójdą. Zatrzymali się na naszym piętrze. Idą w prawo... Do sąsiadów?! Też mają syna w wojsku... dzwonek... Otwieram drzwi. „Mój syn nie żyje?" – „Musi pani być silna..."

– A do mnie z punktu: „Proszę pani, trumna stoi przed wejściem, gdzie ją mamy postawić?". Mieliśmy iść z mężem do pracy... Smażyliśmy na kuchence jajecznicę. Woda gotowała się w czajniku.

– Zabrali, ostrzygli. A po pięciu miesiącach przywieźli w trumnie.

– Mojego też po pięciu...

– Mojego po dziewięciu...

– Pytam tego, kto przywiózł trumnę: „Czy tam jest coś w środku?". „Widziałem, jak go kładli do trumny. Jest w środku". Patrzę na niego i patrzę, a on spuszcza głowę i mówi: „No, coś tam jest...".

– A zapach się czuło? U nas tak...

– U nas też. Nawet białe robaczki spadały na podłogę...

– A u mnie nic nie było czuć. Poza świeżym drewnem. Surowymi deskami...

Jeśli helikopter się spalił, to zbierają ich po kawałku. Znajdują rękę, nogę... Rozpoznają po zegarku... Po skarpetkach.

– A u nas na podwórzu trumna stała przez godzinę. Syn był desantowcem, miał dwa metry wzrostu. Przywieźli sarkofag – drewnianą trumnę i drugą, cynkową... W naszych klatkach schodowych z taką nie da się obrócić... Siedmiu chłopów ledwie ją dźwignęło...

– Mojego syna wieźli osiemnaście dni... Musi się zebrać cały ich samolot... „czarny tulipan"... Najpierw zawieźli trumnę na Ural, potem do Leningradu... Dopiero potem do Mińska...

– Ani jednej jego rzeczy nie zwrócili. Niechby coś zostało na pamiątkę... Syn palił, to chociaż zapalniczka mogła zostać...

– Że nie otwierają trumny, to dobrze... Nawet nie widzieliśmy, co zrobili z naszymi synami. Mam go zawsze żywego przed oczami. Całego.

Tak właśnie siedzimy, póki słońce nie zajdzie. Dobrze nam tam, bo wspominamy nasze dzieci.

Jak długo będziemy żyć? Z takim bólem w duszy człowiek długo nie pożyje. I z takim poczuciem krzywdy.

W rejonowym komitecie wykonawczym obiecali mi:

– Damy pani nowe mieszkanie. Może sobie pani wybrać dowolny dom w naszej dzielnicy.

Znalazłam. Dom z cegieł, a nie z płyty, nowego typu. I na cmentarz łatwo dojechać. Bez przesiadki. Wymieniam adres.

– Czy pani oszalała? To dom ĸc, dla elity partyjnej.

– Aha, to krew mojego syna jest taka tania?

Sekretarz partii w naszym instytucie jest porządnym człowiekiem, uczciwym. Nie wiem, jak trafił do ĸc, ale poszedł tam się za mną wstawić. Mnie powiedział tylko tyle:

– Musiałabyś słyszeć, co mi nagadali. To jest, mówią, przybita nieszczęściem kobieta, a ty czego się wtrącasz? Omal mnie z partii nie wyrzucili.

Powinnam była sama iść. Ciekawe, co by mi odpowiedzieli?

Będę dzisiaj u synka... Spotkam się z przyjaciółkami. Mężczyźni walczą na wojnie, a kobiety po niej... Nasza wojaczka zaczyna się po wojnie...

Matka

Byłem głupi... Miałem osiemnaście lat... Co mogłem z tego rozumieć? (*Śpiewa*):

Od Kaukazu do Lozanny,
Od Helsinek do Tambowa
Za mundurem lecą panny.
Co tak im się w nas podoba?

Piosenka huzara... Podobałem się sobie w mundurze, pasował mi. Mężczyzna w mundurze wojskowym zawsze podoba się kobietom. Tak było dwieście lat temu, sto i dzisiaj też tak jest. Pokazywano wojnę w telewizji, nie mogłem się oderwać. Ekscytowały mnie strzały, ekscytowała śmierć. Tak, ekscytowały i tyle. Trafiłem na wojnę i w pierwszych miesiącach chciałem, żeby na moich oczach kogoś zabili; żebym mógł napisać o tym do przyjaciela. Byłem głupi... Miałem osiemnaście lat...

Z przysięgi wojskowej:

„...na rozkaz rządu radzieckiego zawsze gotów jestem stanąć w obronie mojej ojczyzny – Związku Socjalistycznych Republik Radzieckich i jako żołnierz Sił Zbrojnych ZSRR przysięgam bronić jej mężnie, mądrze, z godnością i honorem, nie szczędząc swojej krwi, a nawet życia aż do pełnego zwycięstwa nad wrogiem..."

Afganistan wydał mi się rajem... Przedtem widziałem coś takiego tylko w „Klubie podróży" w telewizji... Domy z gliny, nieznane ptaki. Girlandy gór. Gór nigdy nie widziałem. Ani wielbłądów... Zobaczyłem, jak rosną pomarańcze... O tym, że miny wiesza się na drzewach tak jak pomarańcze (wybuchają, kiedy antena zaczepi o gałąź), dowiedziałem się później. Kiedy zaczynał wiać wiatr „afgan", człowiek stawał się ślepy, nie widział dalej niż na wyciągnięcie ręki. Jak przynosili kaszę, to piasku tam było pół menażki... Po kilku godzinach – słoneczko, widać wierzchołki gór. Seria z karabinu maszynowego albo strzał z granatnika, szczęknięcie karabinu strzelca wyborowego. Dwóch nie ma. Postaliśmy, postrzelali. Ruszamy dalej. I znowu słoneczko, góry. Błysk żmii, która zniknęła w piasku. Błysk ryby... (*Zamyśla się*). Zazwyczaj źle mówię. Jąkam się... Dzisiaj się staram... W szkole nie byłem bardzo dobrym uczniem, a na wojnie nie byłem bohaterem. Zwykły miejski chłopak. Chowałem się na podwórzu, rodzice nie mieli kiedy mnie wychowywać. Nie wiem, jak mam odpowiadać na pani pytania. Nie potrafię... Jestem człowiekiem przeciętnym, nigdy nie zastanawiałem się nad wielkimi sprawami. Pamiętam jedno… Nawet kiedy tuż obok świszczą kule, człowiek jeszcze nie ma pojęcia, co to jest śmierć. Leży ktoś w piasku, woła się go… Jeszcze nie rozumiemy, że to śmierć… Tak właśnie jest… Byłem ranny w nogę, niezbyt ciężko… Pomyślałem: „Chyba jestem ranny". Byłem zdziwiony. Tak jakbym patrzył z boku. Noga boli, ale jeszcze nie wierzyłem, że to mnie się wydarzyło. Byłem nowy, jeszcze miałem ochotę postrzelać. Koledzy wzięli nóż, rozcięli cholewę. Widzą, że mam przebitą żyłę. Nałożyli opaskę. Bolało, ale nie mogłem okazywać, że mnie boli, nie szanowałbym siebie jako mężczyzny. Znosiłem ból. Biegłem od czołgu do czołgu, świetny cel ze stu metrów. Tam był ostrzał, ale nie mogłem powiedzieć, że nie pobiegnę albo że się nie poczołgam. Nie miałbym szacunku do siebie… Przeżegnałem się i – naprzód… Pokuśtykałem… W butach krew, wszędzie krew. Walka trwała jeszcze ponad godzinę. Wyjechaliśmy o czwartej rano, walka skończyła się o czwartej po południu, a my nic nie jedliśmy przez ten czas. Miałem dłonie powalane własną krwią, ale mi to nie przeszkadzało, jadłem nimi chleb. Potem się dowiedziałem, że w szpitalu umarł mój przyjaciel, kula trafiła go w głowę. Myślałem, że skoro zginął, to po kilku dniach na wieczornym apelu ktoś o nim powie „Igor Daszko zginął, wypełniając internacjonalistyczny obowiązek". Był taki sam cichy jak ja, żaden bohater, ale mimo wszystko nie powinni o nim tak od razu zapomnieć, skreślić go z ewidencji. Ale nikt poza mną już nie pamiętał… Postanowiłem się z nim pożegnać… Leżał w trumnie… Długo patrzyłem, wpatrywałem się, żeby potem to wspominać…

W Taszkencie… W kasach nie było biletów. Wieczorem umówiliśmy się z konduktorami z pociągu, daliśmy im po pięćdziesiąt rubli, wsiedli i pojechali. Było nas w wagonie ledwie czterech, do tego dwóch konduktorów, każdy dostał po stówie. Faceci robili biznes. A myśmy to mieli gdzieś! Śmialiśmy się bez powodu, a w naszych duszach tłukło się: „Żyjemy! Żyjemy!".

Otworzyłem drzwi własnego domu… Wziąłem wiadro i poszedłem przez podwórze po wodę… Przez nasze podwórze!

Odznaczenie wojskowe – medal – wręczono mi na uczelni. Potem ukazał się artykuł w gazecie: *Odznaczenie znalazło bohatera.* Śmieszne, bo brzmiało tak, jakby od wojny minęło czterdzieści lat, a mnie odszukali „czerwoni detektywi". I wcale nie mówiłem, że pojechaliśmy tam po to, by nad ziemią afgańską wzeszła jutrzenka rewolucji kwietniowej*. A tak napisali...

Przed wojskiem lubiłem polować. Marzyłem, że jak odsłużę wojsko, to pojadę na Syberię i zostanę myśliwym. Byłem głupi... Miałem osiemnaście lat... A teraz? Poszliśmy na polowanie z przyjacielem; on strzelił do dzikiej gęsi, a potem zobaczyliśmy, że jest ranna. Biegłem za nią... Przyjaciel strzelał. A ja biegłem, żeby złapać żywą. Nie chciałem zabijać...

Byłem... chłopaczkiem... Co mogłem zrozumieć? Czytałem dużo książek o wojnie, są ładnie napisane. A ja nie mam o czym opowiadać...

(*Chcę już odejść, ale on nagle otwiera lodówkę, wyjmuje butelkę wódki, nalewa pół szklanki i wypija duszkiem*).

Do kurwy nędzy z tym życiem! Z tą wojną! Żona powiedziała: „Jesteś faszysta!" – i odeszła. Zabrała córeczkę. Wszystko, co tu pani nagadałem, to – fiuu! Bajki! Nie znam się na kobietach, nie wiem, jak świat jest urządzony... Na wojnie myślałem, że wrócę i się ożenię. Przyjechałem, ożeniłem się. (*Nalewa sobie jeszcze wódki*). Wódka... Książki i wódka... Tutaj tkwi tajemnica duszy rosyjskiej, tutaj trzeba szukać podstaw rosyjskiego patriotyzmu. Wierzymy słowom, tym robaczkom na papierze... „Jesteś faszysta!" – i odeszła. Niech szlag trafi te kremlowskie mumie! Potrzebowali rewolucji światowej... A ja mam tylko jedno życie... Tylko jedno! Pamiętam oczy psa, który warował przy zabitym żołnierzu... Eeee... Cholerne mumie! Wczoraj miałem sen... Ludzie biegali szybko jak pociski i działali jak

---

* Rewolucja kwietniowa – przewrót wojskowy w Kabulu dokonany 27 kwietnia 1978 roku przez oddziały sprzyjające marksistowskiej Ludowo-Demokratycznej Partii Afganistanu. W wyniku rewolucji prezydent Muhammad Daud Chan został zamordowany, a władzę objęła L-DPA, która zaczęła wprowadzać w kraju ustrój socjalistyczny na modłę radziecką.

pociski. Spadały bomby... Nie wiem jakie, ale wszyscy ludzie martwi, tylko autobus i bagaże były całe... W komplecie! Eeech... Kocham! Kocham ją... Nie znałem innych kobiet... Mam gdzieś wojnę! Bohaterowie? Bohaterowie to tacy sami ludzie jak reszta: pijacy, łgarze, pazerni. Niech pani nie wymyśla bohaterów. Nie zmyśla... Proszę lepiej napisać o miłości... Czym pachnie wojna? Eee... To nie jest zapach śmierci, tylko morderstwa. Śmierć pachnie inaczej... (*Nalewa jeszcze wódki*). Wódki damie nie proponuję, a wina, cholera, nie mam, nie pijam. Za miłość! Sami Afgańczycy nie bali się śmierci... Jeśli ludzie nie boją się śmierci, to po co ich zabijać? Jaki to ma sens? Chłopaki z Riazania, z zabitych deskami wsi na Syberii... Uznaliśmy, że skoro nie mają w domach ubikacji i papieru toaletowego (kamykami się podcierają), to stoją niżej od nas. Wszystko to wymyśliliśmy, żeby łatwiej nam było ich zabijać...

Wszystko to jej opowiadałem... Może niepotrzebnie? Pewnie, że nie... Lepiej było zgrywać bohatera... A ja opowiadałem, że zabić człowieka jest tak samo łatwo jak kaczkę na polowaniu. Bierzesz na muszkę, celujesz i naciskasz spust. Początkowo zamykałem oczy, kiedy strzelałem, a potem patrzyłem. Jestem już pijany... Mogę... Eee... Powiem... Cały czas chciało się kobiety... Nie do przewidzenia, kurde... To, jak się człowiek zachowa na wojnie, jest nie do przewidzenia... Gdybym wrócił jako bohater, żona nie odeszłaby ode mnie. Przegraliśmy wojnę. Kraj się rozwalił. Za co kobiety mają szanować mężczyzn?! Kurde! Upiłem się... *Pardon, madame* pisarko. Chciała pani prawdy? No to ją pani ma... Umrzeć jest łatwo, żyć trudno. No, w takim sensie... No, kiedy... Leży zabity, a z kieszeni wypada kupa czeków. Zbierał na życie, na dobre życie. Byłem głupi... Głupi... A wojna... Sporo jest pięknych rzeczy... Ogień jest piękny... Pali się wioska, spaliła się, ludzie uciekają i uwalniają zwierzęta, wszystkie wypuścili. Wracają... Nie ma domu... Z glinianych ruin wybiegają zwierzęta, a ludzie je ściskają, płaczą, mówią im po imieniu: „Żyjesz! Ty żyjesz!". (*Próbuje postawić szklankę na stole, ale szklanka się przewraca*). Odstawić! Stać!

Stać, mówię, taka twoja! *Pardon, madame...* Piję, sama pani widzi, że piję. Będę pił, dopóki nie zapomnę... Nie zapomnę wojny... Żony... Jestem tak zwany mało pijący... Piję, a ciągle mało... No więc odeszła... Znosiła to pięć lat... Przynosiłem jej kwiaty, w każdej kieszeni miałem bukiecik przebiśniegów. Najwcześniejszych! Jestem pijany... Eeee... Trumny były nieszczelne, zbijane jak skrzynki na owoce... W koszarach... Na ścianie afisz o niewzruszonej przyjaźni radziecko-afgańskiej... Tak! A może żona wróci? To wtedy rzucę picie... (*Bierze do rąk butelkę*). Książki i wódka... Dwie tajemnice Rosji... Teraz dużo czytam... Kiedy człowiek żyje bez miłości, pojawia się dużo czasu. A telewizji nie oglądam... To bzdury! Niech pani pisze, *madame*... Niech pani pisze... Tylko czemu baby piszą o wojnie, a gdzie są faceci? Taka mać! Trzeba znać wojnę... Tego się nie wynosi z książek ani z tego, co widziałem; ja tę wiedzę miałem jeszcze wcześniej. Nie wiem skąd...

O miłości nic nie wiem, dla mnie kobieta jest jeszcze mniej zrozumiała niż wojna. Nie ma nic straszniejszego od miłości...

Szeregowy, czołgista

Kto pani powiedział, że ludzie nie lubią wojny? Kto to pani powiedział?...

Nie jechałem do Afganistanu sam... Miałem ze sobą psa Czarę... Jak zawołałem: „Umrzyj!", to pies padał na ziemię. Wołałem: „Zasłoń oczy!", a on łapami zasłaniał pysk i oczy. Jeśli źle się czułem, byłem zły – siadał obok i płakał. W pierwszych dniach zachwyt, że tam jestem, odbierał mi mowę. Od dzieocka ciężko chorowałem, nie brali mnie do wojska. No ale jak to? Chłopak i nie służył w wojsku? Wstyd. Będą się ze mnie śmiać. Wojsko to szkoła życia, tam człowiek staje się mężczyzną. W końcu się dostałem. Zacząłem pisać prośby, żeby posłali mnie do Afganistanu.

– Zdechniesz tam po dwóch dniach – straszyli mnie.

– Nie, ja tam muszę pojechać.

Chciałem udowodnić, że jestem taki jak inni.

Ukryłem przed rodzicami miejsce służby. Od dwunastego roku życia mam zapalenie węzłów limfatycznych, więc wtedy uderzyliby do wszystkich lekarzy. Napisałem, że mnie wysyłają do NRD. Podałem tylko numer poczty polowej, niby że służę w tajnej jednostce i nie mogę wymieniać nazwy miasta.

Przywiozłem ze sobą psa i gitarę. W oddziale specjalnym zapytali mnie:

– Jak tutaj trafiłeś?

– A tak... – i opowiedziałem, ile składałem podań.

– Sam? Niemożliwe. Co, psychiczny jesteś?

Nigdy nie paliłem. Nabrałem ochoty, żeby zapalić.

Zobaczyłem pierwszych zabitych: nogi odcięte aż po pachwinę, dziura w głowie... Odszedłem i upadłem... No, tak... Bohater! Dookoła piasek i piasek. Nic tam nie rośnie poza cierniami. Z początku myślałem o domu i o mamie, a potem już tylko o wodzie. Pięćdziesiąt stopni ciepła, w zetknięciu z automatem skóra się topi. Chodziłem z poparzonymi, czerwonymi rękami. Ulubione wspomnienie... i diabelska pokusa... Jak w kraju na przepustce chodziliśmy i jedli lody, aż nam gardła cierpły. Po walce zapach spalenizny... Tu nam mówią: „Dusza! Dusza!". Na wojnie dusza to coś abstrakcyjnego, tam człowiek przechodzi w inny stan. Sny miałem ciężkie... Cały czas budził mnie dziki rechot. Czasem nawet ktoś wołał mnie po imieniu... Otwierałem oczy i wtedy przypominało mi się, że jest wojna. Jestem na wojnie! Rano... Chłopaki myją się, golą. Żarty, wierszyki, kawały – na przykład nalewanie komuś wody do spodni... Kiedy nam kazali maszerować, to snu mieliśmy niedużo – dwie, trzy godziny. Najlepiej było dostać wartę na początku nocy, bo najmocniejszy sen ma się rano. Poranna zmiana miała jeszcze obowiązek gotowania herbaty. W marszu jedzenie gotowało się nad ogniskiem. Porcja na drogę: dwie dwustugramowe puszki kaszy z mięsem, mała puszeczka z pasztetem, suchary, dwa opakowania cukru (jak w pociągu) i dwa pakieciki herbaty. Z rzadka wydawano tuszonkę, jedną puszkę na kilka osób. Jak byłem akurat z przyjacielem, to w jego menażce gotowaliśmy kaszę na dwóch, a w mojej – herbatę.

Nocą ktoś zabrał automat zabitemu... Znaleźli. To był nasz żołnierz. Sprzedał w dukanie za osiemdziesiąt tysięcy afgani. Pokazał zakupy: dwa magnetofony, dżinsowe ubrania. My byśmy go zabili, rozszarpali, ale był pod strażą. Na procesie siedział i nic nie mówił. Płakał. W gazetach pisano o „wielkich czynach", a nas to wściekało. Tymczasem wróciłem do domu i po dwóch latach zacząłem wyszukiwać w gazecie te „czyny" i święcie w nie wierzyć.

Tam mi się wydawało, że wrócę do domu i wszystko w swoim życiu przerobię. Zmienię. Wielu się rozwodzi, żeni po raz drugi, wyjeżdża dokądś. Jedni jadą budować ropociągi na Syberii, inni zostają strażakami. Szukają ryzyka. Życie, które polega na zwykłym egzystowaniu, już takiego nie zadowala. Widywałem tam poparzonych chłopaków... Najpierw są żółci, tylko oczy im błyszczą, a jak skóra zlezie, to stają się różowi... A podejście w góry? Wygląda to tak, że każdy niesie pistolet maszynowy (oczywiście), podwójny zapas amunicji (dziesięć kilo), granaty (kolejne kilogramy), no i jeszcze minę – dodatkowe dziesięć kilo; do tego trzeba doliczyć kamizelkę kuloodporną i prowiant. W sumie musieliśmy wnosić na sobie czterdzieści kilo, jeśli nie więcej. Na moich oczach ludzie robili się mokrzy od potu, jakby ulewa ich wysmagała. Widziałem, jak twarz zabitego zastyga w pomarańczową skorupę... Nie wiadomo czemu właśnie pomarańczową... Widziałem przyjaźń, tchórzostwo... Podłość... Tylko proszę, niech pani nas nie bije na odlew... Z tym ostrożnie... Bo teraz dużo jest... Dużo obelg. Tylko dlaczego nikt nie oddawał legitymacji partyjnej? Nikt sobie w łeb nie strzelił, kiedyśmy tam byli? A pani? Kiedyśmy tam byli, co robiła pani, znana pisarka? (*Chce skończyć rozmowę, ale potem się rozmyśla*). Książkę pani pisała, tak? I oglądała telewizję...

Wróciłem... Matka mnie rozebrała jak dziecko i całego obmacała.

– Cały jesteś, kochany – mówiła.

Tak, z wierzchu cały, ale w środku płonę. Wszystko mnie drażni: złoszczę się, jak słońce mocno świeci, złoszczę się, kiedy ktoś się śmieje albo śpiewa wesołą piosenkę. Bałem się zostawać w domu sam, spałem z półotwartymi oczami. W moim pokoju są te same co kiedyś książki, zdjęcia, magnetofon, gitara. Nie ma tylko... tamtego mnie... Nie umiem przejść przez park, ciągle się oglądam za siebie. Kiedy w kawiarni kelner staje za moimi plecami i chce przyjąć zamówienie, mam ochotę uciec, bo nie znoszę, kiedy ktoś stoi za mną. Gdy zobaczę jakiegoś drania, pierwszą myślą, jaka przychodzi mi do głowy, jest: „Rozstrzelać gnoja!". Przecież tam mogłem podejść do każdego i zarżnąć go jak kurę... Wojna wszystko przełknie. Tam musieliśmy robić rzeczy odwrotne niż te, które potrzebne są w czasie pokoju. A tutaj trzeba zapomnieć o wszystkich nawykach wyniesionych z wojny. Umiem dobrze strzelać, celnie rzucam granatem. Komu to tutaj potrzebne? Tam się nam zdawało, że mamy czego bronić. Broniliśmy naszej ojczyzny, naszego życia. A tutaj – przyjaciel nie może pożyczyć trzech rubli, bo żona się nie zgadza. Co z niego za przyjaciel?

Zrozumiałem, że w kraju nie jesteśmy potrzebni. Ani też to, cośmy tam przeżyli. To jest zbędne, niewygodne. Zaraz po powrocie pracowałem jako ślusarz i naprawiałem samochody, potem zostałem instruktorem w komitecie rejonowym Komsomołu. Odszedłem stamtąd. Wszędzie bagno. Ludzie są zajęci zarobkami, daczami, samochodami, kiełbasą. My nie obchodzimy nikogo. Gdybyśmy sami nie walczyli o swoje prawa, nic by nie wiedziano o tej wojnie. Gdyby nas nie było tak wielu, setek tysięcy, to przemilczano by nas, tak jak w swoim czasie Wietnam, Egipt... Myśmy tam wszyscy wspólnie nienawidzili „duchów". Kogo mam dzisiaj nienawidzić, żeby mieć przyjaciół?

Poszedłem do komisji uzupełnień i poprosiłem, żeby mnie wysłali dokądkolwiek, byle tam, gdzie jest gorąco... A do komisji zgłasza się pełno takich jak ja – wszyscy, którym wojna poprzestawiała w głowie.

Rano się budzę i dobrze jest, jeśli nie pamiętam, co mi się śniło. Nikomu swoich snów nie opowiadam, ale do mnie wracają... To są ciągle te same sny...

Śni mi się, że śpię i widzę całe morze ludzi... Wszyscy stoją pod naszym domem... Rozglądam się, jest mi ciasno, ale z jakiegoś powodu nie mogę wstać. Wtedy do mnie dociera, że leżę w trumnie... Trumna drewniana, nie ma cynkowej owijki. To pamiętam dobrze... Ale ja żyję, tylko leżę w trumnie. Otwierają się drzwi, wszyscy wychodzą i wynoszą mnie na drogę. Tłum ludzi, wszyscy mają cierpienie na twarzach, i jeszcze jakiś tajemniczy zachwyt... Dla mnie niepojęty... Co się stało? Dlaczego leżę w trumnie? Nagle słyszę, że kondukt się zatrzymuje, a ktoś mówi: „Dajcie młotek"... Wtedy przychodzi mi na myśl, że śnię... Znowu ktoś się odzywa: „Dajcie młotek"... Niby we śnie, ale jest jak na jawie... Ten ktoś po raz trzeci mówi: „Dajcie młotek". Słyszę, że trzasnęło wieko, młotek zaczyna stukać, gwóźdź rani mnie w palec. Zaczynam tłuc głową o wieko, kopać. Raz – i wieko się odrywa i upada. Ludzie patrzą, a ja wstaję, usiadłem w trumnie. Chcę krzyczeć, że to boli. „Dlaczego zabijacie trumnę gwoździami, tam nie ma czym oddychać!" Tamci płaczą, ale nic nie mówią. Wszyscy jakby niemi... Na twarzach mają ten tajemniczy wyraz zachwytu... Taki niewidoczny... Ale ja to widzę... Domyślam się... I nie mam pojęcia, jak do nich przemówić, żeby mnie usłyszeli. Wydaje mi się, że krzyczę, ale usta mam zaciśnięte, nie mogę ich otworzyć. Wtedy kładę się z powrotem do trumny. Leżę i myślę: oni chcą, żebym umarł, i może naprawdę umarłem, i muszę milczeć. Wtedy ktoś znowu się odzywa: „Dajcie mi młotek...".

Szeregowy, telefonista

Dzień trzeci

„Nie udawajcie się do czarowników, ani do wieszczków, ani od nich rady szukajcie..."*

Na początku stworzył Bóg niebo i ziemię...
I nazwał Bóg światłość dniem, a ciemność nocą. I stał się wieczór i zaranek, dzień jeden.
I rzekł Bóg: niech się stanie utwierdzenie między wodami, a niech przedzieli wody od wód...
I nazwał Bóg utwierdzenie niebem. I był wieczór i zaranek, dzień wtóry.
I rzekł Bóg: niech się zbiorą wody, które są pod niebem, na jedno miejsce, a niech się okaże miejsce suche; i stało się tak...
I zrodziła ziemia trawę, ziele wydawające nasienie, i drzewo rodzajne, czyniące owoc, według rodzaju swego, któregoby nasienie było w niem na ziemi...
I stał się wieczór, i stał się zaranek, dzień trzeci...**

Czego szukam w Piśmie Świętym? Pytań czy odpowiedzi? Jakich pytań i jakich odpowiedzi? Ile jest człowieka w człowieku? Jedni sądzą, że sporo, inni twierdzą, że mało. Pod cienką warstwą kultury nagle odnajdujemy bestię. A zatem – ile?

* Księga Kapłańska 19, 31; za Biblią Gdańską.
** Początkowe fragmenty Księgi Rodzaju za Biblią w przekładzie ks. Jakuba Wujka.

Mógłby mi pomóc mój główny bohater... Ten jednak od dawna milczy...

Wieczorem niespodziewanie słyszę dzwonek.

– Wszystko było głupie? Tak? Na to wychodzi? A rozumiesz, co to znaczy dla mnie? Dla nas? Jechałem tam jako zwyczajny radziecki chłopak. Ojczyzna nas nie zdradzi! Ojczyzna nie oszuka! Nie zabronisz szalonemu szaleństwa jego... Jedni mówią – wyszliśmy z czyśćca, drudzy, że ze śmietniska. Zaraza na oba wasze domy! Chcę żyć! Chcę kochać! Wkrótce urodzi mi się syn... Dam mu na imię Aloszka – takie miał mój zabity przyjaciel. Potem jak się urodzi dziewczynka, bo chcę jeszcze dziewczynkę, to będzie Alonka...

Przecież nie stchórzyliśmy! Nie oszukaliśmy was! Dosyć, basta! Więcej nie będę dzwonił... Dla mnie ta historia jest skończona. Wychodzę z niej... Nie zastrzelę się i nie rzucę głową w dół z balkonu. Chcę żyć! Kochać! Drugi raz przeżyłem... Pierwszy raz tam, na wojnie, a drugi – tutaj. Koniec! Żegnam!

Odłożył słuchawkę.

A ja jeszcze długo z nim rozmawiam... Słucham...

Autorka

Nad grobami powieście tabliczki, na nagrobkach wyryjcie, że to wszystko było niepotrzebne! Wyryjcie na kamieniach, żeby zostało na wieki...

Tam jeszcze ginęliśmy, a tu już nas sądzono. Przywożono do kraju rannych i wyładowywano na zapleczu lotniska, żeby ludzie nie widzieli. Nie wiedzieli... Nikt z was się nie zastanawiał, dlaczego po służbie w wojsku w czasie pokoju młodzi chłopcy wracają z Orderem Czerwonej Gwiazdy i medalami: „Za Odwagę", „Za Zasługi Bojowe". Przywożą trumny i inwalidów. Nikt takich pytań nie zadawał... Nie słyszałem... Słyszałem co innego... W osiemdziesiątym szóstym przyjechałem na urlop, a mnie pytali: „Wy się tam opalacie, łowicie ryby, zarabiacie niesamowite pieniądze?". Gazety milczały albo kłamały. Telewizja to samo. Teraz piszą, że byliśmy okupantami. Jeśli byliśmy okupantami, to dlaczegośmy im tam rozdawali jedzenie, lekarstwa? Wchodzimy do wioski, a oni się cieszą... Wychodzimy – też się cieszą... No i do dzisiaj nie wiem, dlaczego zawsze się cieszyli.

Jedzie autobus... Siedzą dzieci i kobiety, nawet na dachu. Zatrzymujemy ich do kontroli. Suchy strzał z pistoletu – i mój żołnierz upada twarzą w piasek... Obracamy go na plecy – kula trafiła prosto w serce... Gotów byłem ich wszystkich rozwalić z granatnika... Zrewidowaliśmy ich i nie znaleźli pistoletu ani żadnej innej broni. Kosze z owocami, miedziane czajniki na sprzedaż. W autobusie same kobiety i dzieci, jak cyganiątka. A mój żołnierz upadł twarzą w piach...

Nad grobami powieście tabliczki, wyryjcie na nagrobkach, że to było niepotrzebne!

Szliśmy jak zazwyczaj... Na kilka chwil nagle straciłem dar mowy... Ogarnęło mnie jakieś przeczucie... Chciałem zawołać „Stój!", ale nie mogłem. Szedłem dalej... Wybuch! Na jakiś czas... Na chwilę... straciłem przytomność, a potem zobaczyłem, że leżę na dnie leja. Zacząłem się wyczołgiwać. Nie czułem bólu... Brakowało tylko sił, żeby się czołgać, wszyscy mnie wyprzedzali... Wszyscy wyprzedzali, a trzeba było się czołgać czterysta metrów... Potem ktoś powiedział:

– Usiądźmy. Już jesteśmy bezpieczni.

Chciałem usiąść jak wszyscy i dopiero wtedy stwierdziłem, że nie mam nóg... Przyciągnąłem do siebie automat, chciałem się zastrzelić! Wtedy mi go wyrwali... Ktoś powiedział:

– Majorowi urwało nogi... szkoda majora...

Kiedy tylko usłyszałem to słowo „szkoda", ból rozszedł się po całym moim ciele... Taki straszny ból, że zacząłem wyć...

Do dzisiaj mam zwyczaj chodzić tylko drogą. Po asfalcie. Nie pójdę nigdy leśną ścieżką... Boję się chodzić po trawie... Koło naszego domu wiosną jest miękka trawa, ale mnie ona i tak przeraża.

W szpitalu ci, którzy nie mieli obu nóg, woleli leżeć w jednej sali. Zebrało się nas czterech takich... Koło każdego z łóżek stały dwie drewniane nogi, w sumie osiem... Na 23 lutego, w święto Armii Radzieckiej, nauczycielka przyprowadziła do nas uczennice z kwiatami. Miały złożyć nam życzenia. Ale stały i płakały. Przez dwa dni w sali nikt nie sięgnął po jedzenie. I nikt nic nie mówił. Do jednego przyszedł krewny, częstował nas tortem.

– Wszystko to było niepotrzebne, chłopaki! Niepotrzebne. Ale nie szkodzi... Dadzą wam rentę, całymi dniami będziecie oglądali telewizję.

– A idź ty!

Poleciały ku niemu cztery kule.

Jednego potem w toalecie zdjąłem z pętli... Okręcił szyję prześcieradłem, chciał się powiesić na klamce... Dostał list od dziewczyny: „Wiesz, »afgańcy« już nie są w modzie...". A on tu – bez obu nóg...

Nad grobami powieście tabliczki, wyryjcie na nagrobkach, że to było niepotrzebne! Powiedzcie to poległym...

Major, dowódca kompanii strzelców górskich

Wróciłam stamtąd z poczuciem, że chcę długo siedzieć przed lustrem... I rozczesywać włosy...

Chcę urodzić dziecko. Prać pieluszki, słyszeć płacz dziecka. Ale lekarze nie pozwalali. „Pani serce nie wytrzyma takiego obciążenia". Nie posłuchałam... Swoją córeczkę urodziłam z wielkim trudem... Robili mi cesarkę, bo już zaczynał się atak serca. W szpitalu dostałam list od przyjaciółki: „Ale nikt nie rozumie – pisała – że wróciliśmy chorzy. Powiedzą, że to przecież nie jest rana...".

No a teraz na pewno nikt nie uwierzy, jak wszystko się dla mnie zaczęło... Wiosną osiemdziesiątego drugiego roku... Byłam na trzecim roku studiów zaocznych na wydziale filologicznym, kiedy wezwano mnie do komisji uzupełnień.

– W Afganistanie potrzebne są pielęgniarki. Co pani o tym sądzi? Będzie pani tam dostawać półtorej pensji. Dodatkowo czeki.

– Ale ja studiuję. – Po skończeniu szkoły medycznej pracowałam jako pielęgniarka, ale marzyłam o innym zawodzie, chciałam zostać nauczycielką. Jedni swoje powołanie znajdują od razu, a ja za pierwszym razem się pomyliłam.

– Jest pani komsomołką?

– Tak.

– To proszę się zastanowić.

– Chcę studiować.

– Radzimy pomyśleć. A jeśli nie, to zadzwonimy na uniwersytet i powiemy, jaka z pani komsomołka. Ojczyzna jest w potrzebie...

W samolocie z Taszkentu do Kabulu moją sąsiadką okazała się dziewczyna, która wracała z urlopu.

– A żelazko zabrałaś ze sobą? Nie? A kuchenkę elektryczną?

– Jadę na wojnę.

– Aha, rozumiem, jeszcze jedna głupia romantyczka. Naczytała się książek o wojnie...

– Nie lubię książek o wojnie.

– No to po co jedziesz?

To cholerne „po co" będzie mnie tam prześladowało przez całe dwa lata.

No bo rzeczywiście: „po co?".

To, co nazywano punktem przesyłowym, było długim szeregiem namiotów. W namiocie pod nazwą „Stołówka" dawano trudną do zdobycia kaszę gryczaną i witaminy Undevit.

– Ładna z ciebie dziewczyna. Po co tu przyjechałaś? – zapytał starszy oficer.

Rozpłakałam się.

– Ktoś ci zrobił krzywdę?

– Tak, pan.

– Ja?!

– Jest pan dziś piątą osobą, która mnie pyta, po co tu jestem.

Z Kabulu do Kunduzu samolotem, a z Kunduzu do Fajzabadu – śmigłowcem. Z kimkolwiek zaczęłam rozmawiać o Fajzabadzie, mówił to samo: „Coś ty? Tam strzelają, zabijają, krótko mówiąc – żegnaj!".

Popatrzyłam na Afganistan z lotu ptaka, wielki, piękny kraj: góry jak u nas, górskie rzeki jak u nas (byłam na Kaukazie), przestrzenie jak u nas. Pokochałam go!

W Fajzabadzie zostałam instrumentariuszką. Moim królestwem był namiot z napisem „Sala operacyjna". Cały szpital polowy mieścił się w namiotach. Żartowano: „Spuściłem nogi z łóżka i już jestem w pracy". Pierwsza operacja – rana tętnicy podobojczykowej u starej Afganki. Gdzie zaciski naczyniowe? Zacisków brakuje. Trzymałam palcami. Potrzebny jest materiał do szycia... Bierze się jedną rolkę z jedwabiem, jeszcze jedną, i nagle obie rozsypują się w proch. Widocznie leżały w magazynach jeszcze od tamtej wojny, od czterdziestego pierwszego roku...

Ale uratowaliśmy tę Afgankę. Wieczorem zajrzeliśmy z chirurgiem na oddział. Chcieliśmy się dowiedzieć, jak się czuje. Leżała z otwartymi oczami, zobaczyła nas... Poruszyła ustami... Myślałam, że chce nam coś powiedzieć. Podziękować. A ona chciała plunąć na nas... Nie rozumiałam wówczas, że mają prawo nas nienawidzić. Z jakiegoś powodu oczekiwałam od nich miłości. Stałam jak wryta – my ją ratujemy, a ona...

Rannych przywożono śmigłowcami. Biegłyśmy, słysząc huk śmigłowca.

Słupek rtęci w termometrze zastyga na kresce przy czterdziestu stopniach... Czterdzieści powyżej zera! Zdarzało się i pięćdziesiąt... W sali operacyjnej nie było czym oddychać. Ledwie nadążałam z ocieraniem serwetką czoła chirurgom, a stali nad otwartymi ranami. Przez rurkę kroplówki, przeprowadzonej pod maską, ktoś z „niesterylnych" medyków dawał im się napić. Brakowało syntetycznej krwi. Wołają żołnierza. Ten od razu kładzie się i oddaje krew. Dwaj chirurdzy... Dwa stoły... I ja – jedyna instrumentariuszka... Asystowali interniści, którzy nie mieli pojęcia o sterylności. Miotałam się między dwoma stołami. Nagle nad jednym ze stołów zgasła żarówka. Ktoś zaczął wykręcać ją sterylnymi rękawiczkami.

– Won mi stąd!

– Coś ty?

– Won!

Na stole leży człowiek... Ma otwartą klatkę piersiową...

– Won!

Nieraz całą dobę spędzałam przy stole operacyjnym, a zdarzało się, że i dwie. To przywozili rannych z pola walki, to nagle jakiegoś „samouszkodzeniowca" – ktoś strzelił sobie w kolano albo zranił w palce u ręki. Morze krwi... Brakowało waty...

Tymi, którzy sami do siebie strzelali, gardzono. Nawet my, służba zdrowia, im wymyślaliśmy:

– Chłopaki giną, a tobie się zachciało do mamy? Kolanko sobie zranił... Paluszek zaczepił... Miałeś nadzieję, że cię wyślą do Sojuza? Dlaczego w skroń sobie nie strzeliłeś? Bo ja na twoim miejscu bym strzeliła.

Przysięgam pani, tak właśnie mówiłam! Wtedy wydawali mi się godnymi pogardy tchórzami, teraz już wiem, że to mogła być forma protestu, niechęć do zabijania. Ale dopiero teraz to zaczynam rozumieć.

W osiemdziesiątym czwartym... Wróciłam do domu... Znajomy chłopak spytał niezdecydowanie:

– Jak myślisz, czy to dobrze, że tam byliśmy?

Byłam oburzona:

– Gdyby nie my, to byliby tam Amerykanie. Jesteśmy internacjonalistami.

Tak jakbym miała tego dowody.

Zdumiewające, jak mało tam rozmyślaliśmy. Widzieliśmy naszych chłopaków pokaleczonych, popalonych. Widzieliśmy ich i uczyli się nienawidzić. Myśleć – nie. Lataliśmy helikopterami... Piękno zapierało dech w piersiach! Pustynia jest piękna po swojemu, piasek nie jest martwy, porusza się, żyje. Pod nami rozpościerały się góry, pokryte czerwonymi makami czy też innymi kwiatami, których nie znałam... Ale już nie potrafiłam zachwycać się tym pięknem. Najzupełniej szczerze – już nie mogłam. Najbardziej lubiłam maj, który palił nas swoim żarem, wówczas patrzyłam na pustą, suchą ziemię z mściwą satysfakcją. „Dobrze wam tak. Przez was tu giniemy, cierpimy". Nienawidziłam ich!

Nie pamiętam dni... Pamiętam rany... rany postrzałowe, rany szarpane... Helikoptery lądują i lądują. Sanitariusze idą z noszami... Chłopcy leżą przykryci prześcieradłami, a na bieli rozpełzają się czerwone plamy...

Zastanawiam się... Pytam samą siebie... Dlaczego wspominam tylko straszne rzeczy? Bo przecież były tam i przyjaźń, i wzajemna pomoc. Bohaterstwo również. Może przeszkadza mi tamta stara Afganka? To mnie zbija z tropu... Uratowaliśmy ją, a ona nam chciała plunąć w twarz. Potem się dowiedziałam... Przywieźli ją z wioski, przez którą przeszli nasi specnazowcy... Nikogo tam nie zostawili przy życiu, została ona jedna. Z całego kiszłaku. Ale jeśli mam drążyć sprawę dalej, to właśnie z tego kiszłaku strzelano i strącono dwa nasze helikoptery. Poparzonych pilotów dobili widłami... No a jeśli drążyć tak do samego końca... W ogóle się nie zastanawialiśmy, kto zaczął, a kto tylko zareagował. Nam szkoda było wyłącznie swoich...

Naszego lekarza wysyłali do działań bojowych. Kiedy wrócił z pierwszego wypadu, płakał:

– Całe życie uczyli mnie leczyć. A dzisiaj zabijałem... Za co ich zabijałem?

Po miesiącu spokojnie analizował swoje uczucia:

– Strzela się i wpada w zapał: a masz, a masz!

W nocy spadały na nas szczury, więc łóżka osłanialiśmy gazą. Muchy były wielkości łyżeczki do herbaty. Przyzwyczailiśmy się i do nich. Nie ma zwierzęcia mniej wybrednego niż człowiek. Nie ma!

Dziewczęta suszyły skorpiony na pamiątkę. Grube, wielkie, sterczały na szpilkach albo wisiały na nitkach jak broszki. Ja natomiast uprawiałam „tkactwo". Brałam od lotników sznury od spadochronów i wyciągałam z nich nici, które potem sterylizowałam. Tymi nićmi zaszywaliśmy, cerowali rany. Z urlopu przywoziłam walizkę igieł, zacisków, materiałów do szycia. Wariatka! Przywiozłam żelazko, żeby zimą nie suszyć mokrego fartucha na samej sobie. I kuchenkę elektryczną.

Nocami cała sala kręciła kulki z waty, praliśmy i suszyli serwetki z gazy. Byliśmy jedną rodziną. Przeczuwaliśmy już, że kiedy wrócimy, będziemy straconym pokoleniem. Ludźmi zbędnymi.

Kiedy zaczęły przyjeżdżać sprzątaczki, bibliotekarki, kierowniczki hoteli, myśmy najpierw się dziwili – po co sprzątaczka na parę pawiloników albo bibliotekarka dla dwóch dziesiątków sfatygowanych książek? Po co tysiące kobiet na tej wojnie? Gdzie tu logika? No, rozumie pani... trudno to wyrazić w sposób kulturalny... Literackim językiem... Mówiąc po prostu, miało to tylko jeden cel... Żeby mężczyźni się nie wściekli... Myśmy unikały tych kobiet, choć nam nie zrobiły nic złego.

A ja tam kochałam... Miałam ukochanego... On nadal żyje... Oszukałam męża, bo kiedy wyszłam za mąż, powiedziałam, że ten, którego kochałam, zginął. Ale nie, nie zabili go... To myśmy zabili naszą miłość...

– A spotkałaś kiedyś żywego „ducha"? – pytali mnie w domu. – Pewnie miał gębę bandyty i kindżał w zębach?

– Spotkałam. To był przystojny młody człowiek. Skończył Politechnikę Moskiewską.

Mój młodszy brat wyobrażał sobie kogoś z *Hadżi-Murata* Tołstoja.

– A dlaczego pracowaliście po dwie, trzy doby? Mogliście odpracować osiem godzin i odpocząć.

– Coście wy? Nie rozumiecie?!

Nie rozumieją... A ja wiem, że nigdzie już nie będę tak potrzebna jak tam. Chodzę do pracy, czytam książki, piorę. Słucham muzyki. Ale tutaj brakuje tego sensu życia, który tam czułam. Tu wszystko jest połowicznie... Na pół gwizdka...

Pielęgniarka

Urodziłam dwóch synów, dwóch kochanych chłopców...

Rośli: jeden duży, drugi mały. Kiedy starszy Sasza miał iść do wojska, młodszy Jura chodził do szóstej klasy.

– Sasza, dokąd cię wysyłają?

– Pojadę tam, dokąd każe mi ojczyzna.

Mówię do młodszego:

– Popatrz, Jura, jakiego masz brata!

Przyszedł list z wojska. Jura biegnie z nim do mnie.

– Naszego Saszę posyłają na wojnę?

– Synku, na wojnie zabijają.

– Nie rozumiesz, mamo. Wróci z medalem „Za Odwagę".

Wieczorem bawią się z kolegami na podwórzu – walczą z „duchami".

– Ta-ta-ta... Ta-ta-ta... Ta-ta...

Wraca do domu i pyta:

– Mamo, jak myślisz, kiedy będę miał osiemnaście lat, to wojna już się skończy?

– Wolałabym, żeby się skończyła.

– Nasz Sasza miał szczęście, zostanie bohaterem. Lepiej byłoby, żebyś urodziła najpierw mnie, a jego później.

Przynieśli walizeczkę Saszy, w niej granatowe kąpielówki, szczoteczkę do zębów, mydelniczkę, a w niej napoczęty kawałek mydła... Zaświadczenie o rozpoznaniu zwłok.

– Pani syn umarł w szpitalu.

A u mnie jak płyta w głowie... Jego słowa: „Pojadę tam, dokąd każe mi ojczyzna... Pojadę tam, dokąd każe mi ojczyzna...".

Wnieśli skrzynię i wynieśli, tak jakby w niej nic nie było.

Jak byli mali, to wołałam: „Sasza!" – i przybiegali obaj; wołałam „Jura!" – też obaj się odzywali.

Siedziałam przez całą noc i wołałam:

– Sasza!

Skrzynia milczała, ciężka, cynkowa skrzynia. Rano podniosłam oczy i zobaczyłam młodszego.

– Juroczka, a ty gdzie byłeś?

– Mamo, kiedy tak krzyczysz, to chciałbym uciec na koniec świata.

Chował się u sąsiadów. Uciekł z cmentarza, z trudem go znaleźli.

Przywieźli odznaczenia Saszy: dwa ordery i medal „Za Odwagę".

– Jura, popatrz, jaki medal!

– Mamo, ja widzę, ale nasz Sasza nie widzi...

Minęły trzy lata, jak syn zginął, i ani razu mi się nie przyśnił. Pod poduszkę kładę sobie jego spodenki, koszulkę.

– Przyśnij mi się, synku. Przyjdź mnie odwiedzić.

Nie przychodzi. Co mu takiego zrobiłam?

Z okna naszego domu widać szkołę i podwórze szkolne. Dzieci tam się bawią – walczą z „duchami". Słyszę ciągle:

– Ta-ta-ta... Ta-ta-ta... Ta-ta...

W nocy leżę i proszę:

– Przyśnij mi się, synku. Przyjdź mnie odwiedzić.

No i kiedyś przyśniła mi się trumna... Okienko tam, gdzie jest głowa, duże... Nachylam się, żeby go pocałować... Ale kto tam leży? To nie mój syn... Ktoś czarny... Jakiś chłopak afgański, ale podobny do Saszy... Pierwsza myśl: „To on zabił mojego syna"... Potem pomyślałam sobie: „Przecież i on nie żyje. Jego też ktoś zabił". Nachylam się i całuję szybkę... Potem budzę się przerażona – gdzie jestem? Co się ze mną dzieje?

Kto był... Jaką przyniósł wiadomość...

Matka

Dwa lata... Mam tego po dziurki w nosie... Zapomnieć... Jak zły sen! Nie było mnie tam! Nie było!

A jednak tam byłem...

Skończyłem uczelnię wojskową... Wykorzystałem należny mi urlop i latem osiemdziesiątego szóstego roku, tak jak mi kazano, przyjechałem do Moskwy i zgłosiłem się do sztabu pewnej ważnej instytucji wojskowej. Znaleźć ją nie było tak łatwo. Wszedłem do biura przepustek i wykręciłem trzycyfrowy numer.

– Pułkownik Sazonow, słucham – odpowiedział ktoś z tamtej strony.

– Dzień dobry, towarzyszu pułkowniku! Melduję się do dyspozycji. Jestem w biurze przepustek.

– Aha, wiem, wiem... Już wiecie, dokąd was wysyłają?

– Do Demokratycznej Republiki Afganistanu. Wnosząc ze wstępnych informacji, do Kabulu.

– To dla was zaskoczenie?

– Melduję, że nie, towarzyszu pułkowniku.

Pięć lat nam wbijano do głów: wszyscy tam traficie. Tak więc wcale bym nie skłamał, gdybym odpowiedział pułkownikowi:

„Czekałem na ten dzień całe pięć lat". Jeśli ktoś wyobraża sobie wyjazd do Afganistanu tak: gwałtowna pobudka po pierwszym telefonie, po męsku powściągliwe pożegnanie z żoną i dziećmi, a o świcie wejście do warczącego samolotu, to się myli. Droga na wojnę miała niezbędną biurokratyczną oprawę. Oprócz rozkazu, automatu, suchego prowiantu potrzebne są zaświadczenia, opinie – „Właściwie interpretuje politykę partii i rządu", paszporty służbowe, wizy, atestaty i wytyczne, świadectwa szczepień, deklaracje celne i karty lądowania. Dopiero wtedy można wsiąść do samolotu i oderwać się od ziemi, po czym usłyszeć okrzyk pijanego kapitana: „Naprzód! Na miny!".

Gazety pisały: „Sytuacja wojenna i polityczna w DRA jest nadal skomplikowana i trudna". Wojskowi twierdzili, że wycofanie pierwszych sześciu pułków należy ocenić wyłącznie jako krok propagandowy. O całkowitym wyprowadzeniu wojsk radzieckich nie może być mowy. „Do końca naszej służby wystarczy" – co do tego nikt z lecących ze mną nie miał wątpliwości. „Naprzód! Na miny!" – krzyczał już przez sen pijany kapitan.

No więc zostałem desantowcem. Od razu pouczono mnie, że wojsko dzieli się na desantowców i solarę. Etymologii słowa „solara" nie zdołałem ostatecznie poznać. Wielu żołnierzy, chorążych i część oficerów robi sobie tatuaże na rękach. Tatuaże nie są specjalnie zróżnicowane, najczęściej są to Ił-76 i pod nim czasza spadochronu. Zdarzają się odstępstwa od schematu. Spotkałem na przykład wersję liryczną – obłoki, ptaszki, spadochroniarz pod czaszą i wzruszający podpis „Kochajcie niebo". Z niepisanego kodeksu desantowców – „Desantowiec klęka tylko w dwóch wypadkach: nad zwłokami przyjaciela i po to, żeby się napić wody ze strumienia".

Zaczęła się moja wojna…

– W dwuszeregu zbiórka! Baczność! Rozkazuję wykonać marsz na trasie: punkt stałej dyslokacji – powiatowy komitet partyjny Bagrami – kiszłak Szewani. Prędkość na trasie wyznacza czołowy pojazd. Odległość między pojazdami – zależnie od prędkości. Sygnały wywoławcze: mój – „Freza", reszta – zgodne z numerami na burtach pojazdów. Automatów z rąk nie wypuszczać. Spocznij!

To był stały rytuał przed wyjazdem naszego oddziału agitacyjnego.

Wskakuję na swoją BRDM, nieduży, zwrotny pojazd opancerzony. Od naszych doradców usłyszałem nazwę potoczną „bali-bali". *Bali* to po afgańsku „tak". Kiedy Afgańczycy sprawdzają mikrofon, to oprócz naszego tradycyjnego „raz-dwa, raz-dwa" mówią *„bali-bali"*. Jako tłumacza interesuje mnie wszystko, co związane z językiem.

– „Salto!", „Salto!" Tu – „Freza". Ruszamy!!!

Za niewysokim kamiennym murem stoją dwa domy pobielone wapnem. Czerwona tabliczka „Powiatowy Komitet Partii". Na ganku czeka na nas towarzysz Lagman. Jest ubrany w bawełnianą radziecką koszulę wojskową.

– *Salam alejkum*, rafik Lagman.

– *Alejkum salam. Czetour asti! Chub asti! Dżor asti! Chaji chajrijat asti?* – reaguje całą salwą tradycyjnych powitań afgańskich, które wszystkie znaczą, że rozmówca zainteresowany jest waszym zdrowiem. Nie trzeba na nie odpowiadać, wystarczy po prostu je powtórzyć.

Dowódca nie pomija okazji do wypowiedzenia swojego ulubionego powiedzonka.

– *Czetour asti? Chub asti? Afgani pederasti!*

Kiedy towarzysz Lagman usłyszał niezrozumiałe wyrażenie, popatrzył na mnie zakłopotany.

– To rosyjskie przysłowie ludowe – wyjaśniam.

Zapraszają nas do gabinetu. Przynoszą na tacy herbatę w metalowych czajnikach. Herbata u Afgańczyków jest nieodłącznym atrybutem gościnności. Bez herbaty nie zaczyna się pracy, nie może się odbyć rozmowa handlowa. Odmówić wypicia herbaty to tak, jakby nie podać ręki na powitanie.

W kiszłaku witają nas starcy i dzieci, wiecznie brudne (bardzo małych nie myją w ogóle, zgodnie z szariatem warstwa brudu chroni od złego), ubrane w byle co. Ponieważ mówię w języku farsi, każdy uważa za konieczne sprawdzić moją wiedzę. Następuje sakramentalne pytanie: „Która godzina?". Odpowiadam, wywołując burzliwy zachwyt (odpowiedział, więc nie udaje, naprawdę zna farsi).

– Jesteś muzułmaninem?

– Muzułmaninem – żartuję.

Domagają się dowodu.

– Znasz kalemę?

Kalema to specjalna formuła, którą wypowiadając, stajemy się muzułmanami.

– *La ilach illa miach wa Muchammed rasul allach* – deklamuję. – Nie ma boga prócz Allacha, a Mahomet jest jego prorokiem.

– *Dost! Dost* (przyjaciel)! – paplają *bacza*, wyciągając chudziutkie rączyny na znak przyjaźni.

Jeszcze wiele razy poproszą mnie, żebym te słowa powtórzył, będą przyprowadzać swoich kolegów i zafascynowani szeptać: „Zna kalemę".

Z urządzenia, które sami Afgańczycy nazwali „Ałła Pugaczowa", już płyną dźwięki ludowych melodii afgańskich. Żołnierze rozpoczynają agitację obrazkową – wieszają na samochodach flagi, plakaty, transparenty. Rozwijają ekran, bo zaraz pokażemy film. Lekarze rozstawiają stoliki, rozkładają pudełka z lekarstwami.

Rozpoczyna się wiec. Naprzód występuje mułła w długiej białej narzucie i białym turbanie. Recytuje surę z Koranu. Po zakończeniu sury zwraca się do Allacha z prośbą, by uchronił wszystkich prawowiernych od zła tego świata. Zgina łokcie i podnosi ręce do nieba. Wszyscy, w tym także my, powtarzamy za nim te ruchy. Po mulle głos zabiera towarzysz Lagman. Z bardzo długą mową. To jest jedna z cech Afgańczyków. Wszyscy tu umieją i lubią przemawiać. W lingwistyce jest taki termin: bogactwo emocjonalne. No więc u Afgańczyków mowa jest nie tylko emocjonalnie bogata, ale nasycona metaforami, epitetami, porównaniami. Afgańscy oficerowie nieraz wyrażali wobec mnie zdziwienie, że nasi polityczni prowadzą zajęcia z kartek.

Na zebraniach partyjnych, posiedzeniach, naradach słuchałem naszych lektorów z tymi samymi papierami i z tym samym językiem: „w awangardzie masowego ruchu komunistycznego", „nieustannie świecić przykładem", „niestrudzenie wprowadzać w życie", „obok sukcesów zdarzają się jednak pewne niedociągnięcia", a nawet „niektórzy towarzysze nie rozumieją". Przed moim przyjazdem do Afganistanu wiece, taki jak ten nasz, od dawna były najzwyklejszym przymusem, ludzie się zbierali, żeby dać się zbadać lekarzom albo dostać torebkę mąki. Znikły owacje i chóralne okrzyki: *Zaido bod!*" („Niech żyje!") z podniesionymi w górę pięściami, które nieodmiennie towarzyszyły wszystkim przemowom w tych czasach, kiedy ludzie jeszcze wierzyli w to, do czego ich próbowano przekonać – w świetlane perspektywy rewolucji kwietniowej. W przyszłość komunizmu.

Bacza nie słuchają przemówień, ciekawi je, jaki będzie film. Mamy jak zwykle kreskówki po angielsku i dwa dokumentalne filmy w językach farsi i pusztu. Tutaj lubiane są indyjskie filmy fabularne albo takie, gdzie jest dużo bójek i strzelaniny.

Po filmie następuje rozdawanie prezentów. Przywieźliśmy worki z mąką i zabawki dla dzieci. Przekazujemy je przewodniczącemu kiszłaku, żeby rozdzielił je między najbiedniejszych i rodziny poległych. Przewodniczący zaklina się, że zrobi wszystko, jak należy, po czym wespół z synem zaczynają taszczyć worki do domu.

– Jak myślisz, rozda? – zaniepokoił się dowódca oddziału.

– Myślę, że nie. Miejscowi podchodzili i ostrzegali, że jest złodziejem. Jutro wszystko to trafi do dukanów.

Pada rozkaz:

– Formować kolumnę. Przygotować się do wyjazdu.

– 112 gotów do wyjazdu… 305 gotów… 307 gotów…

Dzieci żegnają nas gradem kamieni. Jeden z nich trafia we mnie. „Od wdzięcznego narodu afgańskiego" – mówię sobie.

Wracamy do jednostki przez Kabul. Witryny niektórych dukanów ozdobione są napisami po rosyjsku: „Najtańsza wódka", „Wszystkie towary po każdej cenie", „Sklep Braciszek dla rosyjskich przyjaciół". Kupcy wołają po rosyjsku: „polary", „gotowane dżinsy", „serwis Siwy Hrabia na sześć osób", „adidasy na rzepy", „lureks w biało-niebieskie prążki". Na straganach – nasze mleko skondensowane, zielony groszek, termosy, czajniki elektryczne, materace, koce...

Od dawna jestem w domu... Śni mi się Kabul... gliniane domki przyczepione do górskich zboczy. Zapada zmierzch. Zapalają się światła. Z daleka wydaje się człowiekowi, że przed sobą ma olbrzymi drapacz chmur. Gdybym tam nie był, to nieprędko bym się zorientował, że to tylko złudzenie optyczne...

Wróciłem stamtąd i po roku odszedłem z wojska. Nie widziała pani, jak błyszczy bagnet w blasku księżyca? Nie? Ja już nie byłem w stanie na to patrzeć...

Odszedłem z wojska i wstąpiłem na wydział dziennikarstwa. Chcę pisać... Czytam, co piszą inni...

– Znasz kalemę?

– *La ilach illa miach wa Muchammed.*

– *Dost! Dost!*

Głodni żołnierze... Dystroficy. Całe ciało pokryte czyrakami. Awitaminoza. A tam – zawalone rosyjską żywnością dukany. Szaleńczo obracające się źrenice umierającego, trafionego odłamkiem...

Nasz oficer koło powieszonego Afgańczyka. Uśmiechnięty.

Co mam z tym teraz zrobić? Byłem tam... Widziałem takie rzeczy, ale nikt o tym nie pisze... Takie złudzenie optyczne... Jeśli coś nie jest opisane, to jakby tego nie było. No więc było tak czy nie było?

Starszy lejtnant, tłumacz wojskowy

A ja niewiele mam wspomnień... Osobistych... Własnych.

Samolotem leciało nas dwustu. Dwustu mężczyzn. Człowiek w masie, w grupie, w stadzie a pojedynczy człowiek to dwaj różni ludzie. Leciałem i myślałem o tym, co tam zobaczę, czego się dowiem... Wojna to nowy świat...

Z pouczeń dowódcy:

– Idziemy w góry. Jeśli ktoś spadnie, niech nie krzyczy. Spadać w milczeniu, jak żywy kamień. Tylko tak można ocalić kolegów.

Kiedy spogląda się z wysokiej skały, to słońce jest tak blisko, że zdawałoby się, można go dosięgnąć rękami. Dotknąć.

Przed powołaniem do wojska czytałem książkę Aleksandra Fersmana* *Wspomnienia o kamieniu*. Pamiętam, że zdumiały mnie słowa: życie kamienia, pamięć kamienia, głos kamienia... Ciało kamienia... Nie wiedziałem, że o kamieniu można mówić tak jak o uduchowionym przedmiocie. A tam odkryłem, że na kamień można patrzeć długo, jak na wodę i ogień.

Z lekcji sierżanta:

– Do zwierzęcia trzeba strzelać, troszeczkę je wyprzedzając, bo inaczej ono przeskoczy twoją kulę. Do biegnącego człowieka – to samo...

– Zostaje przy życiu ten, kto strzeli pierwszy. Pierwszy, k....! Zrozumieliście!? Jak zrozumieliście, to wrócicie i wszystkie baby będą wasze!

Czy odczuwaliśmy strach? Tak. Saperzy przez pierwsze pięć minut. Piloci – dopóki biegną do śmigłowca.

U nas w piechocie – dopóki ktoś pierwszy nie wystrzeli...

Idziemy w góry... Idziemy od rana do późnej nocy. Zmęczeni tak, że nas mdli, wymiotujemy. Najpierw nogi zaczynają ciążyć jak ołów, potem ręce. Ręce zaczynają drżeć w stawach.

Jeden z nas upada:

– Nie dam rady. Nie wstanę!

Wczepiliśmy się w niego we trzech, ciągniemy.

– Zostawcie mnie, chłopaki! Zastrzelcie!

– Zastrzelilibyśmy cię, śmierdzielu, tylko że w domu czeka na ciebie matka...

– Zastrzelcie!

Pić! Pić! Dręczy nas pragnienie. Już w połowie drogi wszyscy mają puste manierki. Język wysuwa się z ust i nie da się go

* Aleksandr Fersman (1883–1945) – wybitny mineralog rosyjski, jeden z twórców geochemii.

wciągnąć z powrotem. Jeszcze jakoś udawało się nam palić papierosy. Wspinamy się aż do granicy śniegu, szukamy, gdzie woda stajała – pijemy z kałuży, gryziemy lód zębami. O tabletkach chlorowych nikt nie pomyślał. Jaka tam ampułka z nadmanganianem? Doczołgasz się i liżesz śnieg... Cekaem terkocze z tyłu, a ty pijesz wodę z kałuży... Pijesz pośpiesznie, krztusisz się, bo mogą cię zabić i nie zdążysz się napić. Martwy leży z twarzą w wodzie, wygląda, jakby ją pił.

A teraz jako postronny obserwator... Patrzę tam... Jaki byłem? Nie odpowiedziałem pani na najważniejsze pytanie: „Jak trafiłem do Afganistanu?". Sam prosiłem, żeby skierowano mnie w celu wsparcia rewolucyjnych dążeń narodu afgańskiego. Wtedy w telewizji pokazywano rewolucję, mówiono o niej w radiu, pisano w gazetach... Gwiazda czerwieni się na Wschodzie! Powinniśmy pomóc, wesprzeć braterskim ramieniem... Zawczasu szykowałem się na wojnę. Uprawiałem sport. Ćwiczyłem karate... Uderzyć w twarz po raz pierwszy nie jest łatwo. Tak aż zachrzęści. Trzeba przekroczyć próg – i prask!

Pierwszy zabity... afgański chłopiec, siedmiolatek... Leżał z rozłożonymi rękami, jakby spał. I obok rozerwany brzuch zesztywniałego konia... Jakoś to przeżyłem, pewnie dlatego że naczytałem się książek o wojnie.

Wspominam nasze „afgańskie" piosenki. Śpieszy człowiek do pracy i nagle zaczyna mruczeć:

Czemu bez sensu giną tak? Powiedz mi, bracie, czemu
dzisiaj ich pluton ruszył wprost pod serię z cekaemu?

Oglądam się... czy nikt nie słyszał? Bo powiedzą: wrócił stamtąd stuknięty albo kontuzjowany. (*Śpiewa*):

Piękny i dziki Afganistan dziś takie żniwo zbiera.
Rozkaz jest prosty: powstań, idź, maszeruj i umieraj.

Wróciłem i przez dwa lata przeżywałem we śnie własny pogrzeb... Albo budziłem się w strachu: nie mam naboju, żeby się zastrzelić!

Koledzy pytali: „Masz odznaczenia?", „Byłeś ranny?", „Strze-lałeś?". Usiłowałem podzielić się tym, co tam czułem, ale nikogo to nie obchodziło. Zacząłem pić... Piłem samotnie... Trzeci toast – za tych, którzy zginęli... Za Jurkę... A mogłem go ocalić... Wesprzeć... Razem leżeliśmy w kabulskim szpitalu... Ja mam zadrapanie na ramieniu, kontuzję, a jemu urwało nogę... Dużo tam było chłopaków bez nóg, bez rąk. Palili papierosy, żartowali. Tam się jakoś trzymają. Ale do kraju wracać nie chcą, do ostatka proszą, żeby ich zostawić. W Związku Radzieckim zaczyna się inne życie. Jurka podciął sobie żyły w ubikacji tego dnia, w któ-rym miał być wysłany na lotnisko...

Przekonywałem go (grywaliśmy wieczorami w szachy):

– Jurka, nie upadaj na duchu. A Aleksiej Mieriesjew? Czytałeś *Opowieść o prawdziwym człowieku**?

– Czeka na mnie bardzo ładna dziewczyna...

Czasem nienawidzę każdego, kogo spotykam na ulicy... Do-brze, że na granicy odbierają broń, granaty... Zrobiliśmy swoje, teraz można nas nie dostrzegać? A Jurkę – zapomnieć?

W nocy czasem się budzę i nie umiem powiedzieć – jestem tutaj czy tam? Tutaj jestem postronnym obserwatorem... Mam żonę, dziecko. Ściskam ich, ale nic nie czuję, całuję i też nic. Kiedyś lubiłem gołębie. Oddałbym wszystko, byle tylko wróciła mi dawna radość...

Szeregowy, piechota

Córka wróciła ze szkoły i mówi:

– Mamo, nikt nie chce mi wierzyć, że byłaś w Afganistanie.

– Dlaczego?

Pytają:

– A kto twoją mamę tam wysłał?

---

* *Opowieść o prawdziwym człowieku* – powieść Borisa Polewoja oparta na prawdziwej historii pilota Aleksieja Mariesjewa (w książce: Mieriesjew), który stracił obie nogi, ale dzięki silnej woli pozostał czynnym lotnikiem. Bohater książki był jednym z najpopularniejszych radzieckich wzorców wychowawczych.

A ja jeszcze nie przyzwyczaiłam się do życia w pokoju... Rozkoszuję się nim... Nie przywykłam jeszcze do tego, że nikt nie strzela, nie ostrzeliwuje nas, że można odkręcić kran i wypić szklankę wody, która nie zajeżdża chlorem. Bo tam był chleb z chlorkiem, bułki z chlorkiem, makaron, kasza, mięso, kompot – wszystko z chlorkiem. Już dwa lata byłam w domu, pamiętam, jak witałam się z córeczką, a reszta wyleciała z pamięci, bo jest taka mała, nędzna w porównaniu z tym, co tam przeżyłam. Owszem, kupiliśmy nowy stół kuchenny, telewizor... A co tutaj się jeszcze działo? Ano nic. Córka rośnie... Pisała kiedyś do dowódcy jednostki w Afganistanie: „Proszę mi prędko oddać mamę, bo ja bardzo za nią tęsknię...". Po Afganistanie nic poza córką mnie nie interesuje.

Rzeki są tam baśniowo błękitne... Błękitna woda! Nigdy nie myślałam, że woda może mieć taki niebiański kolor. Czerwone maki rosną tak gęsto, jak u nas rumianki, takie ogniska makowe u podnóża gór. Wysokie dumne wielbłądy patrzą spokojnie na wszystko jak starcy. Na minę przeciwpiechotną raz wszedł osiołek, ciągnący na bazar wózek z pomarańczami. Leżał i płakał z bólu. Nasza pielęgniarka go opatrywała...

Bądź przeklęty, Afganistanie!

Nie potrafię żyć po nim spokojnie. Żyć tak jak wszyscy. Wróciłam... Najpierw sąsiadki, przyjaciółki często prosiły się w gości:

– Wala, wpadniemy do ciebie na chwilkę. Opowiedz, jakie tam mają naczynia. Jakie dywany? Prawda, że tam pełno ciuchów i sprzętu grającego. Magnetofonów, odtwarzaczy... Co przywiozłaś? Może byś co sprzedała?

Przywieźliśmy stamtąd więcej trumien niż magnetofonów. O nich się nie pamięta.

Bądź przeklęty, Afganistanie!

Córka rośnie... Mieszkanie mamy małe, jednopokojowe. A tam nam obiecywali, że kiedy wrócimy do domu, to się nam za wszystko odwdzięczą. Zwróciłam się do dzielnicowego komitetu wykonawczego; wzięli ode mnie papiery.

– Była pani ranna?

– Nie, wróciłam cała. Z wierzchu cała, a tego, co w środku, nie widać.

– No więc żyje pani tak jak wszyscy. Myśmy tam pani nie wysyłali.

W kolejce po cukier:

– Nazwozili sobie stamtąd różności, a tu też by chcieli...

Ustawiono od razu sześć trumien: major Jaszenko, lejtnant i żołnierze... Leżeli zawinięci w białe prześcieradła... Głów nie widać, głów nie było... Nigdy nie myślałam, że mężczyźni mogą tak krzyczeć, szlochać... Zostały mi zdjęcia... W miejscu, gdzie zginęli, postawiono obeliski ze sporych kawałów bomb, wyryto nazwiska na kamieniach. „Duchy" zrzucały je w przepaść. Rozstrzeliwały pomniki, wysadzały, żeby po nas nie został żaden ślad...

Bądź przeklęty, Afganistanie!

Córka wyrosła beze mnie. Dwa lata w szkole z internatem. Wracam, a nauczycielka skarży się, że dziewczyna ma same tróje. Jak mam z nią rozmawiać? Przecież jest już duża.

– Mamo, co wyście tam robili?

– Kobiety pomagały tam mężczyznom. Znałam kobietę, która powiedziała mężczyźnie: „Będziesz żył". I rzeczywiście przeżył. „Będziesz chodzić". Rzeczywiście później chodził. Przedtem odebrała mu list pisany do żony: „Komu potrzebny jestem bez nóg?! Zapomnijcie o mnie". Powiedziała do niego, żeby napisał tak: „Kochana żono i moi kochani Ałeczko i Aloszko...".

Jak tam trafiłam? Wezwał mnie dowódca i powiedział: „Trzeba jechać!". Na czymś takim zostaliśmy wychowani, do tego przywykliśmy. W punkcie przesyłowym młoda dziewczyna leżała na gołym materacu i płakała:

– Miałam wszystko: czteropokojowe mieszkanie, narzeczonego, kochających rodziców.

– To po coś przyjechała?

– Mówili, że tutaj jest trudno. Zatem trzeba jechać!

Nie przywiozłam stamtąd nic poza pamięcią.

Bądź przeklęty, Afganistanie!

Ta wojna dla mnie nigdy się nie skończy... Córka wróciła wczoraj od przyjaciółek. Żaliła się:

– Mamo, kiedy powiedziałam, że byłaś w Afganistanie, jedna dziewczynka się śmiała, nie wiem dlaczego...

Co mam jej odpowiedzieć?

Chorąży, szefowa tajnej jednostki

Śmierć – to rzecz straszna, ale są straszniejsze... Niech pani nie mówi przy mnie, że jesteśmy ofiarami, że to był błąd. Proszę przy mnie takich słów nie mówić. Nie pozwalam.

Walczyliśmy dobrze, dzielnie. Dlaczego wy tak do nas? Całowałem sztandar jak kobietę. Kochamy ojczyznę, ufamy jej. Tak, tak, tak... (*Nerwowo bębni palcami po stole*). Ciągle jestem tam... Jak pod oknem strzeli rura wydechowa, zaraz czuję zwierzęcy strach. Brzęk rozbitej szyby... W głowie mam od razu pustkę, dudniącą pustkę. Międzymiastowa dzwoni, tak jakby gdzieś strzelali... Nie chcę tego wszystkiego przekreślić, nie mogę podeptać swoich bezsennych nocy. Swoich mąk. Nie umiem zapomnieć tego chłodu na plecach, kiedy dookoła panuje pięćdziesięciostopniowy upał...

Jechaliśmy samochodami i ryczeli piosenki na całe gardło. Zaczepialiśmy dziewczyny, wołali do nich, z ciężarówki wszystkie wydają się ładne. Jechaliśmy weseli. Chociaż trafiali się tchórze.

– Odmówię... Lepsze więzienie niż wojna.

– Masz za to! – Inni ich bili. Znęcali się nad nimi tak, że ci nawet uciekali z jednostki.

Pierwszego zabitego wyciągnąłem z włazu. Powiedział: „Chcę żyć..." i umarł. Tak, tak, tak... Po walce nieznośny jest widok piękna. Widok gór, wąwozu we mgle koloru bzu... Pięknie upierzonego ptaka... Ma się ochotę strzelać do wszystkiego! Strzelam... Strzelam w niebo! Albo człowiek robi się cichutki, uprzejmy. Mój znajomy umierał długo. Leżał jak dziecko, które dopiero co nauczyło się mówić, wymieniał i powtarzał wszystko, co napotykał jego wzrok: „Góry... Drzewo... Ptak... Niebo...". I tak aż do końca...

Młody *carandoj*, czyli po afgańsku „milicjant":

– Kiedy umrę, Allach zabierze mnie do nieba. A ty dokąd trafisz?

Dokąd trafię?!

Trafiłem do szpitala. Ojciec przyjechał do mnie do Taszkentu.

– Jeśli jesteś ranny, możesz zostać w kraju.

– Jak mogę zostać, kiedy tam są moi koledzy?

Był w partii, a jednak chodził do cerkwi i stawiał w niej świeczki.

– Dlaczego to robisz, tato?

– W coś muszę włożyć swoją wiarę. Kogo innego mógłbym prosić, żebyś wrócił?

Obok mnie leżał młody żołnierz. Przyjechała do niego matka z Duszanbe, przywiozła owoce, koniak.

– Chcę, żeby syn został w kraju. Kogo mam prosić?

– Wiesz co, matko, lepiej wypijemy twój koniak za nasze zdrowie.

– Chcę, żeby został w kraju...

Wypiliśmy ten koniak. Całą skrzynkę. Ostatniego dnia usłyszeliśmy, że u jednego z naszej sali stwierdzono wrzód żołądka, biorą go do szpitala polowego. Zdrajca! Usunęliśmy go ze swojej pamięci.

Dla mnie coś może być albo czarne, albo białe. Szarego nie ma. Nie uznaję odcieni.

Nie mogliśmy uwierzyć, że gdzieś przez cały dzień pada deszcz, taki po którym rosną grzyby. Że nad wodą brzęczą nasze archangielskie komary. Tam były tylko chropowate, wypalone góry... Rozpalony, kłujący piasek... Tak, tak, tak... Na tym piachu, jak na wielkim prześcieradle, leżeli nasi zakrwawieni żołnierze... Wszystkim odcięto genitalia... I kartka: „Wasze kobiety nigdy nie będą miały z nimi dzieci...".

A pani mówi – zapomnieć?!

Wracaliśmy – jeden z japońskim magnetofonem, drugi z grającymi zapalniczkami, a trzeci w spranej do niemożliwości bluzie i z pustą dyplomatką.

Walczyliśmy dobrze, dzielnie. Dostaliśmy ordery... Mówię, że nas, „afgańców", poznają i bez orderów, po oczach.

– Hej, facet, byłeś w Afganie?

A przecież idę w radzieckim płaszczu, w radzieckich butach...

Szeregowy, wojska łączności

A może żyje?

Może moja dziewczynka żyje, ale jest gdzieś daleko... Ja i tak się ucieszę, mnie wszystko jedno gdzie, byle tylko żyła. Tak myślę, tak bym tego chciała, bardzo chciała! W końcu mi się przyśniło... Że wróciła do domu... Wzięła krzesło i usiadła na środku pokoju... Włosy miała długie, bardzo ładne, opadały jej na ramiona. A ona odrzuciła je dłonią i mówi: „Mamo, czemu ty mnie tak wołasz i wołasz, przecież wiesz, że nie mogę do ciebie przyjść. Mam męża, dwójkę dzieci... Mam rodzinę...".

I od razu we śnie przypomniało mi się, że miesiąc po jej pogrzebie pomyślałam sobie, że nie zginęła, tylko ją wykradli. To było dla mnie pociechą. Kiedy szłyśmy we dwie ulicą, to za nią się oglądali... Była wysoka i włosy jej spadały na ramiona... Nagle dostałam potwierdzenie, że moje przypuszczenia były słuszne. Gdzieś tam żyje...

Pracuję w służbie zdrowia, całe życie uważałam, że to jest święta sprawa. Bardzo lubiłam swoją pracę, dlatego zaraziłam nią również córkę. A teraz siebie przeklinam. Gdyby miała inny zawód, siedziałaby w domu i żyła. Teraz zostaliśmy z mężem we dwoje, nikogo więcej nie mamy. Pusto, straszna pustka. Wieczorem siadamy, oglądamy telewizję. Siedzimy i milczymy, nieraz przez cały wieczór nie wypowiemy choćby jednego słowa. Tylko kiedy puszczają piosenki, to ja płaczę, a mąż wtedy wzdycha i wychodzi z pokoju. Nie ma pani pojęcia, co dzieje się w moim sercu... Rano trzeba iść do pracy, a ja nie mogę wstać. Czuję taki ból! Niekiedy myślę, że nie wstanę i nie pójdę. Będę leżała... Będę czekać, aż mnie do niej zabiorą. Żeby mnie tam zawołali...

Mam skłonność do fantazjowania, więc jestem z nią przez cały czas, w moich marzeniach nic się nie powtarza. Nawet czytam razem z nią... Co prawda teraz czytam książki o roślinach, o zwierzętach, o gwiazdach. O ludziach, o ludzkich sprawach nie lubię czytać... Przyszła wiosna... Myślałam, że przyroda mi pomoże. Pojechaliśmy za miasto... Fiołki kwitną, na drzewach młode listeczki, a ja zaczęłam krzyczeć... Piękno przyrody, radość życia tak na mnie podziałały... Zaczęłam się bać upływu czasu, bo czas mi ją zabiera, zabiera pamięć o niej. Zacierają się szczegóły. Słowa... Co mówiła, jak się uśmiechała... Zebrałam z ubrania jej włosy, złożyłam do pudełka. Mąż zapytał:

– Co robisz?

– Niech tak będzie. Jej już nie ma.

Czasem siedzę w domu, myślę, i wyraźnie słyszę: „Mamo, nie płacz". Oglądam się – nikogo nie ma. Dalej wspominam. Jak leży... Dół już wykopany, już ziemia gotowa jest ją przyjąć. A ja klęczę przed nią i mówię: „Córeczko moja kochana! Córeczko miła! Jak to się stało? Gdzie jesteś? Dokąd odeszłaś?". Wtedy jeszcze była ze mną, chociaż leżała w trumnie. Ale wkrótce miała znaleźć się w ziemi.

Pamiętam tamten dzień... Wróciła z pracy i powiedziała:

– Lekarz naczelny wezwał mnie dzisiaj na rozmowę.

Po czym umilkła.

– No i co?

Jeszcze nic mi nie odpowiedziała, a ja już źle się poczułam.

– Do szpitala przyszło polecenie, żeby wysłać jedną osobę do Afganistanu.

– Tak, i co?

– Potrzebują akurat instrumentariuszki.

A córka była właśnie instrumentariuszką na kardiologii.

– I co?

Ciągle powtarzałam to pytanie, zapomniałam wszystkich innych.

– Zgodziłam się.

– I co?

– Ktoś i tak musi pojechać. A ja chcę trafić tam, gdzie jest trudno.

Wszyscy już wiedzieli, ja tak samo, że to jest wojna, że leje się krew. Zaczęłam płakać, ale nie mogłam powiedzieć: „nie".

Popatrzyłaby wtedy na mnie surowo i powiedziała:

– Mamo, a co z przysięgą Hipokratesa?

Przez kilka miesięcy załatwiała dokumenty. Przyniosła opinię i pokazała: „Politykę partii i rządu rozumie w sposób właściwy". A ja mimo wszystko jeszcze nie wierzyłam.

Mówię o niej... Wtedy jest mi lżej. Bo tak jakby tutaj była... Jutro będę ją chować... Ona jest jeszcze ze mną... A może gdzieś tam żyje? Chciałabym tylko wiedzieć, jaka jest teraz. Czy ma długie włosy? Jaką bluzkę ma na sobie? Wszystko bym chciała wiedzieć...

Moja dusza się zatrzasnęła... Nie chcę oglądać ludzi. Wolę być sama... Rozmawiam wtedy z nią, ze swoją Swietoczką. Jak tylko ktoś wchodzi, wszystko się kończy. Nikogo nie chcę wpuszczać do tego świata. Ze wsi przyjeżdża do mnie mama, ale nawet z nią nie chcę się widywać. Tylko raz, kiedy odwiedziła mnie koleżanka z pracy... No to tej nie wypuszczałam, przesiedziałyśmy do nocy... Jej mąż już się denerwował, że spóźni się na ostatnie metro... Ich syn wrócił właśnie z Afganistanu... Jest jak małe dziecko: „Mamo, będę z tobą piekł ciasto... Mamo, pójdę z tobą do pralni...". Boi się mężczyzn, przyjaźni się tylko z dziewczętami. Pobiegła do lekarza. Powiedział: „Niech pani poczeka, to mu przejdzie". Mnie teraz tacy ludzie są bliżsi. Mogłabym z tą kobietą się zaprzyjaźnić. Ale już więcej do mnie nie przyszła. Kiedy patrzyła na portret Swietoczki, to cały czas płakała...

Ale ja chciałam wspomnieć o czymś innym... Co to chciałam powiedzieć? Aha! Jak pierwszy raz przyjechała na urlop... Nie, jeszcze o tym, jak ją odprowadzaliśmy, jak wyjeżdżała... Na dworzec przyszli koledzy ze szkoły, z pracy. A jeden stary chirurg pochylił się, ucałował jej ręce i powiedział:

– Więcej już takich rąk nie spotkam.

Przyjechała na urlop. Malutka, szczuplutka. Spała trzy dni. Wstała, zjadła coś i znowu się kładła. Potem znowu wstała, zjadła i dalej do łóżka.

– Swietoczka, jak ci tam jest?

– Wszystko jest w porządku, mamo. Wszystko dobrze.

Siedzi, nic nie mówi, tylko uśmiecha się do siebie.

Nie poznałam jej rąk, wyglądały tak jak u pięćdziesięcioletniej kobiety.

– Swietoczka, co z twoimi rękami?

– Mamo, tam jest dużo pracy. Czy mogę myśleć o swoich rękach? Wyobraź sobie coś takiego: szykujemy się do operacji, myjemy ręce kwasem mrówkowym. A lekarz podchodzi do mnie i mówi: „Czy pani nie szkoda własnych nerek?". Myśli o swoich nerkach... A obok umierają ludzie... Ale nie martw się. Jestem zadowolona, jestem tam potrzebna.

Wyjechała trzy dni wcześniej, niż musiała.

– Mamo, wybacz, ale w naszym szpitalu zostały tylko dwie pielęgniarki. Lekarzy jest dosyć, a pielęgniarek mało. Dziewczyny się zamęczą. Jakże mogłabym nie jechać?

Babcię, którą bardzo kochała, a która miała już dziewięćdziesiąt lat, prosiła:

– Tylko mi nie umieraj. Doczekaj mojego powrotu.

Pojechaliśmy do babci na daczę. Stała przy dużym krzaku róż i tam właśnie Swieta prosiła: „Tylko nie umieraj. Doczekaj mojego powrotu". Babcia pościnała dla niej wszystkie róże. Z tym bukietem Swieta pojechała.

Wstać trzeba było o piątej rano. Budziłam ją, a ona: „Mamo, nie wyspałam się. Wydaje mi się, że teraz nigdy nie będę miała dość snu". Kiedy wsiadała do taksówki, otworzyła torebkę i jęknęła:

– Nie mam kluczy od naszego mieszkania. Zapomniałam. Co będzie jak wrócę, a was nie będzie w domu?

Potem znalazłam te klucze w jej starej spódnicy. Chciałam jej wysłać w paczce, żeby się nie denerwowała. Żeby je miała przy sobie.

A jeśli żyje? Gdzieś tam chodzi, śmieje się... Zachwyca widokiem kwiatów... Kochała róże... Odwiedzam teraz naszą babcię, która jeszcze żyje, bo Swieta ją prosiła: „Tylko nie umieraj.

Doczekaj mojego powrotu". Wstaję nocą... Na stole wazon z bukietem róż... Ścięła je wieczorem... Dwie filiżanki herbaty...

— Dlaczego nie śpisz?

— My ze Swietłanką (tak zawsze ją nazywała) pijemy herbatę.

A ja widuję ją we śnie i wtedy mówię sobie: podejdę do niej, pocałuję, jeśli jest ciepła, to znaczy, że żyje. Podchodzę, całuję — ciepła. To znaczy, że żyje!

Może gdzieś żyje? W innym miejscu...

Na cmentarzu siedziałam przy jej grobie. Szło dwóch wojskowych. Jeden się zatrzymał.

— Oj! To nasza Swieta. Popatrz... — Zauważył mnie. — Pani jest jej mamą?

Rzuciłam się w jego stronę.

— Znaliście Swietkę?

A on zwraca się do kolegi:

— Straciła obie nogi podczas ostrzału. Umarła.

Wtedy zaczęłam głośno krzyczeć. Przestraszył się.

— Pani o tym nie wiedziała? Proszę mi wybaczyć!!! Przepraszam panią! — I uciekł.

Więcej go nie widziałam. Nawet nie szukałam.

Siedzę przy grobie. Idzie mama z dziećmi. Słyszę:

— Co to za matka? Jak w naszych czasach mogła puścić na wojnę jedyną córkę? (Na nagrobku Swiety wyryte jest „Jedynej córeczce"). Oddać dziewczynę?...

Jak oni śmią, jak mogą! Przecież Swieta składała przysięgę, była pielęgniarką, której chirurdzy całowali ręce. Jechała ratować ludzi, ratować ich synów.

Ludzie, krzyczę w duchu, nie odwracajcie się ode mnie! Postójcie ze mną nad grobem. Nie zostawiajcie mnie samej...

Matka

Afganistan, taka mać! Afganistan... Kolega bierze gazetę do rąk, czyta: „Żołnierze radzieccy uwolnieni... Udzielili wywiadu zachodnim dziennikarzom...". A potem wulgarnie przeklina.

— Czego ty tak?

– Ja bym ich wszystkich podstawił pod ścianę. I sam rozstrzelał.

– Mało krwi się naoglądałeś? Nie starcza ci?

– Nie lituję się nad zdrajcami. My mamy poodrywane ręce
i nogi, a oni w Nowym Jorku gapili się na drapacze chmur...
Występowali w „Głosie Ameryki". (*Milczy*).

– Nienawidzę! Nienawidzę!

– Kogo?

– Co, nie rozumie pani? Straciłem przyjaciela... nie na wojnie,
ale tutaj... (*z wysiłkiem dobiera słowa*). Więcej nikogo... Nie mam
innych przyjaciół... Teraz wszyscy się rozbiegli, każdy siedzi
w swojej norze. Zarabiają pieniądze.

Afganistanie, taka twoja mać! Wolałbym już zginąć. Na mojej
szkole powiesiliby tablicę pamiątkową... Zrobiliby ze mnie bohatera... Chłopcy marzą, żeby zostać bohaterami. Ja nie chciałem...
Nasze wojska już weszły do Afganistanu, ale ja o niczym jeszcze
nie wiedziałem. Nie interesowało mnie to. Przeżywałem wtedy
pierwszą miłość, szalałem... A teraz boję się dotknąć kobiety,
nawet kiedy rankiem wciskam się do przepełnionego autobusu...
Rozumie pani? Nic mi nie wychodzi z kobietami... Dziewczyna
odeszła ode mnie... Kochałem ją... Mieszkaliśmy razem dwa
lata... Tamtego dnia spaliłem czajnik... Czajnik się przypalał,
a ja siedziałem i patrzyłem, jak czernieje, tak się czasem zacho-
wuję. Wyłączam się całkowicie, tracę kontakt z rzeczywistością.
Dziewczyna wróciła z pracy, poczuła zapach.

– Co spaliłeś?

– Czajnik.

– Już trzeci...

– A wiesz, jak pachnie krew? Przez parę godzin tak jak człowiek, kiedy się spoci pod pachami. Taki nieprzyjemny zapach...
Lepszy jest zapach ognia...

Zamknęła wtedy drzwi i poszła. Już rok mija, a ona nie wróciła.
Zacząłem się bać kobiet... To są... to są całkiem inni ludzie. Absolutnie inni. Dlatego z nami są nieszczęśliwe. Mogą nas słuchać,
przytakiwać nam i nic nie rozumieć.

– Jaki tam dzień dobry! Znowu krzyczałeś. Krzyczałeś całą noc – wołała rankami z płaczem.

A ja nie wszystko jej mówiłem... Nie opowiedziałem o zachwycie, z jakim piloci helikopterów bombardowali wioski. Przechwalali się: „O, jak ładnie się pali... Zwłaszcza nocą...". Leży ranny – nasz żołnierz. Umiera. I woła mamę albo dziewczynę. Obok leży ranny „duch" – ich też zbieraliśmy – i tak samo woła mamę i dziewczynę. To afgańskie, to rosyjskie imię...

– Jaki tam dzień dobry! Znowu krzyczałeś. Boję się ciebie...

Nie wie... Nie wie, jak zginął nasz lejtnant... Kiedy zobaczyliśmy wodę, zatrzymaliśmy kolumnę.

– Stać! Nie ruszać się z miejsca! – krzyknął lejtnant i wskazał brudny kopczyk koło strumienia. – To mina?!

Do przodu ruszyli saperzy, podnieśli minę, a mina zaczęła pochlipywać. To było dziecko. Afganistanie, twoja mać!

Co z nim zrobić? Zostawić, zabrać ze sobą? Lejtnant sam zaproponował, nikt go nie zmuszał.

– Nie można go zostawić, bo umrze z głodu. Odwiozę go do kiszłaku, to niedaleko.

Czekaliśmy całą godzinę, chociaż jazda tam i z powrotem powinna zabrać najwyżej dwadzieścia minut.

Leżeli w piasku... Lejtnant i kierowca. Pośrodku wioski... Kobiety zabiły ich motykami...

– Jaki tam dzień dobry! Znowu krzyczałeś. A potem rzuciłeś się na mnie z pięściami, skrępowałeś ręce.

Czasem nie pamiętam swojego nazwiska, adresu ani niczego, co się ze mną działo. Przychodziłem do siebie, zaczynałem jakby żyć od nowa. Tyle że niepewnie... Wychodzę z domu i od razu się zastanawiam – zamknąłem drzwi na klucz czy nie zamknąłem, wyłączyłem gaz czy nie? Kładę się spać, wstaję i sprawdzam – nakręciłem budzik na rano czy nie? Rano idę do pracy, spotykam sąsiadów, a potem myślę: powiedziałem im „dzień dobry" czy nie powiedziałem?

Kipling napisał:

Zachód to Zachód, Wschód to Wschód, nie jest pisane im spotkanie,
Dopóki Ziemia z Niebem wraz na Boży Sąd nie stanie.
Lecz nie jest ważny Wschód ni Zachód, ród, rasa czy też kraj,
Gdy staną naprzeciwko siebie odważni męże dwaj!

Pamiętam... Kochała mnie. Płakała, mówiła:
– Wyszedłeś z piekła... Ale ja cię ocalę...
Tymczasem ja wygrzebałem się z wysypiska śmieci... Jak
wyjeżdżałem do Afganistanu, to kobiety nosiły długie spódni-
ce, a jak wróciłem – wszystkie chodzą w krótkich. Wszystkie
nieznajome. Prosiłem, żeby włożyła dłuższą. A ona się śmiała,
potem obrażała. Znienawidziła mnie... (*Zasłania oczy i powtarza wiersz*).

Lecz nie jest ważny Wschód ni Zachód, ród, rasa czy też kraj,
Gdy staną naprzeciwko siebie odważni męże dwaj!

O czym to mówiłem? Co? O długich sukienkach mojej dziewczyny... Wiszą w szafie, nie zabrała ich. A ja dla niej piszę
wiersze...
Afganistanie, taka twoja! Lubię tak rozmawiać sam ze sobą...

Sierżant, zwiadowca

Zawsze byłem wojskowym... Inne życie znałem tylko z opowieści...
Zawodowi wojskowi mają swoistą psychikę – nie obchodzi ich
to, czy wojna jest sprawiedliwa, czy nie. Skoro nas na nią wysłano,
to jest sprawiedliwa, potrzebna. Kiedy nas posłali, wojna była
sprawiedliwa. Tak uważaliśmy; ja sam stałem wśród żołnierzy
i mówiąc o obronie południowych granic, umacniałem ich ideo-
wo. Dwa razy na tydzień odbywały się zajęcia polityczne. Czyż
mogłem powiedzieć, że mam wątpliwości? Wojsko nie znosi
wolności myślenia. „Ustawiono was w szeregu i odtąd działacie
tylko na rozkaz..." Od rana do wieczora.
Pada komenda:
– Pobudka! Wstać!

Wstajemy.

Komenda:

– Na gimnastykę! W lewo biegiem marsz!

Robimy poranną gimnastykę.

Komenda:

– Rozejść się po lesie. Pięć minut na załatwienie się...

Rozchodzimy się.

Komenda:

– Zbiórkaaa!

Nigdy nie widziałem w koszarach portretu... no kogo? No, powiedzmy, Konstantina Ciołkowskiego czy też Lwa Tołstoja. Nigdzie takich nie ma. Wiszą portrety Nikołaja Gastello, Aleksandra Matrosowa... Bohaterów ostatniej wojny... Kiedy jeszcze byłem młodym lejtnantem, wyciąłem z jakiegoś pisma i powiesiłem w swoim pokoju portret Romaina Rollanda. Wchodzi dowódca.

– A to kto?

– Romain Rolland, pisarz francuski, towarzyszu pułkowniku.

– Natychmiast zabrać tego Francuza! Co to, mało mamy swoich bohaterów?

– Towarzyszu pułkowniku...

– W tej chwili marsz do magazynu i wrócić z Karolem Marksem.

– Ale to przecież Niemiec!

– Milczeć! Dwie doby aresztu!

Co tu robi Karol Marks? Sam stałem wśród żołnierzy i mówiłem: „Do czego nadaje się to urządzenie?". Przecież jest zagraniczne. Na co nam pojazd zagranicznej marki? Przecież na naszych drogach się rozleci. Najlepsze w świecie są nasze: nasze obrabiarki, nasze wozy, nasi ludzie. I dopiero teraz się nad tym zastanowiłem – dlaczego najlepsza obrabiarka nie może pochodzić z Japonii, najlepsze pończochy z Francji, a najładniejsze dziewczyny z Tajwanu? A mam pięćdziesiąt lat...

Śni mi się, że zabiłem człowieka. Ukląkł... Opadł na czworaki. Nie podnosił głowy. Nie widać twarzy, oni wszyscy mają takie same… Spokojnie strzeliłem do niego i spokojnie patrzyłem, jak krwawi. Krzyczeć zacząłem wtedy, kiedy się obudziłem i przypomniałem sobie sen…

Tutaj już pisali o błędzie politycznym, nazywali tę wojnę „Breżniewowską awanturą", „zbrodnią", a myśmy tam musieli walczyć i umierać. I zabijać. Tutaj pisali, a tam ginęli. „Nie sądźcie, abyście nie byli sądzeni!" Czego broniliśmy? Rewolucji? Nie, tak już nie myślałem, już byłem rozdarty wewnętrznie. Ale przekonywałem sam siebie, że bronimy naszych miasteczek wojskowych, naszych ludzi.

Palą się pola ryżowe… Ostrzelano je pociskami smugowymi… Ryż trzeszczy i szybko płonie… Żar jeszcze pomaga wojnie… Dechkanie, czyli chłopi, biegają, zbierają z ziemi to, co nadpalone, wyprażone. Nigdy nie widziałem, żeby afgańskie dzieci płakały. Żeby chlipały. Dzieci były lekkie, małe. Ile mają lat – trudno zgadnąć. Szerokie portki, nóżki spod nich wystają.

Cały czas miałem uczucie, że ktoś mnie chce zabić. Głupi ołów… Do dzisiaj nie wiem, czy można się do tego przyzwyczaić. A melony, arbuzy są tam takie wielkie jak taborety. Jak się nakłuje bagnetem, to pękają. Umierać jest tak łatwo. Trudniej zabijać. Nie mówiliśmy o nieżyjących. Takie były reguły gry, jeśli wolno tak mówić… Jak się szło na wypad, to na dnie walizki każdy zostawiał list do żony. Pożegnalny. Ja pisałem: „Rozwiercić mój pistolet i przekazać synowi".

Zaczyna się walka, a magnetofon krzyczy. Zapomnieli go wyłączyć… Głos Władimira Wysockiego:

Słońce praży w Afryce,
Komuś tak przygrzało,
Że się brzydko bawić chce…
Wśród zwierząt zawrzało,
Słoń powiedział, że ten czyn
Nieszczęść wróży kopę:
Żyrafiego rodu syn
Pokochał antylopę!

Duszmani też puszczali Wysockiego. Wielu przedtem u nas studiowało. Mieli radzieckie dyplomy. Nocą, kiedy siedzieliśmy na placówce, dolatywały od nich słowa:

Mój druh wyruszył skoro świt
Do Magadanu, do Magadanu,
Choć go nie eskortuje nikt,
Nikt, proszę panów, szanownych panów.

Oglądali w górach nasze filmy o Kotowskim, o Kowpaku*. U nas uczyli się, jak z nami walczyć... Wojny partyzanckiej...

Z kieszeni naszych zabitych chłopców wyjmowałem listy. Zdjęcia. Tania z Czernihowa... Maszeńka z Pskowa... Zdjęcia robione u prowincjonalnych fotografów. Wszystkie jednakowe. Naiwne podpisy: „Czekam, aż odpowiesz, coś miłego powiesz", „Pisałam tu szczerze na białym papierze, niech moje pisanie ktoś miły dostanie". Leżały u mnie na stole jak talia kart. Twarze zwyczajnych rosyjskich dziewcząt...

Nie mogę wrócić do tego świata. Żyć... Tak po prostu... Tutaj jest dla mnie za ciasno. Adrenalina burzy się we krwi. Brakuje ostrości doznań, pogardy dla życia. Zacząłem chorować... Lekarze postawili diagnozę: zwężenie naczyń. A ja mam własną diagnozę... Afgańską... Potrzebny mi jest rytm, tamten rytm, żeby rzucić się do bójki. Ryzykować, bronić. Nawet teraz chciałbym tam pojechać, ale nie wiem, co wtedy poczuję... Napływają wizje... Obrazy... Rozbite, spalone pojazdy na drogach. Czołgi, transportery opancerzone... Czyżby to było wszystko, co tam po nas zostało?

Poszedłem na cmentarz... Chciałem obejść „afgańskie" groby. Spotkała mnie czyjaś matka...

– Idź stąd, dowódco! Jesteś siwy, ale żywy. A mój synek leży w grobie. Nigdy w życiu się nie ogolił.

---

* Grigorij Kotowski (1881–1925) – jeden z najsławniejszych dowódców bolszewickich w czasie wojny domowej; Sydir Kowpak (1887–1967) – w czasie II wojny światowej dowódca radzieckich oddziałów dywersyjnych, działających głównie na Ukrainie.

Niedawno umarł mój przyjaciel, który walczył w Etiopii. W tamtejszych upałach zniszczył sobie nerki. Wszystko, co poznał, odeszło razem z nim. A inny mój kolega opowiadał, jak trafił do Wietnamu. Spotykałem i takich, których wysyłano do Angoli, do Egiptu, na Węgry w pięćdziesiątym szóstym, do Czechosłowacji w sześćdziesiątym ósmym... Rozmawialiśmy w swoim gronie... Wszyscy teraz na daczach hodują rzodkiewkę. Albo łowią ryby. Ja też jestem emerytem. Mam rentę inwalidzką. W szpitalu w Kabulu usunęli mi jedno płuco... Teraz drugie zaczęło nawalać... Potrzebuję rytmu! Potrzebuję zajęcia! Słyszałem, że pod miastem Chmielnicki jest szpital dla tych, których wyrzekły się rodziny i którzy sami nie chcieli wracać do domu. Pisze do mnie stamtąd żołnierz: „Leżę bez rąk, bez nóg... Budzę się rano i nie wiem, kim jestem – człowiekiem czy zwierzęciem? Czasem mam ochotę miauczeć albo szczekać. Zaciskam zęby...". Chciałbym go odwiedzić. Szukam jakiegoś zajęcia.

Potrzeba mi rytmu, tamtego rytmu, rwę się do bitki. Ale nie wiem, z kim miałbym się bić. Już nie mogę stanąć wśród swoich chłopaków i agitować, że jesteśmy najlepsi i najsprawiedliwsi. Sądzę jednak, że chcieliśmy tacy być. Tylko nam nie wyszło. Pytanie dlaczego. Dlaczego znowu nam się nie udało...

Major, dowódca batalionu

Wobec ojczyzny jesteśmy czyści...

Uczciwie spełniłem swój żołnierski obowiązek. Cokolwiek będziecie tutaj krzyczeć... Cokolwiek przekręcać i rewidować... A co z takimi uczuciami jak miłość ojczyzny, poczucie obowiązku? Ojczyzna to dla pani pusty dźwięk? Tylko słowo? My jesteśmy czyści...

Cośmy tam zwojowali, cośmy stamtąd wywieźli? „Ładunek dwieście" – trumny naszych kolegów. Cośmy zyskali? Choroby – od zapalenia wątroby do cholery. Rany, kalectwo? Nie mam za co się kajać, pomagałem bratniemu narodowi afgańskiemu. Jestem o tym przekonany! Ci, którzy byli tam ze mną, to uczciwi, szczerzy ludzie. Wierzyli, że przynieśli dobro na tamtą ziemię, że nie są fałszywymi frontowcami z tej „wojny przez pomyłkę". A niektórzy chcieliby w nas widzieć naiwnych prostaczków, mięso armatnie. Dlaczego? W jakim celu? Szukają prawdy? Proszę nie zapominać o tym, co jest napisane w Biblii. Pamiętać, co Jezus powiedział na przesłuchaniu u Piłata.

– Jam się narodził na świat po to, by dać świadectwo prawdzie. Piłat zapytał:

– Cóż to jest prawda?

Pytanie pozostało bez odpowiedzi...

Mam własną prawdę... Własną! W naszej, może i naiwnej wierze byliśmy dziewiczo czyści. Wydawało się nam, że jak nowa władza daje ziemię, to wszyscy powinni brać ją z radością. A tymczasem... chłop wcale nie bierze ziemi! Bo niby kim ja jestem, żeby dawać ziemię, która należy do Allacha. Allach odmierza i daje. Wydawało się nam, że jak zbudujemy stacje mechanizacji rolnictwa, damy im traktory, kombajny i kosiarki, to całe ich życie się zmieni. Zmienią się ludzie. Tymczasem... tamci niszczą stacje mechanizacji! Wysadzają w powietrze nasze traktory, jakby to były czołgi. Wydawało się nam, że w epoce lotów kosmicznych śmieszna jest idea Boga. Bez sensu! Posłaliśmy Afgańczyka w kosmos... Patrzcie, ludzie, wasz chłopak jest tam, gdzie Allach. Tymczasem pod wpływem cywilizacji religia islamu nawet nie drgnęła... Czy można walczyć z wiecznością? Zresztą, co się nam nie wydawało! Ale tak właśnie było... Naprawdę... I to jest szczególna część naszego życia... Strzegę jej w swojej duszy, nie chcę tego burzyć. I nie dam wysmarować tego samą czarną farbą. Myśmy tam nawzajem osłaniali się w walce. Niech pani spróbuje stanąć przeciw obcym kulom! Tego nie da się zapomnieć. A to? Jak wracałem... Chciałem wrócić do domu bez zapowiedzenia, ale przestraszyłem się, kiedy pomyślałem o mamie. Zadzwoniłem i mówię:

– Mamo, żyję, jestem na lotnisku.

A tam, na drugim końcu przewodu, spadła słuchawka...

Kto pani powiedział, żeśmy tam przegrali wojnę? Przegraliśmy ją tutaj, w domu. W Związku Radzieckim. A jak pięknie mogliśmy wrócić... Osmaleni, ostrzelani... Z dużą wiedzą, z licznymi przeżyciami... Ale nie pozwolono nam. Nie dano nam tutaj praw, nie dano tu zajęcia. Co rano na obelisku (w miejscu przyszłego pomnika poległych żołnierzy internacjonalistów) ktoś wywiesza plakat: „Ustawcie go przed Sztabem Generalnym, a nie w środku miasta...". Mój kuzyn, który ma osiemnaście lat, nie chce iść do wojska. „Wykonywać czyjeś głupie i zbrodnicze rozkazy? Zostać mordercą?" Krzywo patrzy na moje odznaczenia bojowe... A kiedy ja byłem w jego wieku, to mi serce zamierało, kiedy dziadek wkładał marynarkę z orderami i medalami. Przez ten czas, kiedyśmy walczyli, świat zdążył się zmienić...

Cóż to jest prawda?

W naszym czteropiętrowym domu mieszka stara kobieta. Lekarka. Ma siedemdziesiąt pięć lat. Po wszystkich dzisiejszych artykułach, demaskacjach, przemówieniach... po tej całej prawdzie, jaka się na nas zwaliła, pomieszał się jej rozum... Wyłącza telewizor, kiedy mówi Gorbaczow. Otwiera okno na parterze i krzyczy: „Niech żyje Stalin!", „Niech żyje komunizm, świetlana przyszłość ludzkości!". Co rano ją widuję... Nikt jej nie rusza, nikomu nie przeszkadza... Czasem mi się wydaje, że jestem trochę do niej podobny. Podobny, taka mać!

Ale wobec ojczyzny jesteśmy czyści...

Szeregowy, artylerzysta

Dzwonek do drzwi... Wybiegam – nie ma nikogo. Jęknęłam. Czy to nie synek wrócił?

Po dwóch dniach pukają do domu wojskowi.

– Co, nie ma syna? – Od razu się domyśliłam.

– Tak, już nie ma.

Zrobiło się cicho, cichutko. Przed lustrem w przedpokoju upadłam na kolana i wołam.

– Boże! Boże! Boże jedyny!

Na stole leżał list, którego nie dokończyłam:

„Kochany synku!

Przeczytałam twój list i jestem zadowolona. Nie ma w nim już ani jednego błędu gramatycznego. Są dwa błędy interpunkcyjne, tak jak poprzednio. »Jestem pewien, że« powinieneś pisać z przecinkiem. Podobnie po »tak« w zdaniu złożonym „Zrobię tak, jak nakazał ojciec" powinien być przecinek. A drugie zdanie powinno brzmieć: »Jestem pewien, że nie będziecie się musieli mnie wstydzić«. Nie obrażaj się na mamę za te uwagi.

W Afganistanie jest gorąco. Staraj się nie przeziębić. Bo ty zawsze się przeziębiasz...".

Na cmentarzu wszyscy milczeli. Było dużo ludzi, ale nikt nic nie mówił. Stałam ze śrubokrętem, nie mogli mi go odebrać.

– Pozwólcie otworzyć trumnę... Pozwólcie mi zobaczyć syna... – Chciałam śrubokrętem otworzyć cynkową trumnę.

Mąż chciał sobie odebrać życie.

– Nie chcę żyć. Wybacz, ale nie chcę dłużej żyć – mówił.

A ja go namawiałam:

– Trzeba postawić pomnik, obłożyć płytkami. Tak jak inni.

Nie mógł spać. Opowiadał:

– Jak zasypiam, to syn przychodzi. Całuje mnie, ściska.

Zgodnie ze starym obyczajem przechowywałam bochenek chleba przez całe czterdzieści dni... Po pogrzebie... Przez trzy tygodnie chleb zdążył rozpaść się na drobne kawałki. To znaczy, że rodzina ginie...

Porozwieszałam wszystkie zdjęcia syna. Mnie tak jest lżej, ale mężowi – ciężko.

– Zdejmij to. Bo on patrzy na mnie.

Postawiliśmy pomnik na grobie. Ładny, z drogiego marmuru. Wszystkie pieniądze, które zbieraliśmy na wesele syna, poszły na pomnik. Czerwonymi płytkami obmurowaliśmy grób i posadzili czerwone kwiaty. Georginie. Mąż pomalował ogrodzenie.

– Zrobiłem wszystko. Syn nie może mieć pretensji.

Rano odprowadził mnie do pracy. Pożegnał się. Wracam ze zmiany, patrzę, a mąż wisi na sznurku w kuchni, akurat naprzeciwko fotografii syna, mojej ulubionej.

– Boże! Boże! Boże jedyny!

Niech mi pani powie – byli bohaterami czy nie? Za co spadło na mnie takie nieszczęście? Co mi pomoże znieść to moje cierpienie? Czasem myślę: „Bohaterowie! Nie on jeden tam leży... Dziesiątki... Leżą szeregami na cmentarzu miejskim...". W każde święto grzmią salwy honorowe. Słychać uroczyste mowy. Ludzie przynoszą kwiaty. Odbywają się tam uroczystości przyjęcia w szeregi pionierów... A kiedy indziej przeklinam rząd, partię... naszą władzę... Choć sama należę do partii. Chciałabym tylko wiedzieć za co. Dlaczego mojego syna zapakowali w cynk? Przeklinam sama siebie... Jestem nauczycielką literatury rosyjskiej. Sama go uczyłam: „Obowiązek to obowiązek, synku. Trzeba go spełnić". Przeklinam wszystkich, a rano biegnę na grób i proszę o przebaczenie.

– Wybacz mi, synku, że tak mówiłam. Wybacz.

Matka

Dostałam list: „Nie martw się, jeśli nie będzie listów. Pisz na stary adres". Potem dwa miesiące milczenia. Nie miałam pojęcia, że jest w Afganistanie. Pakowałam walizkę, żeby odwiedzić go w nowym miejscu stacjonowania...

Pisał, że się opala, że łowi ryby. Przysłał zdjęcie – siedzi na osiołku, osioł klęczy na piasku. Nie domyślałam się niczego, dopóki nie przyjechał po raz pierwszy na urlop. Wtedy się przyznał, że jest na wojnie... Jego przyjaciel zginął... Kiedyś mało bawił się z córeczką, niezbyt chętnie przejawiał ojcowskie uczucia, może dlatego że była jeszcze całkiem malutka. A teraz przyjechał i godzinami przesiadywał i patrzył na dziecko, a w oczach miał taki smutek, że aż mnie strach ogarniał. Rano wstawał i odprowadzał córeczkę do przedszkola. Lubił posadzić ją na barana i nieść. Mieszkaliśmy w Kostromie, to ładne miasto. Wieczorem sam ją odbierał. Chodziliśmy do teatru, do kina, ale najbardziej lubił siedzieć w domu. Oglądać telewizję. Rozmawiać.

W miłości stał się żarłoczny – jak szłam do pracy albo gotowałam w kuchni, to nawet tego czasu mu było szkoda.

Mówił: „Pobądź ze mną. Dzisiaj może być bez kotletów. Poproś o urlop na czas, kiedy tu jestem". W dniu, w którym miał odlecieć, specjalnie spóźnił się na samolot, żeby jeszcze dwa dni pobyć ze mną.

Ostatnia noc... Było tak dobrze, że się rozpłakałam. Płaczę, a on się nie odzywa, tylko patrzy i patrzy. Potem mówi:

– Tamarka, jeśli będziesz miała kogoś innego, to nie zapomnij o tym.

Ja na to:

– Zwariowałeś! Ciebie nigdy nie zabiją! Ja cię tak kocham, że cię nie zabiją.

Roześmiał się.

Nie chciał już więcej dzieci.

– Jak wrócę... Wtedy urodzisz... Co ty będziesz robiła z nimi sama?

Nauczyłam się czekać. Ale gdy widziałam autobus z żałobnikami, robiło mi się niedobrze, gotowa byłam krzyczeć, płakać. Przybiegałam do domu. Gdyby wisiała w nim ikona, uklękłabym i modliła się: „Ocalcie mi go! Uratujcie!".

Tamtego dnia poszłam do kina... Patrzyłam na ekran i nic nie widziałam. W środku czułam niezrozumiały niepokój – gdzieś na mnie czekają, muszę dokądś iść. Ledwo dosiedziałam do końca seansu. W tym czasie pewnie toczyła się walka...

Przez tydzień jeszcze o niczym nie wiedziałam. Dostałam nawet dwa listy od niego. Zwykle się cieszyłam, całowałam je, a wtedy byłam zła – jak długo jeszcze mam na ciebie czekać?!

Dziewiątego dnia o piątej rano przyszedł telegram; zwyczajnie wsunęli mi go pod drzwiami. To był telegram od jego rodziców: „Przyjedź. Pietia zginął". Od razu zaczęłam krzyczeć. Obudziłam dziecko. Co tu robić? Dokąd iść? Nie miałam pieniędzy. Akurat tego dnia miał przyjść przekaz z jego pensji. Pamiętam, że zawinęłam dziecko w czerwony koc, wyszłam na drogę, chociaż o tej porze autobusy jeszcze nie jeździły. Zatrzymałam taksówkę.

– Na lotnisko – mówię do kierowcy.

– Nie, jadę do parku.

– Mój mąż zginął w Afganistanie...

Bez słowa wychodzi z samochodu, pomaga mi wsiąść. Wstępuję do przyjaciółki, pożyczam od niej pieniądze. Na lotnisku nie ma biletów do Moskwy, a ja boję się wyjąć telegram z torebki i pokazać. Może to nieprawda. Może pomyłka? Może... Najważniejsze nie wypowiadać tego na głos... Płakałam, a wszyscy na mnie patrzyli. Wsadzili mnie w kukuruźnik i – do Moskwy. W nocy przyleciałam do Mińska, ale musiałam lecieć dalej, do Starych Dorohi. Taksówkarze nie chcieli jechać, bo to daleko, sto pięćdziesiąt kilometrów. Prosiłam, błagałam. Jeden się zgodził: „Dawaj pięćdziesiąt rubli, to zawiozę". Oddałam wszystko, co mi zostało.

O drugiej byłam przed domem. W domu – wszyscy płaczą.

– Może to nieprawda?

– Prawda, Tamara. Prawda.

Rano poszliśmy do komisji uzupełnień. Odpowiedź dostaliśmy iście wojskową: „Kiedy przywiozą, to was powiadomimy". Czekaliśmy jeszcze dwa dni. Dzwonimy do Mińska. „Przyjedźcie i sami go zabierzcie". Przyjeżdżamy, a w obwodowej komisji uzupełnień mówią nam: „Przez pomyłkę zawieźli go do Baranowicz". To jeszcze sto kilometrów, a nasz autobus nie miał benzyny. W Baranowiczach na lotnisku nie było nikogo z dowództwa, dzień pracy się skończył. W budce siedział stróż.

– Przyjechaliśmy...

– O tam – pokazał ręką – jest jakaś skrzynia. Zobaczcie. Jeśli wasz, to go sobie zabierzcie.

W polu stała brudna skrzynia, a na niej kredą było napisane: „Starszy lejtnant Downar". Oderwałam deskę w tym miejscu, gdzie trumna ma okienko – twarz cała, ale nieogolona, nieumyta. A trumna przyciasna... No i zapach. Nieznośny zapach. Nie sposób się pochylić, ucałować... W taki sposób mi zwrócono męża...

Uklękłam przed tym, co było kiedyś moim najdroższym. Najukochańszym...

To była pierwsza trumna we wsi Jazyl, rejon Stare Dorohi w obwodzie mińskim. Ludzie mieli strach w oczach. Nikt nie wiedział, co się dzieje. Podniosłam córkę, żeby się pożegnała, miała wtedy cztery i pół roku. Zaczęła krzyczeć: „Tatuś jest czarny... Ja się boję... Tatuś jest czarny...". Opuszczono trumnę do grobu. Nie zdążyli nawet wyciągnąć ruszników*, na których go opuszczali, gdy straszliwie zagrzmiało i zaczął padać grad, pamiętam, że wyglądał jak biały żwir na kwitnącym bzie, chrzęścił pod nogami. Sama przyroda protestowała. Długo nie mogłam wyjechać z jego domu, bo tutaj była jego dusza... Jego rzeczy: stół, teczka szkolna, rower... Chwytałam się wszystkiego, czego się dało. Brałam do rąk jego rzeczy... Wszyscy w domu milczeli. Wydawało mi się, że matka mnie nienawidzi – ja żyję, a jego nie ma, ja wyjdę za mąż, a jej syna nie będzie. To dobra kobieta, ale w tamtych dniach oszalała. Patrzyła takim ciężkim wzrokiem... Teraz mówi: „Tamara, wyjdź za mąż". A wtedy bałam się spotkać z nią wzrokiem. Ojciec mało nie zwariował: „Takiego chłopaka zabili! Zamordowali!". Myśmy z matką mu tłumaczyły, że Pietia dostał order... Że Afganistan jest nam potrzebny... Obrona południowych rubieży... Nie chciał słuchać i krzyczał: „Dranie! Dranie!".

Najgorsze nastąpiło potem. Najstraszniejsze... Przyzwyczaić się do myśli, że nie muszę już czekać, że nie mam na kogo czekać. Ale ja czekałam długo... Przeniosłyśmy się do innego mieszkania. Rankami budziłam się mokra z przerażenia – Pietia przyjedzie, a my z Olesią mieszkamy pod innym adresem! Absolutnie nie mogłam zrozumieć, że teraz jestem sama i będę sama. Trzy razy dziennie zaglądałam do skrzynki pocztowej i znajdowałam tylko listy, które mi odsyłano. Miały pieczątkę: „Adresat zmienił miejsce zamieszkania". Przestałam lubić święta. Przestałam chodzić w gości. Zostały mi tylko wspomnienia. Wspominałam to, co najlepsze... To, co było na samym początku...

Pierwszego dnia tańczyliśmy. Drugiego spacerowali po parku. Trzeciego dnia znajomości zaproponował, żebym za niego

---

* Rusznik – długi wyszywany ręcznik płócienny, mający znaczenie religijno--obrzędowe.

wyszła. A ja miałam narzeczonego. W urzędzie stanu cywilnego leżało podanie. Powiedziałam mu o tym. Wtedy wyjechał i pisał listy wielkimi na całą stronę literami: „A-a-a-a-a! A-u-u-u!". W styczniu zaproponował, że przyjedzie i się pobierzemy. A ja nie chciałam ślubu w styczniu. Chciałam mieć wesele wiosną! W Pałacu Ślubów. Z muzyką, z kwiatami.

Ślub odbył się jednak zimą, w mojej wsi. Śmieszny i pośpieszny. Na święto Chrztu Pańskiego, kiedy ludzie sobie wróżą, miałam sen. Rano opowiedziałam mamie:

– Mamo, przyśnił mi się ładny chłopak. Stał na moście. Był ubrany w mundur wojskowy. Ale kiedy podeszłam do niego, zaczął odchodzić coraz dalej, coraz dalej, aż całkiem zniknął.

Mama na to zaczęła wróżyć:

– Nie wychodź za mąż za wojskowego, bo zostaniesz sama.

Przyjechał do mnie na dwa dni. Od progu zapowiedział:

– Pójdziemy do urzędu!

W radzie wiejskiej popatrzyli na nas ze zdziwieniem.

– Po co macie czekać dwa miesiące? Idźcie kupić koniaku.

Po godzinie byliśmy mężem i żoną. A na ulicy – zamieć.

– Jaką taksówką zawieziesz młodą żonę?

– Zaraz!

Podniósł rękę i zatrzymał traktor Biełaruś.

Przez lata mi się śniło, jak się spotykamy. Że jedziemy traktorem. Traktorzysta trąbi, a my się całujemy. Minęło osiem lat, odkąd go zabrakło... Osiem... Śni mi się często. We śnie ciągle go proszę:

– Ożeń się ze mną jeszcze raz.

On mnie odtrąca:

– Nie! Nie!

Mnie go szkoda nie tylko dlatego, że był moim mężem. To był przystojny facet! Naprawdę przystojny! Wielkie, mocne ciało. Na ulicy oglądali się za nim, nie za mną. Szkoda, że nie miałam z nim syna. A mogłam... Prosiłam go. Ale bał się...

Za drugim razem przyjechał na urlop... Nie wysłał telegramu. Nie uprzedził mnie. Mieszkanie było zamknięte. Koleżanka miała urodziny, więc tam poszłam. On otworzył drzwi – głośna muzyka, śmiech... Usiadł na taborecie i zapłakał... Codziennie po mnie wychodził i potem mówił:

– Kiedy idę po ciebie do pracy, to kolana mi drżą. Jak przed randką.

Wspominam, jak poszliśmy nad rzeczkę, kąpaliśmy się, opalali. Siedzieliśmy na brzegu i rozpalili ognisko.

– Wiesz, tak bardzo nie chce się ginąć za obcy kraj.

A w nocy mówił:

– Tamarka, nie wychodź więcej za mąż.

– Dlaczego tak mówisz?

– Bo cię bardzo kocham. I nie wyobrażam sobie ciebie z kimś innym...

Dni przelatywały szybko. Poczuliśmy jakiś strach... Prawdziwy strach... Oddawaliśmy nawet córkę do sąsiadów, żeby pobyć we dwoje. Nie było to przeczucie, ale jego cień... Tak, cień się zarysował... Mężowi zostało jeszcze pół roku. W kraju już szykowano kolejną zmianę.

Czasem mi się wydaje, że żyję bardzo długo, ale wspomnienia mam ciągle te same. Nauczyłam się ich na pamięć.

Córka była jeszcze mała. Wróciła kiedyś z przedszkola i mówi:

– Dzisiaj opowiadaliśmy o swoich tatusiach. Powiedziałam, że mój tatuś jest wojskowym.

– Dlaczego?

– Bo oni nie pytali, czy mam tatusia. Pytali tylko, kim jest.

Już podrosła. Kiedy się na nią za coś złoszczę, radzi mi:

– Mamusiu, wyjdź za mąż...

– A jakiego byś chciała tatę?

– Chciałabym swojego tatę...

– A jak nie swojego, to jakiego?

– Podobnego...

Miałam dwadzieścia cztery lata, kiedy zostałam wdową. W pierwszych miesiącach wyszłabym za mąż, gdyby tylko zbliżył się do mnie jakiś mężczyzna. Wariowałam! Nie widziałam wyjścia z sytuacji. Dookoła mnie toczyło się nadal to samo życie – jeden budował daczę, drugi kupował samochód, trzeci miał nowe mieszkanie i potrzebował dywanów, ładnej kuchenki gazowej... Pięknych tapet... To było zwyczajne cudze życie... A ja? Ja miotałam się jak ryba na piasku... Nocami dławiły mnie łzy... Dopiero niedawno zaczęłam kupować meble. Nie miałam sił piec ciasta. Nie chciałam nosić ładnych sukienek. Czyż w takim domu mogę świętować? W czterdziestym pierwszym i w czterdziestym piątym wszyscy cierpieli, cały kraj. Każdy kogoś stracił. I wiedział w imię czego. Baby płakały chórem. W szkole gastronomicznej, gdzie pracuję, zatrudnionych jest sto osób. I tylko mój mąż zginął na wojnie, o której inne tylko czytały w gazetach. Kiedy pierwszy raz usłyszałam w telewizji, że Afganistan jest naszą hańbą, chciałam rozbić ekran. Tamtego dnia po raz drugi pogrzebano mi męża...

Pięć lat kochałam go żywego i już osiem kocham martwego. Może jestem szalona. Ale go kocham.

Żona

Przywieźli nas do Samarkandy...

Stoją dwa namioty, w jednym zrzucaliśmy z siebie wszystkie cywilne rzeczy – co sprytniejsi z nas zdążyli po drodze sprzedać kurtki, swetry i kupić na pożegnanie wina – a w drugim wydawano używane wojskowe bluzy z czterdziestego piątego roku, kirzowe* buciory i onuce. Gdybyście pokazali takie „kirzacze" przywykłemu do upałów Murzynowi, toby zemdlał. W słabo rozwiniętych afrykańskich krajach żołnierze mają lekkie półbuty, kurtki, spodnie, kepi, a nam się nogi gotowały, kiedyśmy tak maszerowali w kolumnie przy czterdziestu stopniach i to jeszcze ze śpiewem. Przez pierwszy tydzień wyładowywaliśmy butelki i słoje w fabryce lodówek. W bazie handlowej nosiliśmy skrzynie z lemoniadą. Posyłali nas do prywatnych domów oficerów, u jednego z nich murowałem. Przez dwa tygodnie układałem

---

* Kirza (wym. kir-za, skrót od ros. *Kirowskij Zawod*) – imitacja skóry wynaleziona w latach trzydziestych w zakładach przemysłu skórzanego w Kirowie.

dach na chlewie. Trzy płyty eternitu się położy, a dwa spuszcza za flachę gorzały. Opylaliśmy deski, jeden metr – jeden rubel. Przed przysięgą dwa razy zawieźli nas na poligon, za pierwszym razem dali nam po dziewięć nabojów, za drugim każdy z nas rzucił granatem.

Ustawili nas na placu i odczytali rozkaz: „Jedziecie do DRA, żeby wypełnić obowiązek internacjonalistyczny. Kto nie chce – wystąp". Trzech z nas wystąpiło. Dowódca jednostki kopniakiem kazał wrócić na miejsce. To miał być tylko sprawdzian nastroju bojowego. Wydali racje żywnościowe na dwa dni, skórzane pasy – i jazda. Tak to właśnie wyglądało... Ale się nie przejmowałem. Dla mnie to była jedyna okazja, żeby zobaczyć zagranicę. No i... Oczywiście... No fakt... Marzyłem, że przywiozę sobie magnetofon, skórzaną dyplomatkę. W moim życiu nie wydarzyło się do tamtej chwili nic ciekawego. Nudne miałem życie. Teraz lecieliśmy olbrzymim iłem-76. Pierwszy raz... Pierwszy raz leciałem samolotem! W iluminatorze zobaczyłem góry, bezludną pustynię. A my wszyscy z Pskowa, u nas tylko laski i polany. Wysadzili nas w Szyndandzie. Pamiętam dokładnie datę – 19 grudnia 1980 roku...

Na miejscu popatrzyli na mnie i mówią:

– Metr osiemdziesiąt... Do kompanii rozpoznania. Takich tam potrzeba...

Z Szyndandu zawieźli nas do Heratu. Tam też trwała budowa. Budowaliśmy poligon. Kopaliśmy, dźwigali kamienie pod fundamenty. Ja pokrywałem eternitem dachy, byłem cieślą. Niektórzy nawet przed swoją pierwszą walką ani razu nie strzelali. Cały czas byliśmy głodni. W kuchni stały dwa pięćdziesięciolitrowe zbiorniki: jeden na pierwsze danie – kapusta z wodą, odrobiny mięsa tam nie uświadczysz, a drugi – na drugie: klajster, czyli kartoflane purée albo kasza perłowa bez tłuszczu. Na czterech przypadała jedna puszka skumbrii z etykietką: „Rok produkcji 1956, termin przechowywania: półtora roku". Przez półtora roku tylko raz się najadłem do syta – kiedy zostałem ranny. A poza tym cały czas myślałem, gdzie tu coś można dostać albo ukraść, żeby sobie podjeść. Zakradaliśmy się do ogrodów, Afgańczycy do nas strzelali. Można też było wejść na minę. Myśmy jednak mieli straszną ochotę na jabłka, gruszki, na jakiekolwiek owoce. Prosiliśmy rodziców o kwasek cytrynowy, przysyłali nam go w listach. Myśmy rozpuszczali go i pili. To było straszne kwasidło, wypalaliśmy sobie nim żołądki.

Przed pierwszą walką... Włączyli nam hymn Związku Radzieckiego. Przemówił zastępca do spraw politycznych. Zapamiętałem tyle, że imperializm światowy nie śpi, a w domu oczekują nas jak bohaterów.

Nie wyobrażałem sobie tego, jak będę zabijał. Przed pójściem do wojska uprawiałem kolarstwo, wyrobiłem sobie takie muskuły, że się mnie wszyscy bali, nikt mnie nie zaczepiał. Nigdy nie byłem nawet świadkiem bójki, takiej krwawej, na noże. Teraz jechaliśmy na transporterach opancerzonych. Przedtem wieźli nas autobusem do Heratu, poza tym raz wyjechałem z garnizonu ziłem. Teraz na pancerzu, z bronią, z podwiniętymi do łokci rękawami... To było nowe, nieznane uczucie. Poczucie władzy, siły i własnego bezpieczeństwa. Kiszłaki od razu zrobiły się niskie, aryki drobne, drzewa – rzadkie. Przez pół godziny tak się uspokoiłem, że poczułem się turystą. Oglądałem obcy kraj – egzotyka! Inne drzewa, inne ptaki, inne kwiaty... Pierwszy raz widziałem cierniste krzewy – bożodajnie. Zapomniałem o wojnie.

Przejechaliśmy przez aryk, przez gliniany mostek, który ku mojemu zdziwieniu wytrzymał ciężar kilku ton. Nagle usłyszałem wybuch. To w czołowy transporter trafił pocisk z granatnika. Już nieśli na rękach moich znajomych... jednego bez głowy... Kartonowa tarcza... Ręce dyndały w powietrzu... Świadomość nie chciała się od razu przełączyć na to nowe i straszne życie... Rozkaz: uruchomić moździerze, zwane przez nas „bławatkami", sto dwadzieścia strzałów na minutę. Wszystkie skierowane na wioskę, skąd padły strzały, po kilka pocisków na każde podwórze. Po walce składaliśmy swoich kolegów po kawałku, zeskrobywaliśmy z pancerza. Nie mieli nieśmiertelników, rozesłaliśmy brezent... to była bratnia mogiła... Znajdź tu teraz, gdzie czyja noga, czyj kawałek czaszki... Nieśmiertelników nie wydawano, żeby nie dostały się w niepowołane ręce. Imię, nazwisko, adres... Tak jak w piosence: „Nasz adres to nie dom, nie ulica, nasz adres – Związek Radziecki...". Tak to wyglądało!

Wracaliśmy w milczeniu. Zwyczajni faceci, nieprzyzwyczajeni do zabijania. Uspokoiliśmy się w jednostce. Zjedliśmy. Wyczyścili broń. Wtedy zaczęła się rozmowa.

– Trawki chcesz? – proponowali „dziadkowie".

– Nie, dzięki.

Nie chciałem palić, bałem się, że potem nie będę mógł rzucić. Do narkotyków człowiek szybko się przyzwyczaja i trzeba silnej woli, żeby przestać. Tamci potem palili wszystko, bo inaczej by zdechli, nerwy by wysiadły. Niechby ludziom dawali przydziałowe „sto gramów" jak w czasie ostatniej wojny. Ale nie przysługiwały nam... Prohibicja. A trzeba było rozładować napięcie. Zapomnieć. Sypali trawkę do pilawu, do kaszy... Oczy jak półrublówki... W nocy widzieli jak koty. Lekkość jak u nietoperza.

Zwiadowcy zabijają nie w walce, ale z bliska. Nie z automatu, ale finką, bagnetem, żeby było cicho, bez szmeru. Szybko nauczyłem się to robić. Wciągnąłem się. Pierwszy zabity? Kogo zabiłem z bliska? Pamiętam... Podeszliśmy do wioski, przez lornetę noktowizyjną zauważyliśmy, że koło drzewa świeci latarenka, stoi karabin, a człowiek coś odkopuje. Oddałem koledze automat, sam zbliżyłem się na odległość skoku i skoczyłem, podciąłem mu nogi. Żeby nie krzyczał, wcisnąłem mu czałmę w usta. Nie wzięliśmy ze sobą noża, za ciężki do niesienia. Miałem nożyk do ostrzenia ołówków. Tamten już leżał... A ja podniosłem mu brodę i poderżnąłem gardło. Po pierwszym zabitym... Jak po pierwszej kobiecie... Wstrząs... Ale to szybko minęło. Mimo wszystko jestem chłopak ze wsi, zarzynałem kury, kozy! Tak to wyglądało!

Zostałem starszym zwiadowcą. Wychodziliśmy zazwyczaj w nocy. Siedziało się z nożem za drzewem... Tamci idą... Jeden z przodu, na czele patrolu – trzeba go unieszkodliwić. Robiliśmy to po kolei... Wypadła kolej na mnie. Facet zrównał się ze mną, musiał jeszcze troszkę mnie minąć, a wtedy ja skoczyłem od tyłu. Najważniejsze było, żeby złapać go lewą ręką za głowę i podnieść do góry, żeby nie krzyknął. A prawą ręką – nóż w plecy... Pod wątrobę... I przebić na wylot... Potem brałem... zdobyczny japoński nóż, długość trzydzieści jeden centymetrów. Lekko wchodził w ciało. Tamten poszamotał się i upadał, bez krzyku. Do tego się przywyka. Trudności były nie tyle psychiczne, ile techniczne. Żeby trafić w serce... Uczyliśmy się karate. Obezwładnić, związać... Znaleźć bolesne punkty – nos, uszy, miejsca nad powieką – i celnie uderzyć. Żeby zadać cios nożem, trzeba wiedzieć gdzie... Wdzieraliśmy się za duwał: dwóch pod drzwiami, dwóch na podwórzu, a reszta obserwuje dom. Zabieraliśmy oczywiście to, co się nam podobało...

Kiedyś... Nerwy nie wytrzymały... Przeczesywaliśmy wioskę... Zazwyczaj otwiera się wtedy drzwi i zanim wejdzie – wrzuca granat, żeby nie nadziać się na serię z automatu. Tak jest pewniej, nie ma co ryzykować. Wrzuciłem granat i wchodzę, a tam leżą kobiety, dwóch większych chłopców i jedno niemowlę. W jakimś pudełku... zamiast wózka...

Teraz, kiedy to wspominam... niedobrze mi się robi...

Chciałem być przyzwoity, ale na wojnie się nie da. Wróciłem do domu. Jestem niewidomy, kula zniszczyła siatkówkę w obojgu oczach. Weszła lewą skronią, z prawej wyleciała. Rozróżniam tylko światło i ciemność. Nie udało mi się zostać przyzwoitym człowiekiem. Często nabieram ochoty, żeby przegryźć komuś gardło. A ja ich znam... tych, którym trzeba przegryźć... Tych... którzy skąpią kamienia na groby naszych żołnierzy... którzy nie chcą dawać mieszkań nam, inwalidom... „Ja was tam nie posyłałem..." Którzy mają nas gdzieś...

Myśmy tam umierali, a oni oglądali wojnę w telewizji. Dla nich to było widowisko. Widowisko! Chcieli mieć dreszcz emocji.

Nauczyłem się żyć bez oczu... Jeżdżę sam po mieście – sam w metrze, sam na przejściach. Sam gotuję, żona się dziwi, bo gotuję lepiej niż ona. Nigdy nie widziałem swojej żony, nie wiem, jaka jest. Jakiego koloru ma włosy, jaki nos, jakie usta... Patrzę rękami, ciałem... Moje ciało widzi. Wiem, jaki jest mój syn... Przewijałem go małego, prałem pieluchy. Teraz noszę go na barana. Czasami mam wrażenie, że oczy nie są potrzebne. Przecież zamykamy oczy, kiedy przychodzi ta najważniejsza chwila, kiedy jest nam dobrze. Oczy są potrzebne malarzowi, bo to jego zawód. A ja świat odczuwam... Słyszę go... Dla mnie słowo znaczy więcej niż dla tych, którzy mają oczy. Słowo i linia. Dźwięki. Dla wielu jestem człowiekiem, który ma wszystko poza sobą. No, już się chłopak nawalczył. Jak Jurij Gagarin po powrocie z kosmosu. O nie, najważniejsze jest jeszcze przede mną. Wiem to. Nie trzeba ciału nadawać większego znaczenia niż rowerowi, a ja byłem kolarzem, brałem udział w wyścigach. Ciało jest narzędziem, urządzeniem, z którym pracujemy, niczym więcej. Mogę być człowiekiem szczęśliwym, wolnym. Bez oczu... Zrozumiałem to... Iluż widzących nie widzi! Mając oczy, byłem bardziej ślepy niż dzisiaj. Chcę się od wszystkiego oczyścić. Od całego tego brudu, w który nas wciągnięto. Od swojej pamięci... Pani nie wie, jak okropnie bywa nocą. Znowu wszystko się na mnie zwala... Znowu skaczę z nożem na człowieka... Przymierzam się, gdzie uderzyć... Człowiek jest miękki, pamiętam, że ciało jest takie miękkie... Tak to właśnie wyglądało! No!

W nocy jest strasznie, dlatego że widzę... Kiedy śpię, nie jestem ślepcem...

Szeregowy, kompania rozpoznania

Niech pani nie zważa na to, że jestem mała, krucha... Ja też tam byłam... Jestem stamtąd...

Z każdym rokiem coraz trudniej odpowiedzieć mi na pytanie: „Jeśli nie byłaś w wojsku, to po co tam pojechałaś?". Miałam dwadzieścia siedem lat... Wszystkie przyjaciółki były zamężne, a ja nie. Przez rok byłam z jednym chłopakiem, a on ożenił się z inną. „Wyrzuć to! Wyrwij z pamięci, żeby nikt nie wiedział i nie domyślał się, żeśmy tam były" – pisze do mnie przyjaciółka. Nie, nie chcę wyrzucać z pamięci, ale chcę zrozumieć...

Już tam zaczęliśmy rozumieć, że nas oszukano. Pytanie: dlaczego tak łatwo się nas oszukuje? Dlatego że sami tego chcemy... Nie wiem: oszukuje czy oszukiwuje? Jak jest poprawnie? Przez większość czasu jestem sama, wkrótce oduczę się mówić. Całkiem przestanę mówić. Mogę się przyznać... Przed mężczyzną bym to ukryła, ale kobiecie powiem... Kiedy zobaczyłam, ile kobiet jedzie na tę wojnę, ze zdziwienia szeroko otwierałam oczy. Ładne i brzydkie, młode i niezbyt młode. Pogodne i złośliwe. Piekarki, kucharki, kelnerki... Sprzątaczki... Oczywiście, każda kierowała się jakimiś praktycznymi względami – chciały zarobić, może urządzić sobie życie osobiste. Wszystkie były niezamężne albo rozwiedzione. W poszukiwaniu szczęścia. Własnego losu. Tam znajdowały szczęście... Zakochiwały się autentycznie. Zdarzały się śluby. Tamara Sołowiej... Pielęgniarka... Przynieśli jej na noszach pilota helikoptera, był cały czarny, poparzony. Po dwóch miesiącach zaprosiła mnie na wesele, bo się pobierają. Pytam dziewcząt, z którymi mieszkałam w pokoju:

– Jestem w żałobie, co mam zrobić? Mój przyjaciel zginął, muszę napisać o tym do jego matki, płaczę od dwóch dni. Gdzie tu na wesele?

Dziewczyny mówią na to:

– Pojutrze mogą zabić i pana młodego, ale będzie kto miał go opłakiwać. Nie masz co się zastanawiać, iść czy nie iść, zastanów się lepiej nad prezentem.

A wszyscy dawali jednakowe – koperty z czekami. Załoga pana młodego przyszła z kanistrem spirytusu. Śpiewali i tańczyli, wygłaszali toasty. Krzyczeli „Gorzko!". Szczęście zawsze wygląda tak samo. Zwłaszcza kobiece... Różne rzeczy się tam działy... Ale w pamięci zostało to, co piękne... Dowódca batalionu wszedł do mnie wieczorem do pokoju i mówi: „Nie bój się! Nic od ciebie nie chcę. Tylko posiedź, a ja popatrzę na ciebie".

Była w nas jednak wiara! Wielka wiara! Pięknie jest w coś wierzyć. Wspaniale! Poczucie, że nas oszukują... i wiara... Jakoś to w sobie łączyliśmy... Może nie umiałam sobie wyobrazić innej wojny, niepodobnej do II wojny światowej. Od dzieciństwa lubiłam wojenne filmy. Tak myślałam... tak to sobie kreśliłam w umyśle. No, takie sceny... Czyż szpital wojskowy może obyć się bez kobiet? Bez kobiecych rąk? Leżą popaleni... poranieni... Wystarczy po prostu przyłożyć rękę do rany, przekazać jakiś ładunek. To przecież miłosierdzie! Praca dla kobiecego serca! Ale czy pani mi wierzy? Czy nam pani wierzy? No przecież nie wszystkie tam były prostytutkami i „czekistkami". Porządnych dziewcząt było więcej. Mam do pani zaufanie jako do kobiety... Do kobiety... Bo z mężczyznami na ten temat lepiej nie rozmawiać. Roześmieją się pani w twarz... W nowej pracy (po powrocie zwolniłam się ze starej) nikt nie wie, że byłam na wojnie... W Kabulu... Niedawno zaczęliśmy się spierać o Afganistan. Co to za wojna, po co ta wojna? Wtedy nasz naczelny inżynier przerwał mi:

– A co tam pani, młoda dziewczyna, może wiedzieć o wojnie... To są męskie sprawy...

(*Śmieje się*). Spotykałam na wojnie wielu chłopaków, którzy sami wyrywali się do niebezpiecznych zadań. Ginęli bez zastanowienia. Sporo się tam naobserwowałam mężczyzn. Podpatrywałam... To było ciekawe... No... co tam mają we łbie, jaki tam tkwi bakcyl? Zawsze walczą... Widziałam, jak ryzykowali życie, jak zabijali. Oni do tej pory uważają, że są jacyś szczególni, właśnie dlatego że zabijali. Dotknęło ich to, co nie dotknęło innych. Może to choroba? Istnieje taki bakcyl. Albo wirus... Zarażają się nim...

W domu wszystko się pokręciło... Wśród swoich... Wyjechaliśmy z państwa, któremu ta wojna była potrzebna, a wróciliśmy do takiego, które jej nie potrzebowało.

Nasz własny socjalizm runął i już nie ma sensu budować go za siódmą górą. Nikt już nie cytuje Lenina i Marksa. Nie wspomina o rewolucji światowej. Bohaterowie są teraz inni... Farmerzy, biznesmeni... Inne ideały: mój dom – moja twierdza... A nas wychowywano na Pawce Korczaginie... na Mieriesjewie... Śpiewaliśmy przy ognisku: „Najpierw pomyśl o ojczyźnie, a potem o sobie". Wkrótce będą się z nas śmiali. Będą nami dzieci straszyć. Nie dlatego czujemy się źle, że nam czegoś nie dali... że medali było za mało... Chodzi o to, że nas wykreślono, jakbyśmy nie istnieli. Trafiliśmy między żarna...

Przez pierwsze pół roku nie mogłam usnąć w nocy. A kiedy zasypiałam, śniły mi się trupy, strzelanina. Zrywałam się przerażona. Kiedy zamykałam oczy, napływały te same obrazy. Zapisałam się na wizytę do neurologa. Wysłuchał i zdziwił się:

– Co, aż tyle trupów pani widziała?

Oj, jaką miałam ochotę walnąć go w tę młodą gębę! Z trudem się powstrzymałam... Wyperswadowałam sobie... A mogłam i bluznąć na niego! Nauczyłam się tego na wojnie. Nie poszłam już do żadnego lekarza. Zaczęła się depresja... Rano nie chce mi się wstawać, nie chce myć, czesać. Wszystko robię na siłę, zmuszam się do tego. Chodzę do pracy... Rozmawiam z kimś... Wieczorem, jak ktoś mnie o coś spyta – nic nie pamiętam. Coraz mniej chce mi się żyć. Nie mogę słuchać muzyki ani czytać wierszy. A kiedyś to wszystko lubiłam, z tym żyłam. Nikogo nie zapraszam w gości, sama też nie chodzę. Nie mam gdzie się ukryć – ten cholerny problem z mieszkaniem! Mieszkam w komunałce... Co zarobiłam na wojnie... Trochę ubrań... Włoskie meble... Ale jestem sama... W tamtym życiu nic nie znalazłam, w tym też się pogubiłam. Nie pasuję do tego życia. Mimo wszystko chciałabym w coś wierzyć. Obrabowali mnie... Zabrali mi... Nie tylko pieniądze w banku przepadły przez inflację. Gorzej, że skonfiskowano mi przeszłość. Nie mam przeszłości... Nie mam wiary... Czym więc mam żyć?

Pani uważa, że jesteśmy okrutni? A czy się pani domyśla, jacy wy wszyscy jesteście okrutni? Nikt nas nie pyta, nikt nas nie słucha. Ale piszą o nas...

Proszę nie wymieniać mojego nazwiska. Niech pani przyjmie, że mnie już nie ma...

Pracownica cywilna

Na cmentarz pędzę jak na spotkanie...

W pierwszych dniach tam nocowałam... I nie bałam się... Teraz dobrze wiem, jak fruwają ptaki i jak trawa się kołysze. Wiosną czekam, kiedy kwiat wychynie do mnie z ziemi. Posadziłam przebiśniegi... Żeby prędzej nadeszły pozdrowienia od syna. Przebiśniegi wyrastają dla mnie stamtąd... od niego...

Siedzę u niego do wieczora. Do nocy. Czasem głośno krzyczę, ale tego nie słyszę, dopóki ptaki się nie zerwą. Chmary wron. Krążą nade mną, trzepoczą skrzydłami, wtedy się opamiętuję. Przestaję krzyczeć. Od czterech lat przychodzę codziennie. Albo rano, albo wieczorem. Nie było mnie przez jedenaście dni, kiedy leżałam po mikrozawale, nie pozwalali mi wstawać. Ale wstałam, po cichu poszłam do toalety... To znaczyło, że dobiegnę i do syna, a jak upadnę, to na jego grób. Uciekłam w szpitalnym szlafroku...

Przedtem miałam sen. Ukazał mi się Walera:

– Mamusiu, nie przychodź jutro na cmentarz. Nie trzeba.

Przybiegłam – jest cicho, tak cicho, jakby go tam nie było. Poczułam sercem, że go tam nie ma. Wrony siedzą na pomniku, na ogrodzeniu i nie odlatują, nie uciekają przede mną jak zwykle. Wstaję z ławki, a one wlatują przede mnie, uspokajają mnie. Nie chcą puścić. Co się dzieje? O czym chcą mnie uprzedzić? Nagle się uspokoiły, odleciały i obsiadły drzewa. Wtedy poczułam, że ciągnie mnie do grobu syna, i było mi tak spokojnie na duszy, niepokój przeszedł. To wrócił jego duch. „Dziękuję wam, ptaszki, że podpowiedziałyście mi, nie pozwoliły odejść. No i doczekałam się synka..." Wśród ludzi jest mi źle, chodzę jak błędna. Coś do mnie mówią, męczą mnie... Przeszkadzają mi... A tam jest mi dobrze. Dobrze jest mi tylko u syna. Można mnie znaleźć albo w pracy, albo tam. Przy grobie... On tam jakby był żywy... Na oko wymierzyłam, gdzie leży jego głowa... Siadam obok i wszystko mu opowiadam... Jak minął ranek, jaki miałam dzień... Wspominamy razem... Patrzę na portret... Patrzę głęboko, długo... On się albo trochę uśmiecha, albo nachmurzy, jakby był z czegoś niezadowolony. Tak właśnie żyjemy. Jeśli kupuję nową sukienkę, to tylko po to, żeby odwiedzić syna, żeby mnie w niej zobaczył... Przedtem klękał przede mną i mówił: „Mamusiu, jesteś moja. Moja ślicznotka!". Teraz ja przed nim... Otwieram furtkę i klękam.

– Witaj, synku... Dobry wieczór, synku...

Zawsze byłam z nim. Chciałam wziąć chłopczyka z domu dziecka... Znaleźć takiego samego, wielkookiego. Ale serce mam chore. Serce już tego nie wytrzyma. Jak w ciemnym tunelu zapędzam siebie samą do pracy. Gdybym miała czas, żeby usiąść w kuchni i popatrzeć przez okno, tobym zwariowała. Tylko udręki mogą mnie zbawić. Przez te cztery lata ani razu nie poszłam do kina. Sprzedałam kolorowy telewizor, a pieniądze za niego poszły na pomnik. Ani razu nie włączyłam radia. Kiedy synek zginął, wszystko u mnie się zmieniło: twarz, oczy, nawet ręce.

A za mąż wyszłam z takiej miłości! Wyskoczyłam! Był lotnikiem, wysoki, przystojny. W skórzanej kurtce, futrzanych butach. Niedźwiedź. To on będzie moim mężem?! Dziewczyny pękną z zazdrości! Szukałam po sklepach... Dlaczego u nas nie produkują domowych pantofli na obcasach? W porównaniu z nim byłam taka mała. Jakże czekałam, żeby zachorował, zakaszlał, żeby choć kataru dostał. Wtedy zostałby w domu przez cały dzień, a ja bym się nim opiekowała. Strasznie chciałam mieć syna. I żeby syn był taki jak on. Takie same oczy, takie same uszy, taki sam nos. Jakby ktoś w niebie mnie wysłuchał – syn był bardzo podobny do niego, wykapany ojciec. Nie mogłam uwierzyć, że tych dwóch wspaniałych mężczyzn jest moich. Nie mogłam! Kochałam dom! Kochałam pranie, prasowanie. Kochałam wszystko do tego stopnia, że nie nadepnęłam na pająka, a jak złapałam muchę czy biedronkę, to wyrzucałam przez okno. Niechby wszystko sobie żyło, kochało się nawzajem – a ja taka jestem szczęśliwa! Wracałam ze sklepu albo z pracy, dzwoniłam do drzwi, zapalałam w korytarzu światło, żeby syn widział mnie radosną.

– Leruńka – tak go nazywałam małego – to ja. Stęskniiiłam się!

Kochałam syna do szaleństwa i teraz też go tak kocham. Przynieśli mi zdjęcia z pogrzebu... Ale nie wzięłam... Jeszcze nie wierzyłam... Jestem wiernym psem, z tych, co umierają na grobie. W przyjaźni też zawsze byłam wierna. Gdy miałam oddać przyjaciółce książkę, umówiłam się z nią na spotkanie, mimo że mleko ciekło mi z piersi. Półtorej godziny stałam na mrozie, czekałam, a jej nie było. Nie mogła tak po prostu nie przyjść, skoro obiecała. Coś jej się musiało stać. Pędzę do niej do domu, a ona śpi. Potem nie mogła zrozumieć, dlaczego płaczę. Ja ją też kochałam, nawet podarowałam jej ulubioną sukienkę, niebieską. Taka jestem. W życie wchodziłam powoli, nieśmiało. Niektóre były śmielsze. Nie wierzyłam, że mogę być kochana. Kiedy mówili mi, że jestem ładna, nie wierzyłam. Szłam przez życie, zostając z tyłu. Ale jeśli coś zapamiętałam, czegoś się nauczyłam, to już na całe życie. Na zawsze... Byłam entuzjastką. Jak Gagarin poleciał w kosmos, to myśmy z Leruńką wybiegli na ulicę. Chciałam w takiej chwili kochać wszystkich... Wszystkich objąć... Krzyczeliśmy z radości...

Kochałam syna. Kochałam go do szaleństwa. I on mnie do szaleństwa kochał. Grób mnie przyciąga. Wzywa. Tak jak gdyby syn mnie przywoływał.

Kiedy pytali go:

– Masz dziewczynę?

Odpowiadał:

– Mam. – I pokazywał moją legitymację studencką, na której miałam bardzo długie warkocze.

Lubił tańczyć walca. Na balu absolwentów szkoły zaprosił mnie do pierwszego walca. A ja nawet nie wiedziałam, że umie tańczyć. No więc kręciliśmy się w walcu.

Któregoś wieczora robiłam na drutach, czekałam na niego. Słyszę kroki... Nie, to nie on... Kroki... Tak, to mój syn! Ani razu się nie pomyliłam. Siadaliśmy naprzeciw siebie i rozmawiali do czwartej rano. O wszystkim. O poważnych rzeczach i o błahostkach. Zaśmiewaliśmy się. Wyśpiewywał mi, grał na pianinie.

Patrzę na zegarek.

– Walera, pora iść spać.

– Nie, matulu, jeszcze posiedzimy.

Tak do mnie mówił: matulu, moja złota matulu.

– No, matulu moja złota, twój syn dostał się do wyższej szkoły wojskowej w Smoleńsku. Cieszysz się?!

Usiadł do pianina:

Sławny ród oficerski – szlachetny to klan.
Nie ja pierwszy z pewnością powiadam to wam.

Mój ojciec był zawodowym oficerem; zginął, broniąc Leningradu. Dziadek też był oficerem. Z syna sama natura ulepiła wojskowego: wzrost, siła, maniery. Nadawałby się na huzara! Białe
rękawiczki... Karty, preferans... „Mój rębajło!" – żartowałam.
Niechby tak nam niebo cokolwiek podpowiedziało... Jakiś znak...
Wszyscy go naśladowali. Ja, matka, też go naśladowałam. Do
pianina siadałam tak jak on, lekko zwrócona bokiem. Czasem
zaczynałam chodzić tak jak on. Zwłaszcza po jego śmierci. Chcę,
żeby zawsze był we mnie obecny... żeby nadal żył...
– No, moja złota matulu, twój syn wyjeżdża.
– Dokąd?
Nic nie odpowiada. Ja siedzę we łzach.
– Synku kochany, dokądże ty jedziesz?
– Co znaczy dokąd? To już wiadomo. Matulu moja, do pracy.
Zaczynamy od kuchni... Przyjdą koledzy...
Błyskawicznie się domyśliłam.
– Do Afganistanu?
– Tam... – I zrobił taką nieprzystępną minę, jakby spuścił
jakąś żelazną kurtynę.
Wpadł do domu jego przyjaciel Kolka Romanow. Wszystko
wygadał: jeszcze na trzecim roku złożyli podanie, żeby wysłano
ich do Afganistanu. Długo dostawali odmowę.
Pierwszy toast: kto nie ryzykuje, ten nie pije szampana. Przez
cały wieczór Walera śpiewał moje ulubione romanse...
Sławny ród oficerski – szlachetny to klan.
Nie ja pierwszy z pewnością powiadam to wam.

Zostały mu cztery tygodnie. Rano przed pracą wchodziłam do
jego pokoju, siedziałam i nasłuchiwałam, jak śpi. Bo on nawet
spał pięknie.
Jakże los pukał do naszych drzwi, jak nam podpowiadał! Śniło
mi się, że wiszę na czarnym krzyżu w długiej czarnej sukni...

I anioł niesie mnie na tym krzyżu... A ja ledwo się go trzymam... Chciałam spojrzeć, gdzie spadnę. Do morza czy na ląd? Patrzę, a w dole wykop, zalany słońcem...

Czekałam, aż przyjedzie na urlop. Długo nie pisał. Zadzwonił do mnie do pracy:

– Matulu moja złota, przyjechałem. Nie zatrzymuj się. Zupa gotowa.

Zawołałam:

– Synku, synku! Nie dzwonisz z Taszkentu? Jesteś w domu! W lodówce jest garnek twojego ulubionego barszczu!

– Ojej! Widziałem garnek, ale nie zaglądałem do środka.

– A ty jaką zupę zrobiłeś?

– Zupa – marzenie idioty. Przyjedź zaraz. Wyjdę po ciebie na przystanek.

Wrócił stamtąd siwy. Nie przyznał się, że wcale nie jest na urlopie, tylko puścili go ze szpitala – tak bardzo prosił: „Chciałem do mamy na dwa dni". Córka widziała, jak tarzał się po dywanie, wył z bólu. Zapalenie wątroby, malaria – wszystko razem się przyplątało. Ale siostrze przykazał:

– To, co teraz widziałaś, nie jest dla mamy. Idź, poczytaj książkę.

Znowu zaglądałam do niego przed pójściem do pracy i patrzyłam, jak śpi. Otworzył oczy.

– Co tam, matulu moja?

– Dlaczego nie śpisz? Jest jeszcze wcześnie.

– Miałem zły sen.

– Jak zły, synku, to trzeba się przewrócić na drugi bok. Będzie dobry. A złych snów nie trzeba opowiadać, to się nie sprawdzą.

Odprowadziliśmy go do Moskwy. Były piękne, majowe dni. Kwitły kaczeńce.

– Jak tam, synku?

– Matulu moja, Afganistan to jest rzecz, której nie powinniśmy robić.

Patrzył tylko na mnie, na nikogo więcej. Wyciągnął ręce, potarł nimi czoło.

– Nie chcę jechać do tej nory! Nie chcę!

Poszedł. Obejrzał się.

– No i tyle, mamo.

Nigdy nie mówił do mnie „mama". Zawsze tylko „matulu moja". Był piękny słoneczny dzień. Kwitły kaczeńce... Dyżurna na lotnisku patrzyła na nas i płakała...

7 lipca zbudziłam się zapłakana... Patrzyłam szklanym wzrokiem w sufit. To syn mnie obudził... Tak jakby przyszedł się pożegnać... Była ósma. Trzeba iść do pracy. Miotałam się z sukienką z łazienki do pokoju, z jednego pokoju do drugiego... Sukienka była jasna, jakoś nie mogłam jej włożyć. Kręciło mi się w głowie... Przed oczami wszystko mi się rozpływało. Uspokoiłam się dopiero w połowie dnia, przed obiadem.

7 lipca... Siedem papierosów i siedem zapałek w kieszeni. Siedem zdjęć w aparacie. Siedem listów do mnie. I siedem do narzeczonej. Książka otwarta na siódmej stronie... Seiichi Morimura *Kontenery śmierci*...

Miał parę sekund, żeby się uratować... Samolot leciał w przepaść...

– Chłopaki, ratujcie się! Ze mną koniec! – Nie mógł skoczyć pierwszy, zostawić kolegów... Tego by nie zrobił...

„Jestem major Sinielnikow, zastępca dowódcy pułku do spraw politycznych. Spełniając swój żołnierski obowiązek, uważam za konieczne zawiadomić panią, że starszy lejtnant Walerij Giennadjewicz Wołowicz zginął dzisiaj o godzinie dziesiątej minut czterdzieści pięć..."

Wiedziało już całe miasto... W Domu Oficera wisiała jego fotografia, przewiązana czarną krepą. Już za chwilę miał lądować samolot z trumną. A mnie nic nie mówili... Nikt nie miał odwagi... W mojej pracy wszyscy chodzili zapłakani...

– Co się stało?

Na różne sposoby odwracali moją uwagę. Przyjaciółka zajrzała przez drzwi. Potem nasz lekarz w białym fartuchu. A ja – jakbym się obudziła.

– Ludzie! Czyście wy zwariowali? Przecież tacy nie mogą ginąć! Nie!

Zaczęłam tłuc pięścią o biurko. Podbiegłam do okna, waliłam w szybę. Zrobili mi zastrzyk.

– Ludzie! Czy wyście powariowali? W głowach wam się pomieszało?!

Jeszcze jeden zastrzyk. Nic na mnie nie działało. Mówią, że krzyczałam wtedy:

– Chcę go zobaczyć! Zabierzcie mnie do syna!

– Weźcie ją, inaczej nie wytrzyma.

Długa trumna, nieociosana... Żółtą farbą, wielkimi literami napisane „Wołowicz". Dźwignęłam trumnę. Chciałam ją zabrać ze sobą. Pękł mi wtedy pęcherz moczowy...

Potrzebne jest miejsce na cmentarzu... Suche miejsce. Suchutkie... Potrzeba pięćdziesięciu rubli? Oczywiście, dam. Byle było dobre miejsce... Suche... Tam, w środku, rozumiem, że to straszne, ale nie potrafię powiedzieć... Miejsce suche... Jeśli trzeba, oddam wszystko! Przez pierwsze noce nie odchodziłam stamtąd... Zostawałam tam... Jak mnie zaprowadzili do domu, to wracałam... Kosili wtedy siano... W mieście i na cmentarzu pachniało sianem...

Rano spotkałam żołnierza. Mówi:

– Dzień dobry. Pani syn był moim dowódcą. Mogę pani opowiedzieć, jak to było.

– Oj, synku, zaczekaj.

Przyszliśmy do domu. Usiadł w fotelu syna. Zaczął mówić i nagle się rozmyślił.

– Nie mogę, proszę pani...

Jak go odwiedzam, kłaniam mu się, i jak odchodzę, też się kłaniam. W domu jestem tylko wtedy, kiedy mam gości. U syna jest mi dobrze. Nawet podczas mrozów tam nie marznę. Piszę tam do niego listy, mam kupę niewysłanych listów. Jak miałabym mu wysłać? Kiedy wracam nocą, palą się latarnie, samochody jeżdżą z włączonymi światłami. Wracam piechotą. Czuję taką siłę wewnętrzną, że się niczego nie boję, ani zwierzęcia, ani człowieka.

W uszach dźwięczą mi słowa syna: „Nie chcę wracać do tej nory! Nie chcę!". Kto za to odpowie? Ktoś jednak powinien...

Chcę żyć długo, bardzo chciałabym żyć właśnie w tym celu. Żyć, żeby być z synem... Najbardziej bezbronny u człowieka jest jego grób. Jego imię. Zawsze obronię swojego syna... Odwiedzają go koledzy... Przyjaciel padł przed grobem na kolanach.

– Walera, jestem unurzany we krwi... Tymi rękami zabijałem. Cały czas w walce. Jestem cały we krwi... Walera, nie wiem teraz, co jest lepsze – zginąć czy pozostać przy życiu? Teraz nie wiem...

Chciałabym wiedzieć, kto za to wszystko odpowie. Dlaczego nikt nie wymienia ich nazwisk?

Jak on śpiewał:

Sławny ród oficerski – szlachetny to klan.
Nie ja pierwszy z pewnością powiadam to wam.

Chodziłam do cerkwi, rozmawiałam z kapłanem.

– Mój syn poległ. Był niezwykły, był kochany. Jak mam teraz z nim postąpić? Jakie są nasze rosyjskie obyczaje? Myśmy je zapomnieli. Chcę je znać.

– Czy był ochrzczony?

– Ojczulku, bardzo bym chciała odpowiedzieć, że był, ale nie mogę. Byłam żoną młodego oficera. Mieszkaliśmy na Kamczatce. Pod wiecznym śniegiem... W śnieżnych ziemiankach... Tutaj śnieg jest biały, a tam niebieski i zielony, perłowy. Nie błyszczy i nie kłuje w oczy. To czysta przestrzeń... Dźwięk biegnie długo... Czy mnie ojciec rozumie?

– Matko Wiktorio, to źle, że nie był chrzczony. Nasze modlitwy do niego nie dotrą.

Wyrwało mi się wtedy:

– To ja go teraz ochrzczę! Swoją miłością, swoimi cierpieniami. Przez swoje męki go ochrzczę...

Ksiądz wziął mnie za rękę. Ręka mi drżała.

– Nie trzeba się tak przejmować, matko Wiktorio. Jak często chodzisz do syna?

– Codziennie go odwiedzam. No bo jak? Gdyby żył, widzielibyśmy się z nim codziennie.

– Matko, nie wolno go niepokoić po piątej wieczór. Wtedy udają się na spoczynek.

– Pracuję do piątej, a potem jeszcze dorabiam. Postawiłam mu nowy pomnik... Kosztował dwa i pół tysiąca... Muszę pooddawać długi.

– Słuchaj mnie, mateczko Wiktorio, w dzień wolny przyjdź koniecznie do cerkwi, a w zwykłe przychodź na poranne nabożeństwo przed dwunastą. Wtedy będzie cię słyszał.

Niech mi ześlą udręki, najgorsze, najbardziej nieznośne, niechby tylko docierały do niego moje modlitwy. Moja miłość...

Matka

U nas wszystko dzieje się jakimś cudem... Wszystko trzyma się na tej wierze... Wierze w cud!

Ładują nas do samolotu: „Biegiem! Biee-giem!". A niedaleko... O jakieś kilkadziesiąt metrów od nas... Prowadzą pod ręce pijanego pilota, pijanego na umór, i wsadzają go do kabiny. Matko jedyna! I nikt nic... Samolot startuje i leci. W dole góry, ostre szczyty. Spaść na taki – okropność... Jak na gwóźdź... Matko jedyna! Aż się spociłem... Przylatujemy normalnie, o oznaczonej porze. Pada komenda: „Wysiadać! W dwuszeregu zbiórka". Pilot idzie, szeroko stawiając nogi, dumny i... trzeźwy. I nikt nic... Cóż to znaczy? Jeśli nie cud, to w takim razie co to jest? Tak u nas dokonuje się wyczynów, tak u nas pojawiają się bohaterowie. Ale kiedy zaczynamy się kajać, to też bez opamiętania – koszulę rwiemy na piersi! Płaczemy gorzkimi łzami. Wszystko na cały regulator! Na całego! Jak po pijaku. Wróciłem... Powiedziałem sobie: „Do diabła z tym wszystkim! Do diabła!". Robią z nas chorych umysłowo, gwałcicieli, narkomanów. Wróciłem... żyję normalnym życiem normalnego człowieka... Matko jedyna! I nic... Piłem wino, kochałem kobiety, dawałem im kwiaty. Ożeniłem się. Urodził mi się syn... Siedzę tutaj, no i niech pani powie, czy wyglądam na wariata... Przypominam krokodyla? Służyłem w specnazie... Wszystko to świetne chłopaki, wielu ze wsi. Sybiracy. Tęgie chłopy, wytrzymałe. No, trafił się jeden stuknięty...

Wziętym do niewoli „duchom" lubił przekłuwać bębenki wycio-
rem. Matko jedyna! Jeden taki... Tylko jeden... (*Milknie*).

Życie, choć to dziwne, biegnie nadal... Borys Słucki pisał:
„Wróciliśmy z wojny do domu. Już wiem – niepotrzebni nikomu".
Tkwi we mnie cała tablica Mendelejewa... Malaria dokucza mi
do tej pory... A za co? Nas tu nikt nie oczekiwał... A tam wołali
do nas inaczej: „Wzmocnicie pierestrojkę, potrząśniecie tymi za-
kutymi łbami. Bagno!". No i wróciliśmy... Nigdzie nas nie wpusz-
czono... Od pierwszego dnia powtarzają: „Uczcie się, chłopcy.
Zakładajcie rodziny". Matko jedyna! I nic... Dookoła spekulacja,
mafia, obojętność, a nas nie dopuszcza się do poważnych spraw...
Ktoś poważny mi to tłumaczył tak: „A co wy potraficie? Tylko
strzelać... Co wiecie? Że ojczyzny broni się tylko z pistoletem? Że
sprawiedliwość przywraca się tylko z automatem?". No, dobra...
Nie jesteśmy bohaterami... Matko jedyna! Może za trzydzieści lat
sam powiem synowi: „Wiesz, nie wszystko było takie heroiczne,
jak piszą w książkach, były i złe rzeczy". Sam powiem... Ale po
trzydziestu latach... A teraz to jest żywa rana, dopiero co się
zaczęła goić, zabliźniać... (*Zaczyna chodzić po pokoju*).

Miałem tam taką chwilę... (*Przerywa*). Panią to ciekawi? Pomyślałem o ostatnim życzeniu... Okazało się bardzo zwyczajne:
kubek wody i papieros. Matko jedyna! Nie chciałem umierać, nie
myślałem o tym... Świadomość rozpływała się wskutek utraty
krwi... Chwiała się... Ocknąłem się, słysząc krzyk... Walerka Ło-
bacz, nasz sanitariusz... Prał mnie po pysku i krzyczał histerycznie: „Ty mi tu nie umieraj! Masz żyć i już!". (*Energicznie siada*).

Te wspomnienia dla mnie samego są ciekawe... Matko jedyna!
No i nic... Do tej pory nocami dźwigam na sobie automat, dwa
zapasy amunicji, czyli dziewięćset naboi, do tego dodajmy cztery
granaty, flary, dymy, rakietnice, hełm, kamizelkę kuloodporną, saperkę, watowane portki, pałatkę, suchy prowiant na trzy
dni (dziewięć ciężkich puszek i trzy wielkie paczki sucharów).
Pięćdziesiąt kilo. Na nogach onuce i kirzowe buty, które nam
dali przed wyjazdem z Sojuza. Parzyłem sobie nogi, dopóki nie
zdjąłem z zabitego „ducha" kanadyjskich adidasów... Do diabła

ze wszystkim! Do diabła! Na wojnie wszystko się zmienia, nawet psy. Głodne... Obce psy... Patrzą na człowieka jak na coś
do zjedzenia. Nigdy się tak nie czułem, dopiero tam. Leżałem
ranny... Dobrze, że mnie chłopaki szybko znalazły... (*Urywa*).
Po co pani przyszła? Dlaczego się zgodziłem... Dotknęła pani
tego... Po co? Dla kogo? Mój dziadek walczył w Wielkiej Wojnie Ojczyźnianej... Opowiadałem mu, jak w jednym ze starć
straciliśmy dziesięciu chłopaków. Dziesięć trumien... Dziesięć
celofanowych toreb... Na to dziadek:

– E! Tyś prawdziwej wojny jeszcze nie widział. U nas z pola
walki nie wracało od stu do dwustu. Wszystkich składaliśmy do
bratniej mogiły w samych bluzach albo w bieliźnie i zasypywa-
liśmy piachem.

Do diabła! Już kończę... Matko jedyna! To wszystko nic... Piliśmy tam wódkę Moskiewską, zwaną „zwalinóżką". Trzy ruble
sześćdziesiąt dwie kopiejki...

Minęły cztery lata... Jedno się nie zmieniło – śmierć, to że
koledzy zginęli, cała reszta się zmieniła...

Niedawno byłem u dentysty... Wszyscy wróciliśmy ze szkor-
butem, z paradentozą. Ileśmy zjedli chlorku. Wyrwali mi jeden
ząb, drugi... I z tego szoku, bólu (zamrożenie nie poskutkowało)
nagle zacząłem mówić... Nie mogłem się zatrzymać... A den-
tystka patrzy na mnie prawie ze wstrętem, wszystko maluje się
na jej twarzy. Że niby pełne usta krwi, a temu jeszcze chce się
gadać... Zrozumiałem, że tak właśnie myślą o nas wszyscy: pełna
gęba krwi, a ci jeszcze gadają...

Sierżant, żołnierz specnazu

Post mortem

IGOR LEONIDOWICZ TATARCZENKO
(1961–1981)
Wierny złożonej przysiędze,
przejawiając męstwo i wytrwałość,
zginął w Afganistanie, wykonując zadanie bojowe.
Ukochany Igorku,
straciłeś życie, zanim je poznałeś.

Mama i tata

ALEKSANDR WIKTOROWICZ ŁADUT'KO
(1964–1984)
Zginął, wypełniając obowiązek internacjonalistyczny.
Uczciwie spełniłeś, synku, swój obowiązek wojskowy.
Sam nie zdołałeś cało z tej wojny wynieść głowy.
Na ziemi afgańskiej zginąłeś w krwawym boju,
By nad ojczyzną zawsze jaśniało niebo pokoju.

Kochanemu synkowi od mamy

JURIJ FRANCEWICZ BARTASZEWICZ
(1967–1986)
Zginął jak bohater, wypełniając obowiązek
internacjonalistyczny.
Pamiętamy, kochamy, cierpimy.

Rodzina pamięta o Tobie.

LEONID IWANOWICZ BOBKOW
(1964–1984)
Zginął, wypełniając obowiązek internacjonalistyczny.
Zaszedł księżyc, zaszło słońce
bez Ciebie, kochany synku.

Mama i tata

OLEG NIKOŁAJEWICZ ZIŁFIGAROW
(1964–1984)
Zginął wierny przysiędze wojskowej. Nie spełniły się
życzenia, nie spełniły marzenia.
Wcześnie zamknąłeś oczy, Oleżku, synku, braciszku, kochany,
nie sposób wyrazić bólu rozstania z Tobą.

Mama, tata, bracia i siostry

ANDRIEJ IWANOWICZ KOZŁOW
(1961–1982)
Zginął w Afganistanie.
Jedynemu synkowi.

Mama

WIKTOR KONSTANTINOWICZ BOGUSZ
(1960–1980)
Zginął, broniąc ojczyzny.
Na ziemi jest pusto bez ciebie...

Mama

Proces *Cynkowych chłopców*
(opowieść w dokumentach)

Grupa matek żołnierzy internacjonalistów, poległych w Afganistanie, złożyła niedawno pozew przeciwko pisarce Swietłanie Aleksijewicz, autorce książki *Cynkowi chłopcy*. Ich powództwo zostanie rozpatrzone przez Sąd Ludowy Dzielnicy Centralnej w Mińsku.

Powodem wytoczenia procesu stały się spektakl *Cynkowi chłopcy*, wystawiony na scenie Białoruskiego Teatru imienia Janki Kupały, oraz publikacja fragmentów książki w gazecie „Komsomolska Prawda". Spektakl został zarejestrowany przez telewizję Republiki Białorusi i pokazany widzom w całym kraju. Nieutulone w bólu matki poczuły się obrażone, że ich synowie zostali ukazani wyłącznie jako bezduszne roboty do zabijania, grabieżcy, narkomani i gwałciciele...

L. Grigoriew
„Wieczernij Minsk", 12 czerwca 1992 roku

„Za *Cynkowych chłopców* – do sądu" – taki tytuł nosiła notatka zamieszczona 22 czerwca w gazecie „Na Straże Oktiabria" i w niektórych innych czasopismach. „Pisarce Swietłanie Aleksijewicz – pisał autor notatki – po ukazaniu się jej książki wytoczono prawdziwą wojnę. Autorkę obwiniono o zniekształcenie i zafałszowanie opowieści „afgańców" oraz ich matek. I właśnie kolejny atak nastąpił po wystawieniu na scenie Białoruskiego

Teatru imienia Kupały oraz emisji na ekranach telewizorów spektaklu pod tym samym tytułem. Sędziowie z Dzielnicy Centralnej będą musieli rozpatrzyć skargę grupy matek poległych żołnierzy internacjonalistów. Daty procesu jeszcze nie wyznaczono. Spektakl został zdjęty ze sceny..."

Zatelefonowaliśmy do sądu stołecznej Dzielnicy Centralnej z prośbą o komentarz do tej informacji, ale spotkaliśmy się ze zdziwieniem. Pani sekretarz S. Kulgan powiedziała nam, że takie powództwo do sądu nie wpłynęło...

Jak wyjaśnił nam autor notatki w gazecie „Na Straże Oktiabria" W. Strielski, informacja została przez niego zaczerpnięta z moskiewskiej gazety „Krasnaja Zwiezda".

„Czyrwonaja Zmiena", 14 lipca 1992 roku

20 stycznia br. gazeta „Sowietskaja Biełorussija" doniosła: „W Sądzie Ludowym Dzielnicy Centralnej Mińska rozpoczął się proces pisarki Swietłany Aleksijewicz...".

A poprzedniego dnia, 19 stycznia, „Wieczernij Minsk" opublikował notatkę na ten sam temat pod tytułem: „Proces pisarki". Nie bez powodu podaję konkretne daty publikacji. Chodzi o rzecz następującą...

Kiedy odwiedziłem sąd stołecznej Dzielnicy Centralnej, dowiedziałem się, że sprawę prowadzi sędzia Gorodniczewa.

Pani sędzia nie pozwoliła włączyć dyktafonu. Kategorycznie odmówiła też jakichkolwiek wyjaśnień, powołując się na to, że „nie należy zagęszczać atmosfery". Mimo wszystko jednak pani Gorodniczewa pokazała akta sprawy Aleksijewicz, na których widnieje data wszczęcia... 20 stycznia. Oczywiste jest zatem, że materiały dla prasy informujące o tym, że proces trwa (!), były już gotowe, zanim pani sędzia wszczęła sprawę...

Leonid Swiridow
„Sobiesiednik", nr 6, 1993 rok

Do Sądu Ludowego Dzielnicy Centralnej Mińska wpłynęły dwa powództwa cywilne. Weteran Afganistanu, obecnie inwalida, twierdzi, że S. Aleksijewicz napisała nieprawdę o tej wojnie, a w szczególności o nim, że go oszkalowała. Dlatego winna go publicznie przeprosić, a rekompensatą za zhańbiony honor żołnierski ma być odszkodowanie w wysokości pięćdziesięciu tysięcy rubli. Matka zaś poległego oficera różni się z pisarką w ocenie radzieckiego patriotyzmu i jego roli w wychowaniu młodego pokolenia.

Z obojgiem powodów Swietłana Aleksijewicz spotykała się kilka lat temu w trakcie pracy nad znaną książką *Cynkowi chłopcy*. Oboje twierdzą obecnie, że mówili wówczas „nie tak", a jeśli nawet mówili tak, jak zostało zapisane w książce, to obecnie zmienili zdanie.

Nie do pominięcia są niuanse. Powód żołnierz oskarżający pisarkę o zniekształcenie faktów i obrazę jego godności powołuje się na publikację prasową z 1989 roku. Figuruje w niej jednak nazwisko nie jego, ale zupełnie innego żołnierza. Matka poległego wciąga natomiast sąd w istny labirynt polityki i psychologii, skąd nie jest go w stanie wyprowadzić nawet cały zastęp ekspertów. Niemniej jednak oba powództwa zostały przez sąd przyjęte. Rozprawy sądowe się jeszcze nie zaczęły, ale sprawa przeciw pisarce toczy się na całego...

Anatolij Kozłowicz
„Litieraturnaja Gazieta", 10 lutego 1993 roku

Przed sądem stanęła białoruska pisarka Swietłana Aleksijewicz, która w swoim czasie przypomniała, że „wojna nie ma w sobie nic z kobiety". Okazało się, że prochy Afganistanu jeszcze odzywają się w sercach niektórych oburzonych czytelników, którzy nie wybaczyli Swietłanie Aleksijewicz *Cynkowych chłopców*, dokumentalnej opowieści o nieznanym nam obliczu wojny afgańskiej. Pisarkę oskarża się o przekręcanie faktów i wybiórcze potraktowanie materiałów, dostarczonych jej przez uczestników wojny, wdowy po nich oraz matki poległych żołnierzy, ogólnie zaś – o antypatriotyzm i szkalowanie ojczyzny. Na razie nie wiadomo, czy sprawie zostanie nadany bieg, czy też pozywający autorkę poprzestaną na pewnej satysfakcji moralnej i do procesu mimo wszystko nie dojdzie. Wysłany został jednak znamienny sygnał. Wyraźnie zamajaczył cień majora Czerwonopiskiego*, który na zjeździe delegatów ludowych pouczał profesora Andrieja Sacharowa, jak należy oceniać wojnę w Afganistanie...

Fiodor Michajłow
„Kuranty", 3 lutego 1993 roku

Z powództwa sądowego Olega Siergiejewicza Laszenki, byłego szeregowego z obsługi granatnika

6 października 1989 roku w artykule *Wracamy stamtąd...*, opublikowanym w gazecie „Litaratura i Mastactwa", znalazły się fragmenty dokumentalnej książki Swietłany Aleksijewicz *Cynkowi chłopcy*. Jeden z monologów podpisany jest moim imieniem (podano błędną wersję nazwiska).

Monolog zawiera moją opowieść o wojnie afgańskiej i pobycie w Afganistanie, stosunkach międzyludzkich na wojnie, po wojnie itd.

Aleksijewicz całkowicie zniekształciła moją relację, dopisała rzeczy, których nie mówiłem, jeśli zaś mówiłem, to inaczej je rozumiałem; wyciągnęła wnioski, które są całkiem odmienne od moich własnych.

Część wypowiedzi, które napisała Swietłana Aleksijewicz w moim imieniu, poniża mnie i narusza mój honor oraz godność.

Chodzi o zdania następujące:

---

* Siergiej Czerwonopiski (ukr. Serhij Czerwonopyśkyj, ur. 1957) – oficer radziecki, który w czasie wojny afgańskiej stracił obie nogi. Podczas I Zjazdu Delegatów Ludowych w 1989 roku zaatakował Andrieja Sacharowa za wywiad zawierający stwierdzenie, że dowództwo radzieckie nakazało likwidować własne oddziały otoczone przez mudżahedinów. Obecnie polityk i generał-major armii ukraińskiej.

1. „Na przeszkoleniu w Witebsku nie było tajemnicą, że szykują nas do Afganistanu.

Jeden przyznał się, że ma stracha, że nas tam wszystkich wystrzelają. Zacząłem nim gardzić. Tuż przed wyjazdem odmówił jeszcze jeden...

Myślałem, że jest nienormalny.

Przecież jechaliśmy robić rewolucję!"

2. „Po paru tygodniach nic z poprzedniego człowieka nie zostaje, tylko imię i nazwisko. Już nie jest sobą, ale kimś innym. I ten inny człowiek... Na widok zabitego już nie czuje lęku, tylko ze spokojem albo złością myśli o tym, jak go będzie ściągał ze skały albo taszczył na plecach w skwarze. Kilka kilometrów...

Widok zabitego wywołuje swoistą ekscytację: to nie mnie!... Taka przemiana... To dzieje się prawie ze wszystkimi".

3. „Nauczyli mnie strzelać do tego, co mi wskażą. Strzelałem, nie litowałem się nad nikim. Mogłem zabić dziecko... Każdy starał się przeżyć. Nie było czasu na myślenie... Przywykłem do cudzej śmierci, bałem się tylko własnej".

4. „Niech pani tylko nie pisze o naszym afgańskim braterstwie. Nie ma czegoś takiego. Nie wierzę w nie. Na wojnie byliśmy zjednoczeni – wszystkich nas tak samo oszukano... Tutaj łączy nas to, że nic nie mamy... Mamy te same problemy: renty, mieszkania, dobre leki, protezy, meble... jak je rozwiążemy, to nasze kluby się porozpadają.

Niech no tylko dostanę, niech się dopcham, niech tylko wyszarpię mieszkanie, meble, lodówkę, pralkę, japońskie »wideło«, i już!... Młodzi do nas się nie garną. Nie rozumieją nas. Niby zrównali nas z uczestnikami Wielkiej Wojny Narodowej, ale tamci bronili ojczyzny, a my co? Myśmy wystąpili w roli Niemców – jak mi jeden chłopak oświadczył.

A my jesteśmy na nich źli... Kto nie był tam ze mną, nie widział, nie przeżył, nie poznał na własnej skórze – ten jest dla mnie nikim".

Wszystkie te wypowiedzi głęboko obrażają moją ludzką godność, ponieważ czegoś takiego nie mówiłem, nie myślę w ten

sposób i uważam, że te informacje godzą w mój honor mężczyzny, człowieka i żołnierza...

20 stycznia 1993 roku
Bez własnoręcznego podpisu

Ze stenogramu konfrontacji przed procesem
Sędzia: T. Gorodniczewa, adwokaci: T. Własowa, W. Łuszkinow, powód: O. Laszenko, pozwana: S. Aleksijewicz.

Sędzia T. Gorodniczewa:
– Czy powód potwierdza, że pisarka zniekształciła podane
przez niego fakty?

O. Laszenko:
– Tak.

Sędzia T. Gorodniczewa:
– Proszę pozwaną o wyjaśnienie powyższej sprawy.

S. Aleksijewicz:
– Oleg, chciałabym ci przypomnieć, co mi opowiadałeś i jak
płakałeś, kiedyśmy się spotkali, i jak nie wierzyłeś, że twoją prawdę będzie można kiedykolwiek wydrukować. Prosiłeś, żebym
to zrobiła... Napisałam to. I co teraz? Znowu ktoś cię oszukuje
i wykorzystuje. Po raz drugi... A przecież mówiłeś wtedy, że już
nigdy nie pozwolisz się oszukać.

O. Laszenko:
– Niech pani postawi się w mojej sytuacji: jestem bez pracy,
mam nędzną rentę i dwójkę małych dzieci... Żonę niedawno też
zwolnili. Jak tutaj żyć? Za co? Pani dostaje honoraria. Wydają
panią za granicą. A my, jak się okazuje, jesteśmy mordercami
i gwałcicielami.

Adwokatka T. Własowa:
– Protestuję. Na mojego klienta wywiera się presję psychiczną.
Mój ojciec był lotnikiem, generałem, który też zginął w Afgani-
stanie. Tam wszystko było święte. Wszyscy dotrzymali przysięgi.
Bronili ojczyzny...

Sędzia T. Gorodniczewa:

– Jakie są żądania powoda?

O. Laszenko:

– Żeby pisarka publicznie mnie przeprosiła i wynagrodziła mi straty moralne...

Sędzia T. Gorodniczewa:

– Upiera się pan wyłącznie przy sprostowaniu opublikowanych faktów?

O. Laszenko:

– Chcę, żeby S. Aleksijewicz wypłaciła mi pięćdziesiąt tysięcy rubli za mój znieważony żołnierski honor.

S. Aleksijewicz:

– Oleg, nie wierzę, że ty sam to mówisz. Powtarzasz tylko cudze słowa... Pamiętam cię innego... Nazbyt tanio wyceniłeś swoją spaloną twarz i stracone oko... Tyle że to nie mnie powinieneś pozywać. Pomyliłeś mnie z Ministerstwem Obrony i Biurem Politycznym KPZR...

Adwokatka T. Własowa:

– Protestuję! To jest presja psychiczna...

S. Aleksijewicz:

– Kiedyśmy się spotykali, Oleg, byłeś uczciwy, a ja bałam się o ciebie. Bałam się, że możesz mieć przykrości ze strony KGB, bo przecież wszystkim wam kazali podpisywać dokument o zachowaniu tajemnicy wojskowej. Dlatego zmieniłam twoje nazwisko. Zmieniłam je, żeby cię chronić, a teraz, broniąc się przed tobą, muszę odwołać się do tego samego. Ponieważ nie ma tam twojego nazwiska, postać jest zbiorowa... I twoje pretensje nie mają podstaw...

O. Laszenko:

– Nie, to są moje słowa. To ja mówiłem... Tam jest też o tym, jak zostałem ranny... I... wszystko tam jest moje...

Z pozwu Jekatieriny Nikiticzny Płaticyny, matki poległego majora Aleksandra Płaticyna

6 października 1989 roku w artykule *Wracamy stamtąd...* w gazecie „Literatura i Mastactwa" zostały opublikowane fragmenty dokumentalnej książki Swietłany Aleksijewicz *Cynkowi chłopcy*. Jeden z monologów – matki poległego w Afganistanie majora A. Płaticyna – podpisany jest moim nazwiskiem.

Monolog ten został w całości włączony do książki S. Aleksijewicz *Cynkowi chłopcy*.

W monologu, opublikowanym w gazecie i w książce, moja relacja o synu została zniekształcona. S. Aleksijewicz, nie zważając na to, że książka ma charakter dokumentalny, dodała niektóre fakty od siebie, znaczną część mojej relacji pominęła, wyciągnęła samodzielnie wnioski i podpisała monolog moim nazwiskiem.

Artykuł znieważa i poniża mój honor oraz godność...

Bez własnoręcznego podpisu i daty

Ze stenogramu konfrontacji przed procesem

Sędzia: T. Gorodniczewa, adwokaci: T. Własowa, W. Łuszkinow, powódka: J. Płaticyna, pozwana: S. Aleksijewicz.

Sędzia T. Gorodniczewa:

– Słuchamy panią, Jekatierino Nikiticzna...

J. Płaticyna:

– Postać syna, utrwalona w mojej świadomości, absolutnie nie odpowiada postaci stworzonej w książce.

Sędzia T. Gorodniczewa:

– Czy mogłaby pani wyjaśnić swoją myśl: gdzie, w którym miejscu i w jaki sposób wypaczone zostały fakty?

J. Płaticyna (*bierze książkę do ręki*):

– Tam wszystko jest inaczej, niż mówiłam. Mój syn nie był taki. Kochał ojczyznę. (*Płacze*).

Sędzia T. Gorodniczewa:

– Proszę, niech się pani uspokoi i wyliczy fakty.

J. Płaticyna (*odczytuje z książki*):

„Po Afganistanie (wtedy, gdy przyjechał na urlop) zrobił się jeszcze czulszy. Wszystko mu się w domu podobało. Ale były chwile, kiedy siadał i nic nie mówił, nikogo nie widział. W nocy się czasem zrywał, chodził po pokoju. Kiedyś obudziły mnie jego krzyki: »Wybuchy! Wybuchy!«... Innym razem usłyszałam w nocy, że ktoś płacze. Kto u nas może płakać? Małych dzieci przecież nie mamy. Otwieram jego pokój, a on objął głowę rękami i płakał...".

Przecież był oficerem. Oficerem liniowym. A tutaj pokazany jest jak mazgaj. Czy o tym należało pisać?

Sędzia T. Gorodniczewa:

– Mnie samej chce się płakać. I niejednokrotnie płakałam, kiedy czytałam tę książkę, pani opowieść. Ale co tutaj znieważa pani honor i godność?

J. Płaticyna:

– Wie pani, że był oficerem liniowym. Nie mógł więc płakać. Albo coś takiego: „Dwa dni później świętowaliśmy Nowy Rok. Pod choinką Sasza położył prezenty dla nas. Dla mnie – dużą chustę. Czarną.

– Syneczku, dlaczego wybrałeś czarną?

– Tam były różne, mamusiu. Ale kiedy przyszła moja kolej, zostały tylko czarne. Popatrz, do twarzy ci w niej...".

Wychodzi na to, że mój syn wystawał w kolejkach, choć przecież nie znosił sklepów i kolejek. A tutaj na wojnie stoi w kolejce... Dla mnie po chustę... Po co było o tym pisać? To był oficer liniowy. Zginął...

Swietłano Aleksandrowna, dlaczego napisała pani coś takiego?

S. Aleksijewicz:

– Kiedy spisywałam pani opowieść, też płakałam. I nienawidziłam tych, którzy pani syna wysłali, żeby niepotrzebnie zginął w obcym kraju. Myśmy z panią wtedy się zgadzały.

J. Płaticyna:

– Pani mówi, że powinnam nienawidzić państwa, partii... A ja jestem dumna ze swojego syna! Zginął jak oficer liniowy. Wszyscy koledzy go lubili. Kocham tamto państwo, w którym żyliśmy – ZSRR, bo za nie zginął mój syn! Nie potrzebuję pani strasznej prawdy. Ona nie jest nam potrzebna!!! Słyszy pani?!

S. Aleksijewicz:

– Gotowa byłabym pani wysłuchać. Mogłybyśmy porozmawiać. Ale dlaczego mamy o tym rozmawiać w sądzie? Tego nie rozumiem...

[...] Zgodnie z żelaznym radzieckim scenariuszem Swietłana Aleksijewicz jest w sposób zorganizowany wyklinana jako agentka CIA, światowego imperializmu, która na swoją wielką ojczyznę i jej bohaterskich synów rzuca kalumnie rzekomo za dwa mercedesy i dolarowe ochłapy...

Pierwszy proces nie doczekał się zakończenia, ponieważ oboje powodowie – były szeregowiec Oleg Laszenko i matka poległego oficera Jekatierina Płaticyna nie stawili się na rozprawę. Pół roku później jednak złożono dwa nowe pozwy: I.S. Gałowniewej, matki poległego starszego lejtnanta J. Gałowniewa, przewodniczącej białoruskiego klubu matek poległych żołnierzy internacjonalistów, oraz Tarasa Kiecmura, byłego szeregowego, obecnie przewodniczącego mińskiego klubu żołnierzy internacjonalistów...

„Prawa Czełowieka", nr 3, 1993 rok

14 września w Mińsku rozpoczął się proces, w którym jako strona pozwana wystąpiła pisarka Swietłana Aleksijewicz.

Wówczas zaczęła się rzecz najciekawsza. „Pozew sądowy matki poległego »afgańca« I.S. Gałowniewej wpłynął do sądu bez daty – powiedział adwokat Aleksijewicz Wasilij Łuszkinow. – Nam zaś jego kopię przedłożono w ogóle bez podpisu i naturalnie bez daty. Nie przeszkodziło to jednak sędzi Tatianie Gorodniczewej wszcząć sprawę z artykułu siódmego kodeksu cywilnego. Zdziwienie budzi także to, że sama sprawa nie została formalnie załatwiona przed rozpoczęciem procesu, jej numer bowiem figurował już w księdze rejestracji, chociaż decyzja o wszczęciu sprawy cywilnej nie została jeszcze podjęta".

Proces jednak się zaczął... Przewodniczył mu człowiek, który ze sprawą zapoznał się właściwie dopiero podczas procesu.

O tym, że sędzia T. Gorodniczewa została zastąpiona przez sędziego I. Żdanowicza, Swietłana Aleksijewicz i jej adwokat dowiedzieli się dopiero dziesięć minut przed rozpoczęciem rozprawy.

„To jest kwestia bardziej moralności niż prawa" – zareagował Wasilij Łuszkinow.

Być może tak. Za stołem niespodziewanie pojawił się jednak jeszcze jeden bohater książki Swietłany Aleksijewicz – Taras Kiecmur, a przed sędzią I. Żdanowiczem złożono jego pozew bez podpisu i oczywiście bez wszczęcia z tego powodu sprawy...

Adwokat pozwanej zwrócił uwagę sądu na ten nonsens i złożył protest. Rozprawa została odroczona...

Oleg Błocki
„Litieraturnaja Gazieta", 6 października 1993 roku

Ze stenogramu rozprawy w dniu 29 listopada 1993 roku

Sędzia: I. N. Żdanowicz, ławnicy ludowi: T. W. Borisiewicz, T. S. Soroko, powodowie: I. S. Gałowniewa, T. M. Kiecmur, pozwana: S. A. Aleksijewicz.

Z pozwu sądowego Inny Siergiejewny Gałowniewej, matki poległego starszego lejtnanta J. Gałowniewa

W gazecie „Komsomolska Prawda" z 15 lutego 1990 roku opublikowano fragmenty dokumentalnej opowieści Swietłany Aleksijewicz *Cynkowi chłopcy. Monologi tych, którzy przeszli przez Afganistan.*

W opublikowanym pod moim nazwiskiem monologu znalazły się nieścisłości i zniekształcone fakty, o których mówiłam Swietłanie Aleksijewicz, a także jawne kłamstwa i zmyślenia, to znaczy rzekomo na podstawie moich słów opisane okoliczności, o których nie informowałam i nie mogłam informować. Swobodna interpretacja moich wypowiedzi, a także własne domniemania, przedstawione w moim imieniu, hańbią moją cześć i godność, tym bardziej że chodzi o opowieść dokumentalną. Sądzę, że autor dokumentalista zobowiązany jest dokładnie przekazać otrzymaną informację, posiadać nagrania rozmów i uzgadniać teksty z rozmówcą.

Aleksijewicz pisze więc w artykule: „Niezręcznie jest matce przyznawać się do czegoś takiego, ale jego kochałam najbardziej na świecie. Bardziej niż męża, bardziej niż drugiego syna..." (chodzi o mojego poległego syna Jurę). Przytoczony cytat jest zmyślony (nie odpowiada temu, co mówiłam). Informacja o rzekomo różnym stopniu miłości do synów wywołała konflikty w rodzinie i, jak sądzę, mnie zniesławia.

Następnie: „W pierwszej klasie umiał na pamięć nie bajki, nie wierszyki dla dzieci, ale całe strony z *Jak hartowała się stal* Nikołaja Ostrowskiego". Z zacytowanego zdania wynika, że syn wychowywał się w rodzinie jakichś fanatyków. Ja natomiast opowiadałam Aleksijewicz, że Jura już w wieku siedmiu, ośmiu lat czytał poważne książki, w tym również *Jak hartowała się stal.*

Aleksijewicz wypaczyła także moją wypowiedź o okolicznościach wysłania syna do Afganistanu. Przytacza rzekomo jego słowa: „Pojadę do Afganistanu, żeby im udowodnić, że są w życiu sprawy wzniosłe i nie każdemu do szczęścia wystarcza żyguli i pełna mięsa lodówka". Nic podobnego nie miało miejsca. Twierdzenia Aleksijewicz szkalują mnie i mojego syna. Jako normalny człowiek, patriota, romantyk zgłosił się na ochotnika do Afganistanu.

Nie mówiłam Aleksijewicz również takich zdań, kiedy zaczęłam podejrzewać syna o chęć zgłoszenia się do Afganistanu: „»Zabiją cię tam nie za ojczyznę, ale nie wiadomo za co... Czyż ojczyzna może posyłać na śmierć«... Sama go tam wysłałam. Sama!".

Ów cytat plami moją godność i cześć, przedstawiając mnie jako osobę dwulicową, o podwójnej moralności.

Nieprawdziwie jest opisany spór między synami. Aleksijewicz napisała tak: „Giena, ty mało czytasz. Nigdy nie widziałem cię z książką w ręku. Zawsze z gitarą...".

Synowie spierali się tylko o jedno: jaki zawód ma wybrać młodszy syn. Gitara nie miała tu nic do rzeczy.

To zdanie Aleksijewicz oczernia mnie, podkreślając mój brak miłości do młodszego syna. Takich rzeczy jej nie mówiłam.

Uważam, że Aleksijewicz postanowiła przedstawić wydarzenia związane z wojną w Afganistanie nie tylko jako błąd polityczny, ale także jako zawinione przez cały naród, wobec czego tendencyjnie przedstawiła, a niekiedy po prostu zmyśliła sprawy, o których rzekomo mówiłam w wywiadzie. Jej celem jest przedstawienie naszego narodu – żołnierzy, którzy byli w Afganistanie, i ich rodzin – jako ludzi bez zasad, okrutnych, obojętnych na cudze cierpienia.

Żeby ułatwić pracę Aleksijewicz, pokazałam jej dziennik syna, to jednak nie pomogło jej przedstawić sytuacji w sposób rzeczywiście dokumentalny.

Proszę Aleksijewicz, żeby za zniekształcenie mojego autentycznego materiału oraz naruszenie mojej godności przeprosiła mnie w gazecie „Komsomolska Prawda".

Bez własnoręcznego podpisu i daty

Z pozwu sądowego Tarasa Kiecmura, byłego szeregowego

W przedstawionym tekście mojego pierwszego pozwu w obronie mojej czci i godności nie są wymienione konkretne pretensje do S. Aleksijewicz za jej publikację w „Komsomolskiej Prawdzie" (15 lutego 1990 roku). Niniejszym uzupełniam i podtrzymuję pozew – wszystko, co przedstawiła S. Aleksijewicz w artykule prasowym i w książce *Cynkowi chłopcy*, jest zmyślone i w rzeczywistości nigdy się nie wydarzyło, ponieważ nie spotykałem się z nią i nic jej nie powiedziałem.

Po ukazaniu się artykułu w dniu 15 lutego 1990 roku w „Komsomolskiej Prawdzie" przeczytałem rzeczy następujące:

„Nie jechałem do Afganistanu sam... Miałem ze sobą psa Czarę... Jak zawołałem: »Umrzyj!«, to pies padał na ziemię... Jeśli źle się czułem, byłem zły – siadał obok i płakał. W pierwszych dniach zachwyt, że tam jestem, odbierał mi mowę..."

„Tylko proszę, niech pani tego nigdy nie tyka, bo teraz dużo jest mądrali, a dlaczego nikt nie oddał legitymacji partyjnej, nikt sobie w łeb nie strzelił, kiedyśmy tam byli..."

„Widziałem tam, jak wykopują na polach ryżowych żelazo i ludzkie kości... Widziałem, jak twarz zabitego zastyga w pomarańczową skorupę... Nie wiadomo czemu właśnie pomarańczową..."

„W moim pokoju są te same co kiedyś książki, zdjęcia, magnetofon, gitara. Nie ma tylko... tamtego mnie... Nie umiem przejść przez park, ciągle się oglądam za siebie. Kiedy w kawiarni kelner staje za moimi plecami i chce przyjąć zamówienie, mam ochotę uciec, bo nie znoszę, kiedy ktoś stoi za mną. Gdy zobaczę jakiegoś drania, pierwszą myślą, jaka przychodzi mi do głowy, jest: »Rozstrzelać gnoja!«".

„Tam musieliśmy robić rzeczy odwrotne niż te, które potrzebne są w czasie pokoju. A tutaj trzeba zapomnieć o wszystkich nawykach wyniesionych z wojny".

„Umiem dobrze strzelać, celnie rzucam granatem. Komu to tutaj potrzebne?... Chodziłem do komisji uzupełnień, prosiłem, żeby mnie odesłali z powrotem, ale nie chcieli. Wojna prędko się skończy, wrócą tacy sami jak ja. Będzie nas więcej".

Praktycznie ten sam tekst, z niewielkimi poprawkami o charakterze literackim, przeczytałem w książce *Cynkowi chłopcy*, gdzie znajdują się ten sam pies i te same wypowiedzi.

Jeszcze raz twierdzę, że to czyste wymysły, podpisane moim nazwiskiem...

W związku z powyższym proszę wysoki sąd o obronę mojego znieważonego honoru żołnierza i obywatela.

Bez własnoręcznego podpisu i daty

Z przemówienia I. S. Gałowniewej

Długo mieszkaliśmy za granicą, mój mąż tam służył. Wróciliśmy do kraju jesienią osiemdziesiątego szóstego roku. Byłam szczęśliwa, że w końcu jesteśmy w domu. Ale oprócz radości spotkało nas nieszczęście – zginął nasz syn.

Przez miesiąc leżałam plackiem i nie chciałam nic słyszeć. Wszystko w moim domu było wyłączone. Nikomu nie otwierałam. Aleksijewicz była pierwszą osobą, którą wpuściłam do domu. Powiedziała, że chce napisać prawdę o Afganistanie. Uwierzyłam jej. Jednego dnia przyszła, a następnego mieli mnie położyć do szpitala, i nawet nie wiedziałam, czy stamtąd wrócę. Nie chciałam żyć, bez syna nie chciałam żyć. Kiedy przyszła Aleksijewicz, powiedziała, że pisze książkę dokumentalną. Co to jest książka dokumentalna? Powinny to być dzienniki, listy tych, którzy tam byli. Tak to rozumiem. Dałam więc jej dziennik, który tam prowadził mój syn. „Chce pani pisać prawdę – proszę, jest tutaj, w dzienniku syna".

Potem rozmawiałyśmy. Opowiedziałam jej o swoim życiu, bo było mi ciężko, czołgałam się w czterech ścianach. Nie chciałam żyć. Aleksijewicz miała ze sobą dyktafon, wszystko nagrywała. Ale nie powiedziała, że chce to opublikować. Bo ja jej opowiadałam zwyczajnie, a publikować powinna dziennik syna. Przecież to miało być dokumentalne. Oddałam jej ten dziennik, mąż specjalnie dla niej przepisał go na maszynie.

Powiedziała też, że wybiera się do Afganistanu. Była tam na delegacji, a mój syn tam zginął. Co ona może wiedzieć o wojnie?

Ale miałam do niej zaufanie, czekałam na książkę. Czekałam na prawdę: za co zabito mojego syna? Napisałam list do Gorbaczowa: „Proszę mi powiedzieć, za co zginął mój syn w obcym kraju?". Nikt mi nie odpowiedział...

A oto co Jura pisał w dzienniku: „1 stycznia 1986 roku. Już odliczona została połowa drogi, a przede mną zostało tak niewiele. I znowu płomień, i znowu zapomnienie, i nowa długa droga – i tak bez końca, póki nie spełni się wola przeznaczenia. I pamięć, chłoszcząca biczem przeżytych dni, wbijająca się w życie koszmarnymi snami, i widma innego świata, innych czasów, innych stuleci, kuszące swoim podobieństwem, ale odmienne, nieznające przeszłości. I nie można się zatrzymać, nie można wytchnąć, nie można zmienić tego, co raz przesądzone – próżnia i mrok roztoczą się przed tym, co się cofnęło, bo kiedy przysiądziemy, żeby odpocząć, wówczas już nie powstaniemy z ziemi. Kiedy się zmęczymy, z rozpaczy i bólu wyjemy do pustego nieba – co tam jest, kiedy zamknie się krąg i droga się skończy, a nowy świat zajaśnieje w swojej wielkości? Dlaczego musimy za nie odpowiadać? One nie są w stanie podnieść się do olśniewających wyżyn i jakkolwiek długa byłaby droga, kres ich jest już bliski. A my łamiemy sobie życie, nie znając spokoju ani szczęścia, brniemy znużeni i rozbici, wszechmogący i pozbawieni praw, demony i anioły tego świata…".

Aleksijewicz tego nie opublikowała, prawdy mego syna. Innej prawdy być nie może, prawda należy do tych, którzy tam byli. A ona nie wiadomo czemu opisała moje życie. Zwyczajnym, dziecinnym językiem. Jakaż to literatura? Paskudna książeczka…

Towarzysze, swoje dzieci wychowywałam uczciwie i w sprawiedliwości. Aleksijewicz pisze, że mój syn lubił książkę Nikołaja Ostrowskiego *Jak hartowała się stal*. Wtedy przerabiano ją w szkole podobnie jak *Młodą Gwardię* Fadiejewa. Wszyscy czytali te książki, były to lektury szkolne. A ona podkreśla, że je czytał, że znał fragmenty na pamięć. Po co musiała o tym pisać? Bo chciała pokazać, że był nienormalny. Że był fanatykiem. Albo pisze tak: „żałował, że jest wojskowym. Mój syn dorastał na poligonach, poszedł w ślady ojca. Nasi dziadkowie, bracia ojca, jego bracia stryjeczni – wszyscy służyli w wojsku. Taka dynastia wojskowych. Pojechał do Afganistanu, bo był uczciwym człowiekiem. Złożył przysięgę wojskową. Skoro trzeba było, to pojechał. Dobrze wychowałam synów. Dostał rozkaz, to pojechał, był oficerem". Aleksijewicz chce jednak dowieść, że jestem matką mordercy. Bo mój syn tam zabijał. Co z tego wynika? Czy to ja go tam wysłałam? Ja mu dałam broń do ręki? Czy my, matki, jesteśmy winne temu, że tam była wojna? Że tam zabijano, rabowano, palono narkotyki?

W dodatku ta książka wydana została za granicą. W Niemczech, we Francji… Jakim prawem Aleksijewicz handluje naszymi poległymi synami? Zdobywa dla siebie chwałę i dolary? Kim ona jest? Jeśli to należy do mnie, jeśli ja to przeżyłam i opowiedziałam, to co ma do tego Aleksijewicz... Pogadała, nagrała nasze rozmowy, myśmy jej wypłakały swoje cierpienie...

Przekręciła moje imię, bo mam na imię Inna, a u niej jest Nina Gałowniewa. Syn miał stopień starszego lejtnanta, a ona napisała „młodszego". Myśmy straciły dzieci, a ona zyskała sławę...

Z odpowiedzi na pytania

Adwokat S. Aleksijewicz – W. Łuszkinow:

– Proszę powiedzieć, Inno Siergiejewna, czy Aleksijewicz nagrała pani opowieść na dyktafon?

I. Gałowniewa:

– Prosiła, żebym jej pozwoliła włączyć dyktafon. Pozwoliłam jej.

– A czy prosiła pani Swietłanę Aleksijewicz, żeby pokazała potem to, co spisze z taśmy i wykorzysta w książce?

I. Gałowniewa:

– Myślałam, że opublikuje dziennik mojego syna. Już mówiłam, co uważam za literaturę dokumentalną – dzienniki, listy. A jeśli to jest moja opowieść, to powinna być wydrukowana słowo w słowo, tak jak mówiłam.

W. Łuszkinow:

– Dlaczego nie złożyła pani pozwu od razu, kiedy ukazała się „Komsomolska Prawda" z fragmentem jej książki? Tylko zdecydowała się na to trzy i pół roku później?

I. Gałowniewa:

– Nie wiedziałam, że ona tę książkę wyda za granicą. Że będzie rozpowszechniać oszczerstwa... Uczciwie wychowałam swoje dzieci dla ojczyzny. Całe życie spędziliśmy w namiotach i barakach, miałam dwóch synów i dwie walizki. Tak żyliśmy... A ona pisze, że nasze dzieci są mordercami. Pojechałam do Ministerstwa Obrony i zwróciłam im order syna... Nie chcę być matką mordercy. Zwróciłam jego order państwu... Ale jestem dumna z syna!

Społeczny obrońca S. Aleksijewicz – J. Nowikow, prezes Białoruskiej Ligi Praw Człowieka:

– Chcę złożyć protest i proszę to zaprotokołować. Na tej sali nieustannie obraża się Swietłanę Aleksijewicz. Grozi jej śmiercią... Niektórzy mówią nawet, że będą ją krajać na kawałki... (*Zwraca się do matek siedzących w sali z wielkimi portretami swoich synów, z przypiętymi orderami i medalami*). Niech mi panie wierzą, że szanuję ich smutek...

Sędzia I. Żdanowicz:

– Nic nie słyszałem. Żadnych obelg.

J. Nowikow:

– Wszyscy oprócz sądu słyszeli...

Głosy z sali:

– Jesteśmy matkami. Chcemy powiedzieć... Naszych synów dano na zatracenie. Potem zarabia się na tym pieniądze... Przyszłyśmy bronić ich, żeby mogli spokojnie leżeć w ziemi...

– Jak pani mogła! Jak pani śmiała obrzucić błotem groby naszych chłopców? Oni do końca spełnili obowiązek wobec ojczyzny. Pani chce, żeby o nich zapomniano... W całym kraju stworzono setki muzeów szkolnych, kącików pamięci. Ja też zaniosłam do szkoły szynel syna, jego zeszyty szkolne. To byli bohaterowie! O radzieckich bohaterach trzeba pisać piękne książki, a nie robić z nich mięso armatnie. Pozbawiamy młodzież naszej bohaterskiej historii...

– ZSRR był wielkim mocarstwem, dla wielu to było kością w gardle. I nie muszę dzisiaj opowiadać, gdzie i kiedy planowano rozpad naszego kraju, także przy pomocy dobrze opłaconych przez Zachód judaszów...

– Oni tam zabijali... Bombardowali...

– A ty sam służyłeś w wojsku? Nie służyłeś... Przesiadywałeś na wykładach, kiedy nasze dzieci ginęły.

– Nie należy pytać matki, czy jej syn zabijał, czy nie. Ona pamięta tylko jedno – że go zabili...

– Każdego ranka oglądam syna, ale do tej pory nie mogę uwierzyć, że wrócił do domu. Kiedy tam był, mówiłam sobie, że jeśli przywiozą go w trumnie, to mam dwa wyjścia: na wiec na ulicę albo do cerkwi. Swoje pokolenie nazywam „pokoleniem wykonawców". Wojna afgańska to punkt szczytowy naszej tragedii. Dlaczego z nami można zrobić wszystko?

– Kołtun obwini teraz o wszystko tych osiemnastoletnich chłopców... Do tego pani doprowadziła! Tę wojnę trzeba od nich oddzielić... Wojna była zbrodnicza, już ją potępiono, ale chłopaków trzeba bronić...

– Jestem nauczycielką literatury rosyjskiej. Wiele lat powtarzałam swoim uczniom słowa Karola Marksa: „Śmierć bohatera podobna jest do zachodu słońca, nie do śmierci żaby, która tak się nadęła, że pękła". Czego uczy pani książka?

– Dosyć odgrywania bohaterów, „afgańcy"!

– Niech cię diabli wezmą! Niech diabli wezmą was wszystkich!

Sędzia I. Żdanowicz:

– Proszę się uciszyć! Proszę skończyć ten harmider! To jest sąd, a nie targowisko... (*Sala szaleje*). Ogłaszam piętnastominutową przerwę...

(Po przerwie w sali sądowej pełni dyżur milicja).

Z przemówienia T. M. Kiecmura

Nie przygotowałem się do wygłoszenia mowy, nie będę mówił z kartki, powiem wszystko zwyczajnym językiem. Jak zawarłem znajomość ze sławną pisarką... rangi światowej? Poznała nas weteranka wojenna Walentina Czudajewa. Powiedziała, że to jest autorka książki *Wojna nie ma w sobie nic z kobiety*, czytanej na całym świecie. Potem na jednym ze spotkań z weteranami wojny rozmawiałem z innymi kobietami, które walczyły na wojnie, i te powiedziały mi, że Aleksijewicz potrafiła na ich życiu zbić majątek i zdobyć sławę, a teraz zajęła się „afgańcami". Jestem zdenerwowany... Przepraszam...

Przyszła do nas do klubu Pamięć z dyktafonem. Chciała napisać o wielu chłopakach, nie tylko o mnie. Dlaczego swoją książkę napisała po wojnie? Dlaczego ta pisarka z głośnym nazwiskiem, światowej rangi milczała przez całą wojnę? Dlaczego ani razu nie krzyknęła?

Mnie tam nikt nie posyłał. Sam zgłosiłem się do Afganistanu, pisałem podania. Zmyśliłem fakt, że tam zginął mój bliski krewny. Trochę wyjaśnię sytuację... Mógłbym sam napisać książkę... Kiedy się spotkaliśmy, nie chciałem z nią rozmawiać, tak właśnie jej powiedziałem: że my, którzyśmy tam byli, sami napiszemy książkę. Napiszemy lepiej od niej, bo jej tam nie było. Co ona może napisać? Tylko sprawić nam ból.

Aleksijewicz pozbawiła życia moralnego całe nasze „afgańskie" pokolenie. Wynika z tego, że jestem robotem. Komputerem. Najemnym mordercą. Że moje miejsce jest w Nowinkach pod Mińskiem, w domu wariatów...

Moi koledzy dzwonią i mówią, że mi gębę obiją za to, że jestem taki bohater... Jestem wzburzony... Proszę o wybaczenie... Napisała, że służyłem w Afganistanie z psem... Pies umarł po drodze...

Sam się zgłosiłem do Afganistanu... Sąd rozumie, sam! Nie jestem robotem... Ani komputerem... Jestem zdenerwowany... Proszę o wybaczenie...

Z odpowiedzi na pytania
S. Aleksijewicz:
– W swoim pozwie, Taras, napisałeś, że nigdy ze mną się nie spotykałeś. A teraz mówisz, że się spotkałeś, tylko nie chciałeś rozmawiać. To znaczy, że swojego pozwu nie pisałeś sam?
T. Kiecmur:
– Pisałem sam... Spotykaliśmy się... Ale ja pani nic nie opowiadałem...
S. Aleksijewicz:
– Jeśli nic mi nie opowiadałeś, to skąd mogłabym wiedzieć, że urodziłeś się na Ukrainie, że w dzieciństwie chorowałeś... Że pojechałeś do Afganistanu z psem (chociaż, jak teraz mówisz, pies umarł po drodze), który wabił się Czara...
(*Brak odpowiedzi*).

J. Nowikow:

– Mówił pan, że sam zgłosił się pan do Afganistanu, na ochotnika. Nie rozumiem, jak dzisiaj się pan do tego odnosi? Czy nienawidzi pan tej wojny, czy też jest pan dumny z tego, że tam był?

T. Kiecmur:

– Nie pozwolę się zbić z tropu... Dlaczego miałbym nienawidzić tej wojny? Spełniłem swój obowiązek...

Z rozmów na sali sądowej

– Bronimy honoru naszych poległych synów. Niech pani zwróci im honor! Zwróci im ojczyznę! Rozwalili kraj, najsilniejszy w świecie!

– To wyście zrobili morderców z naszych dzieci. To pani napisała tę straszną książkę... Proszę popatrzeć na ich zdjęcia... Jacy są młodzi, jacy piękni! Czy mordercy mają takie twarze? Uczyłyśmy swoje dzieci kochać ojczyznę... Dlaczego pani napisała, że oni tam zabijali? Za dolary pani napisała... A my jesteśmy żebrakami. Nie starcza nam na lekarstwa. Nie mamy za co kupić kwiatów na groby naszych synów...

– Niech pani zostawi nas w spokoju! I dlaczego przerzucacie się z jednej skrajności w drugą – najpierw przedstawiali nas jako bohaterów, a teraz wszyscy staliśmy się mordercami? Nie mieliśmy nic poza Afganistanem. Tylko tam czuliśmy się prawdziwymi mężczyznami. Nikt z nas nie żałuje, że tam był...

– Pani chce nas przekonać, że wróciło stamtąd chore pokolenie, a ja mówię, że wróciło pokolenie, które się odnalazło. Przynajmniej mogliśmy zobaczyć, jacy są nasi chłopcy w prawdziwym życiu! Zgoda, ginęli. A ilu ich ginie po pijanemu, w bójkach na noże? Co roku w wypadkach samochodowych ginie więcej ludzi, niż straciliśmy przez całe dziesięć lat tej wojny. Nasza armia dawno nie walczyła. Tam sprawdziliśmy samych siebie, nowoczesną broń... Przez takich gryzipiórków jak pani tracimy dzisiaj pozycje zdobyte w całym świecie... Straciliśmy Polskę... Niemcy, Czechosłowację... Doczekamy się jeszcze tego, że Gorbaczow odpowie za to przed sądem. Pani także. Jesteście zdrajcami. Gdzie są nasze ideały? Gdzie jest nasz wielki kraj? A dla tego kraju w czterdziestym piątym roku doszedłem do Berlina...

– Na południu nad morzem widziałam, jak kilku młodych ludzi czołgało się na rękach po piasku... Wszyscy razem mieli mniej nóg, niż ich tam w sumie było... Nie poszłam już więcej na plażę, nie mogłam tam się opalać... Mogłam tylko płakać... Oni się jeszcze śmiali, chcieli zalecać się do dziewczyn, a wszystkie przed nimi uciekały tak jak ja. Chcę, żeby tym chłopcom się powiodło. Żeby wiedzieli: są potrzebni tacy, jacy są. Muszą żyć! Kocham ich za to, że przeżyli.

– To wspomnienie do dzisiaj jest dla mnie udręką... Jechaliśmy pociągiem... I jedna z kobiet w przedziale powiedziała, że jest matką oficera, który poległ w Afganistanie. Rozumiem ją... Jest matką, płacze... Ale powiedziałam: „Pani syn zginął na niesprawiedliwej wojnie... Duszman bronił swojej ojczyzny...".

– Ta prawda jest tak straszliwa, że brzmi jak nieprawda. Otępia. Nie chcemy jej znać. Chcemy się przed nią bronić.

– Powołują się na rozkaz: dostałem rozkaz, więc go wykonałem. Międzynarodowe trybunały dają na to odpowiedź: wykonanie zbrodniczego rozkazu jest zbrodnią. Zbrodnią bez przedawnienia.

– W roku dziewięćdziesiątym pierwszym nie doszłoby w ogóle do takiego procesu. Partia komunistyczna upadła... A teraz komuniści znowu poczuli siłę... Znowu zaczęli gadać o „wielkich ideałach", o „socjalistycznych wartościach"... A kto jest przeciwny, tego pod sąd! Byle zaraz nie zaczęli stawiać pod ścianę... I nie zebrali nas w ciągu jednej nocy na stadionie za drutem kolczastym...

– Składałem przysięgę... Byłem wojskowym...

– Z wojny nikt nie wraca jako chłopiec...

– Wychowaliśmy ich w miłości do ojczyzny...

– Chłopaczki... Dali im broń do ręki... I wbili do głów, że to są wrogowie: duszmańska szajka, duszmańskie bractwo, duszmańskie nasienie, bandyckie ugrupowania, duszmańskie bandy... A myśleć nie nauczyli...

Pamięta pani z Arthura Koestlera: „Dlaczego kiedy mówimy prawdę, niezmiennie brzmi ona jak kłamstwo? Dlaczego głosząc nowe życie, musimy zasłać ziemię trupami? Dlaczego rozmowy o świetlanej przyszłości zawsze przeplatamy groźbami?".

– Rozstrzeliwując spokojne kiszłaki, bombardując górskie drogi, rozstrzeliwaliśmy i bombardowali własne ideały. Trzeba uznać tę okrutną prawdę. Przeżyć. Nawet nasze dzieci nauczyły się bawić w „duchów" i w „ograniczony kontyngent". Teraz nabierzmy mimo wszystko odwagi, żeby poznać prawdę o sobie. To jest nie do zniesienia! Nie do wytrzymania! Wiem, sprawdzałam na sobie.

– Mamy dwie drogi przed sobą: poznać prawdę albo uciec od niej. Trzeba otworzyć oczy...

Z korespondencji sądowej

Po zapoznaniu się ze szczegółami procesu sądowego, który w Mińsku wytoczono Swietłanie Aleksijewicz, zmuszeni jesteśmy dostrzec w nim objaw prześladowania pisarki za demokratyczne przekonania i zamach na wolność twórczą. Swoimi prawdziwie humanistycznymi dziełami, swoim talentem, swoją odwagą Swietłana Aleksijewicz zdobyła szeroką popularność, szacunek w Rosji i innych krajach świata.

Nie chcemy plamy na dobrym imieniu bliskiej nam Białorusi! Niech zatriumfuje sprawiedliwość!

Stowarzyszenie Związków Pisarzy
Związek Pisarzy Rosyjskich
Związek Pisarzy Moskwy

Czy ktoś mógłby podważyć prawo pisarza do mówienia prawdy, jakkolwiek byłaby ona tragiczna i okrutna? Czy mógłby mieć mu za złe niepodważalne świadectwa minionych zbrodni, a w szczególności zbrodni związanych z haniebną afgańską awanturą, która kosztowała tyle ofiar, okaleczyła tyle ludzkich losów?

Wydawałoby się, że w naszych czasach, kiedy słowo drukowane stało się nareszcie wolne, kiedy skończyły się naciski ideologiczne, dyrektywy i zasada „jedynie możliwego przedstawiania życia w duchu ideałów komunistycznych", nie ma też powodu, by zadawać takie pytania.

Niestety, powód się znalazł. Wymownym tego świadectwem jest przygotowywany właśnie proces pisarki Swietłany Aleksijewicz, autorki znakomitej książki *Wojna nie ma w sobie nic z kobiety* (o losach kobiet – uczestniczek Wielkiej Wojny Ojczyźnianej) oraz *Ostatnich świadków* (o dzieciach tej Wojny). Wbrew wysiłkom oficjalnej propagandy i oporowi literatów w rodzaju znanego szeroko Aleksandra Prochanowa, który w czasach wojny afgańskiej zdobył sobie przezwisko „niezmordowanego słowika sztabu generalnego", Swietłana Aleksijewicz wydała książkę *Cynkowi chłopcy*, potrafiła i odważyła się wypowiedzieć w niej straszliwą, do głębi przejmującą prawdę o wojnie w Afganistanie.

Szanując osobiste męstwo żołnierzy i oficerów, których Breżniewowskie kierownictwo KPZR wysłało do walki w obcym, chociaż do tamtego czasu przyjaznym kraju, szczerze podzielając boleść matek, których synowie zginęli w górach Afganistanu, pisarka równie bezkompromisowo demaskuje w tej książce wszystkie próby heroizacji haniebnej wojny afgańskiej, próby jej romantyzacji, demaskuje fałszywy patos i pompatyczny styl.

Najwyraźniej jednak nie było to w smak wszystkim, którzy do dzisiaj uważają, że afgańska awantura i inne wybryki nieodwołalnie minionego reżimu, opłacone krwią naszych żołnierzy, były spełnieniem „internacjonalistycznego obowiązku"; tym, którzy chcieliby tuszować ciemne sprawki polityków i ambitnych dowódców wojskowych; tym wreszcie, którzy chcą postawić znak równości między uczestnictwem w Wielkiej Wojnie Ojczyźnianej i w niesprawiedliwej, kolonialnej w istocie wojnie afgańskiej.

Ci ludzie nie podejmują polemiki z pisarką. Nie kwestionują przytoczonych przez nią wstrząsających faktów. Nawet nie pokazują swoich twarzy. Rękami innych, ciągle jeszcze błądzących albo wprowadzonych w błąd, wytaczają (po latach od prasowych publikacji i ukazania się książki *Cynkowi chłopcy*!) proces o „znieważenie honoru i godności" żołnierzy walczących w Afganistanie, tych samych chłopców, o których z takim zrozumieniem, współczuciem i takim serdecznym bólem napisała Swietłana Aleksijewicz.

Zgoda, nie pokazała ich w roli romantycznych bohaterów. Ale tylko dlatego, że twardo trzymała się wskazówki Tołstoja: „Bohaterem, którego kocham całą mocą swojej duszy, była, jest i będzie... prawda".

Czy wolno zatem obrażać się za prawdę? Wolno ją stawiać przed sądem?

Pisarze, uczestnicy Wielkiej Wojny Ojczyźnianej:
Mykoła Awramczyk, Janka Bryl, Wasil Bykau, Aleksandr
Drakochrust, Naum Kislik, Walentin Taras

My, białoruscy pisarze z Polski, zdecydowanie protestujemy przeciwko prawnemu ściganiu w Białorusi pisarki Swietłany Aleksijewicz.

Proces pisarki – to hańba dla całej cywilizowanej Europy!

Jan Czykwin, Sokrat Janowicz, Wiktor Szwed,
Nadieżda Artymowicz

Nie mogę dłużej milczeć... I może dopiero teraz zrozumiałem, co to była za wojna... Biedni chłopcy, jakże winni jesteśmy wszyscy wobec nich! Co wiedzieliśmy o tej wojnie? Każdego z nich uściskałbym, każdego poprosił o wybaczenie...

Teraz wspominam, jak to było...

Czytałem u Łarisy Reisner, że Afganistan zamieszkują na wpół dzikie plemiona, które śpiewają, podrygując: „Chwała rosyjskim bolszewikom, którzy pomogli nam pokonać Anglików".

Rewolucja kwietniowa... Zadowolenie: jeszcze w jednym kraju zwyciężył socjalizm. A sąsiad w pociągu szepcze: „Znowu kogoś bierzemy na utrzymanie".

Śmierć Tarakiego. Na seminarium w komitecie miejskim na pytanie, dlaczego pozwolono Aminowi zabić Tarakiego, lektor z Moskwy odparł: „Słabi muszą ustąpić silnym". Zrobił przykre wrażenie.

Nasz desant w Kabulu. Wyjaśnienie: „Amerykanie zamierzali zrzucić swój desant, myśmy wyprzedzili ich zaledwie o godzinę". Równocześnie rozeszły się słuchy, że w Afganistanie jest źle, nie ma co jeść, brakuje lekarstw, ciepłej odzieży. Od razu przypomniały się wydarzenia na wyspie Damanskij* i żałosne okrzyki naszych żołnierzy: „Nie mamy naboi!".

Potem pojawiły się afgańskie kożuchy. Na naszych ulicach wyglądały elegancko. Inne kobiety zazdrościły tym, których mężowie byli w Afganistanie. W gazetach pisano, że nasi żołnierze sadzą tam drzewa, naprawiają mosty, drogi.

Jechałem z Moskwy. W przedziale młoda kobieta i jej mąż zaczęli mówić o Afganistanie. Ja rzuciłem jakiś slogan z gazety, a oni się uśmiechnęli. Już od dwóch lat byli lekarzami w Kabulu. Od razu zaczęli usprawiedliwiać wojskowych, którzy stamtąd przywożą towary... Przecież wszystko jest tam drogie, a płacą mało. W Smoleńsku pomagałem im przy wysiadaniu. Mieli sporo wielkich kartonowych pudeł z zagranicznymi etykietkami...

Moja żona opowiadała, że z sąsiedniego domu wzięto na tę wojnę jedynego syna samotnej kobiety. Matka dokądś jeździła, klękała, całowała buty dowódcom. Wróciła zadowolona: „Wyprosiłam go!". I równocześnie spokojnie mówi o tym, że „naczalstwo swoich wykupuje".

Syn wrócił ze szkoły i powiedział, że odwiedzili ich żołnierze z „błękitnych beretów". Był zachwycony. „Mieli fajne japońskie zegarki!"

* Damanskij (chiń. Zhenbao) – wyspa na rzece Ussuri, będąca obiektem sporu między Chinami a ZSRR. W marcu 1969 roku Chińczycy dwukrotnie atakowali tę wyspę, ale zostali odparci. W 1991 roku ZSRR oddał wyspę Chinom.

Zapytałem jednego z „afgańców", ile taki zegarek kosztuje i ile im płacili. Nie od razu, ale w końcu się przyznał: „Ukradliśmy ciężarówkę warzyw i sprzedali...". Powiedział, że wszyscy zazdrościli żołnierzom obsługującym cysterny z paliwem. „Milionerzy!"

Z ostatnich wydarzeń zapamiętałem nagonkę na akademika Sacharowa, z którym zgadzam się w jednej sprawie: że dla nas zawsze lepsi są martwi bohaterowie niż żywi ludzie, chociaż może w czymś pobłądzili. A niedawno usłyszałem jeszcze, że w seminarium duchownym w Zagorsku uczą się „afgańcy" – szeregowi i dwóch oficerów. Co nimi kierowało: chęć pokuty, ucieczki od okrutnego życia czy też wkroczenia na jego nową ścieżkę? Nie wszyscy przecież są w stanie zadowolić się brązową legitymacją weterana, napaść duszę tanim mięsem, przebrać ją w ciuchy z importu i ukryć pod jabłonką, na działce dla uprzywilejowanych, żeby nic nie mówić i nic nie widzieć...

N. Gonczarow,
Orsza

...Mój mąż też był przez dwa lata (od 1985 do 1987 roku) w Afganistanie, w prowincji Kunar, przy samej granicy z Pakistanem. Wstydzi się nosić miano żołnierza internacjonalisty. Często rozmawiamy na ten bolesny temat: czy my, ludzie radzieccy, musieliśmy wchodzić tam, do Afganistanu? I kim tam byliśmy – okupantami czy przyjaciółmi, żołnierzami internacjonalistami? Odpowiedź była zawsze ta sama: nikt tam nas nie prosił i narodowi afgańskiemu nie była potrzebna żadna „pomoc". I choć ciężko się do tego przyznać, byliśmy tam okupantami. Moim więc zdaniem nie powinniśmy teraz kłócić się o pomniki „afgańców" (gdzie je postawiono, a gdzie ich jeszcze nie ma), ale pomyśleć o pokucie. Wszyscy powinniśmy uderzyć się w piersi za chłopców, których oszukano i którzy zginęli w tej bezsensownej wojnie, uderzyć się w piersi za tych, którzy wrócili z okaleczonymi duszami i ciałami. Poprosić naród afgański, jego dzieci, matki, starców o przebaczenie za to, że tyle nieszczęść przynieśliśmy ich krajowi...

A. Masiuta,
matka dwóch synów,
żona byłego żołnierza internacjonalisty,
córka weterana Wielkiej Wojny Ojczyźnianej

Prawda o agresji ZSRR w Afganistanie, zawarta w zebranych przez Swietłanę Aleksijewicz dokumentalnych świadectwach jej uczestników i ofiar, nie jest „znieważeniem honoru i godności", ale haniebnym faktem niedawnej historii radzieckiego totalitaryzmu komunistycznego, jednoznacznie i głośno potępionym przez społeczność międzynarodową.

Sądowne prześladowanie pisarza za jego twórczość jest równie dobrze znanym i nie mniej haniebnym sposobem funkcjonowania tego samego reżimu.

To, co dzisiaj dzieje się na Białorusi – masowa kampania, nagonka na pisarkę i ciągłe groźby pod jej adresem, próby zakazu jej książki – świadczy o tym, że czkawka totalitarna nie jest przeszłością, ale dniem dzisiejszym Białorusi.

Taka rzeczywistość nie pozwala traktować Republiki Białorusi jako wolnego i niezależnego państwa postkomunistycznego.

Ściganie Swietłany Aleksijewicz, której książki są szeroko znane we Francji, Wielkiej Brytanii, Niemczech i innych krajach świata, stworzy Republice Białorusi wyłącznie reputację komunistycznego rezerwatu w niekomunistycznym świecie i wątpliwą sławę europejskiej Kambodży.

Żądamy niezwłocznego zaprzestania wszelkiego rodzaju ścigania Swietłany Aleksijewicz oraz przerwania procesu sądowego jej i jej książki.

Władimir Bukowski, Igor Gieraszczenko,
Irina Ratuszyńska, Inna Rogacij, Michaił Rogaczij

...Długi już czas trwają próby zdyskredytowania, również za pomocą pozwów sądowych, pisarki Swietłany Aleksijewicz, która każdą swoją książką uderza w szaleństwo przemocy i wojny. W książkach tych Swietłana Aleksijewicz udowadnia, że chociaż w tym życiu człowiek jest najważniejszą wartością, to w zbrodniczy sposób zostaje on zmieniony w trybik machiny politycznej i zbrodniczo wykorzystany jako mięso armatnie w wojnach wywoływanych przez ambitnych przywódców państwowych. W żaden sposób nie da się usprawiedliwić śmierci naszych chłopców na obcej afgańskiej ziemi.

Każda strona *Cynkowych chłopców* jest apelem: ludzie, nie pozwólcie, żeby ten krwawy koszmar się powtórzył!

Rada Zjednoczonej Demokratycznej Partii Białorusi

Z Mińska docierają do nas wieści o ściganiu przez sądy białoruskiej pisarki, członka Międzynarodowego PEN Clubu Swietłany Aleksijewicz, która „zawiniła" jedynie tym, że spełniła podstawowy i bezdyskusyjny obowiązek literata: szczerze podzieliła się z czytelnikiem tym, co ją niepokoi. Poświęcona tragedii afgańskiej książka *Cynkowi chłopcy* obiegła świat i zdobyła powszechne uznanie. Nazwisko Swietłany Aleksijewicz, jej odważny i uczciwy talent budzą nasz szacunek. Nie ma wątpliwości, że manipulując tak zwaną opinią społeczną, siły odwetowe starają się pozbawić pisarzy ich najważniejszego prawa, utrwalonego przez Kartę narodowego PEN Clubu – prawa do swobodnego wyrażania opinii.

Rosyjski PEN Club wyraża całkowitą solidarność ze Swietłaną Aleksijewicz, z Białoruskim PEN Clubem, ze wszystkimi demokratycznymi siłami niezależnego kraju i wzywa organy prawne, by pozostały wierne prawu międzynarodowemu, pod którym widnieje także podpis Białorusi, przede wszystkim – Powszechnej deklaracji praw człowieka, gwarantującej wolność słowa i druku.

Rosyjski PEN Club

Białoruska Liga Praw Człowieka wyraża pogląd, że nieustające próby rozprawienia się z pisarką Swietłaną Aleksijewicz za pomocą procesów sądowych są działaniem politycznym, którego celem jest dla władz zdławienie odmiennych poglądów, swobody twórczej i wolności słowa.

Dysponujemy danymi, że w latach 1991–1992 rozmaite instancje sądowe Republiki Białorusi rozpatrzyły około dziesięciu spraw, sztucznie zaliczonych do dziedziny prawa cywilnego, w istocie zaś skierowanych przeciwko demokratycznie nastawionym posłom, pisarzom, dziennikarzom, drukom, aktywistom organizacji społeczno-politycznych.

Żądamy zaprzestania nagonki na pisarkę Swietłanę Aleksijewicz i wzywamy do rewizji wszystkich podobnych do tej spraw, w których wyroki stały się rozprawą polityczną...

Białoruska Liga Praw Człowieka

Zaczęła się wojna w Afganistanie... Mój syn dopiero skończył szkołę i wstąpił na uczelnię wojskową. Przez te wszystkie dziesięć lat, kiedy inni synowie przebywali w obcym kraju z bronią w ręku, czułam niepokój w sercu. Bo mój chłopiec też mógł się tam znaleźć. I nie jest prawdą, że ludzie o niczym nie wiedzieli. Przywożono do domów te cynkowe trumny, zwracano oszołomionym rodzicom pokaleczone dzieci – to przecież wszyscy widzieli. Oczywiście w radiu i w telewizji o tym nie mówiono, w gazetach nie pisano (od niedawna zrobili się śmielsi!), ale przecież to się działo na oczach wszystkich. Wszystkich! A co wówczas robiło nasze „humanitarne" społeczeństwo, nas samych nie wyłączając? Nasze społeczeństwo wręczało „wielkim" starcom kolejne Gwiazdy Bohatera, wykonywało i przekraczało kolejne plany pięcioletnie (co prawda w naszych sklepach było tak samo pusto jak przedtem), budowało dacze, bawiło się. A w tym samym czasie osiemnastoletni czy dwudziestoletni chłopcy szli pod kule, padali twarzą w obcy piach i umierali. Kim więc jesteśmy? Jakim prawem możemy wypytywać nasze dzieci o to, co tam robiły? Czyż my, którzy tu zostaliśmy, jesteśmy czyści? Ich przynajmniej własne cierpienia i męki oczyściły z grzechów, ale my nie oczyścimy się nigdy. Zbombardowane i starte z powierzchni ziemi wioski, zniszczona obca ziemia nie obciążają już ich sumień, ale nasze. To myśmy zabijali, a nie nasi chłopcy. To my jesteśmy mordercami – swoich i cudzych dzieci.

A ci chłopcy to bohaterowie! I nie za „błąd" tam walczyli. Walczyli, bo nam wierzyli. Wszyscy powinniśmy przed nimi uklęknąć. Samo porównanie tego, cośmy tu robili, z tym, co przypadło im w udziale, przyprawić może o szaleństwo...

Gołubicznaja, inżynier budowlany,
Kijów

Oczywiście, Afganistan to dzisiaj temat obiecujący, wręcz modny. Pani też, towarzyszko Aleksijewicz, może się już teraz cieszyć, pani książkę ludzie będą czytali z wypiekami. Ostatnio namnożyło się u nas niemało takich, których interesuje wszystko, czym można wysmarować ściany własnej ojczyzny. Należą do nich także niektórzy „afgańcy". Oni (nie wszyscy, nie wszyscy!) dostaną bowiem do rąk tak potrzebną im broń – popatrzcie, co z nami zrobili! Ludzie podli zawsze potrzebują czyjejś obrony. Przyzwoitym nie jest to potrzebne, bo są przyzwoici w każdej sytuacji. Wśród „afgańców" jest ich wystarczająco dużo, ale pani, jak się zdaje, nie takich szukała.

Nie byłem w Afganistanie, ale przewalczyłem całą Wielką Wojnę Ojczyźnianą. Doskonale więc wiem, że i tam zdarzały się paskudne rzeczy. Ale nie chcę o nich wspominać i nikomu innemu nie pozwolę.

Nie chodzi tylko o to, że tamta wojna była inna. Bzdura! Wszyscy wiemy, że człowiek musi jeść, żeby żyć, a jedzenie wymaga, za przeproszeniem, wychodków. Ale nie mówimy przecież o tym głośno. Dlaczego więc przestali o tym pamiętać ci, którzy piszą o wojnie afgańskiej, ba, nawet o ojczyźnianej? Jeśli sami „afgańcy" protestują przeciwko podobnym „wyznaniom", to trzeba się przysłuchać, zbadać ten fenomen. Ja na przykład rozumiem, dlaczego tak gniewnie protestują. Istnieje normalne ludzkie uczucie – wstyd. Wstydzą się. My dostrzegliśmy ich wstyd, ale nie wiedzieć czemu uznaliśmy, że to za mało. Postanowiliśmy więc uczynić go obiektem powszechnego sądu. Tam zabijano wielbłądy, tam ginęli od ich kul spokojni mieszkańcy... Pani chce dowieść, że ta wojna była niepotrzebna i błędna, nie rozumiejąc, że tym samym obraża jej uczestników, niczemu niewinnych chłopców...

N. Drużynin,
Tuła

Nasz ideał, nasz bohater to człowiek z karabinem... Przez dziesięciolecia ładowaliśmy kolejne miliony i miliardy w obronę, wynajdując dla niej nowe cele w krajach Azji i Afryki, a przy okazji – nowych wodzów, którzy zapragnęli budować u siebie „świetlaną przyszłość". Mój dawny kolega z Akademii Frunzego, major, później nawet marszałek Wasia Pietrow, osobiście poganiał do ataku Somalijczyków, za co otrzymał Złotą Gwiazdę... A ilu jeszcze takich było!

Tkwiący jednak w okowach Układu Warszawskiego i podtrzymywany bagnetami Grup Wojsk Radzieckich tak zwany obóz socjalistyczny zaczął trzeszczeć w szwach. By udzielić „bratniej pomocy w walce z kontrrewolucją", zaczęto do tych krajów wysyłać naszych synów – do Budapesztu, potem do Pragi, potem...

W czterdziestym czwartym roku maszerowałem z naszymi wojskami przez tereny wyzwalanych od faszyzmu Węgier i Czechosłowacji. To była już obca ziemia, ale wydawało się, że jesteśmy w domu: te same powitania, te same rozradowane twarze, ta sama skromna, ale serdeczna gościna...

Ćwierć wieku później naszych synów na tej samej ziemi powitano nie chlebem i solą, ale plakatami „Ojcowie – wyzwoliciele, synowie – okupanci!". Synowie nosili te same mundury i godność naszych następców, a my – w milczeniu swoją hańbę przed całym światem.

A dalej – jeszcze gorzej. W grudniu 1979 roku synowie i uczniowie weteranów Wojny Ojczyźnianej (w tym także mój uczeń Boria Gromow, później dowódca naczelny 40. armii, którego uczyłem taktyki na uczelni wojskowej) wkroczyli do Afganistanu.

W ciągu wielu lat ponad sto krajów – członków ONZ potępiło tę zbrodnię, która wówczas skonfrontowała nas ze wspólnotą międzynarodową, podobnie jak dzisiaj Saddam Husajn. Teraz wiemy, że w tamtej brudnej wojnie nasi żołnierze zabili bez powodu przeszło milion Afgańczyków i stracili przeszło piętnaście tysięcy swoich...

Ukrywając z premedytacją cel i prawdziwe rozmiary haniebnej agresji, jej inicjatorzy wprowadzili do oficjalnego użytku termin „ograniczony kontyngent" – klasyczny przykład faryzeuszostwa i nadużycia słów. Równie obłudnie zabrzmiało określenie „żołnierze internacjonaliści", coś jakby nazwa nowej specjalności wojskowej. Był to eufemizm, mający zmienić sens tego, co się działo w Afganistanie, zagrać na podobieństwie do „brygad międzynarodowych", walczących z faszystami w Hiszpanii.

Inicjatorzy inwazji w Afganistanie – wodzireje z Biura Politycznego – nie tylko pokazali swój rozbójniczy charakter, ale i uczynili współuczestnikami zbrodni wszystkich, którym nie starczyło odwagi, by sprzeciwić się nakazowi zabijania. Zabójstwo nie może być usprawiedliwione żadnym „obowiązkiem internacjonalistycznym". Jakiż to, psia mać, obowiązek!!!

Niezmiernie żal ich matek, ich osieroconych dzieci... A przecież oni sami za krew niewinnych Afgańczyków otrzymali nie odznaczenia, ale cynkowe trumny...

Pisarka w swojej książce oddziela ich od tych, którzy kazali im zabijać, i w odróżnieniu ode mnie odczuwa nad nimi litość. Nie rozumiem, za co chcą ją sądzić? Za prawdę?

Grigorij Brajłowski,
inwalida Wielkiej Wojny Ojczyźnianej,
Sankt Petersburg

Żeby tak wcześniej przejrzeć na oczy... Ale kogo o to oskarżyć? Czyż ktoś wini ślepego za to, że nie widzi? Te oczy przemyto nam krwią...

Trafiłem do Afganistanu w 1980 roku (Dżalalabad, Bagram). Wojskowi muszą wykonywać rozkazy.

Wtedy, w roku 1983 w Kabulu, po raz pierwszy usłyszałem: „Trzeba podnieść w powietrze całe nasze lotnictwo strategiczne i zetrzeć te góry z powierzchni ziemi. Iluż naszych już pochowaliśmy i wszystko bez skutku!". To mówił jeden z moich przyjaciół. Tak jak wszyscy miał matkę, żonę, dzieci. To znaczy, że my, choćby tylko w myślach, mimo wszystko odbieramy tamtym matkom, dzieciom i mężom prawo do życia na własnej ziemi, tylko dlatego, że mają niewłaściwe poglądy.

A czy matka poległego „afgańca" wie, co to jest bomba próżniowa? Punkt dowodzenia naszej armii w Kabulu miał bezpośrednią łączność z Moskwą. Stamtąd dostawali przyzwolenie na stosowanie takiej broni. W momencie uruchomienia zapalnika pierwszy ładunek rozrywał wypełnioną gazem powłokę. Po pewnym czasie taka „chmura" wybuchała. Na powierzchni nie zostawało nic żywego. Człowiekowi pękały wnętrzności, wylatywały oczy. W 1980 roku po raz pierwszy nasze lotnictwo użyło pocisków odrzutowych, wypełnionych milionami drobnych igieł. Tak zwanych „igiełkowych" pocisków odrzutowych. Przed takimi igiełkami nigdzie nie można się schować – człowiek zmienia się w drobne sito...

Chciałbym zapytać nasze matki – czy choć jedna z nich postawiła się obok matki Afganki? Czy też uważa ona tę matkę za istotę niższego gatunku?

Przeraża tylko jedno: iluż z nas jeszcze porusza się po ciemku, po omacku, polegając wyłącznie na uczuciach, nie usiłując natomiast myśleć ani kojarzyć faktów!

Czy jesteśmy ludźmi, którzy się całkiem obudzili, zresztą czy w ogóle jesteśmy ludźmi, jeśli do tej pory uczymy się poniewierać własny rozum, który otwiera nam oczy?

A. Sokołow,
major, pilot wojskowy

...A niektórzy z wysoko postawionych łgarzy nie tracą nadziei, że wykorzystają swoje kłamstwa po to, by wróciły miłe im czasy. Na przykład w gazecie „Dień" generał W. Fiłatow w swoim apelu do żołnierzy „afgańców" mówi: „Afgańcy! W godzinie »towarzysza Mauzera«* postąpimy tak jak w Afganistanie... Tam walczyliście za ojczyznę na odcinku południowym... Teraz za ojczyznę trzeba walczyć na własnym terytorium, tak jak w 1941 roku" („Litieraturnaja Gazieta" z 23 września 1992 roku).

Ta godzina „towarzysza Mauzera" dała o sobie znać 4 października w Moskwie pod murami Białego Domu. Kto jednak wie, czy nie będzie próby odwetu? Tak jest, sprawiedliwość wymaga sądu. Sądu honorowego nad inicjatorami i podjudzaczami do afgańskiej zbrodni – martwymi i żywymi. Sąd potrzebny jest nie po to, by rozgrzewać emocje, ale jako lekcja na przyszłość dla wszystkich, którzy wymyślą nowe awantury w imieniu narodu. A także – jako moralne potępienie już dokonanych zbrodni. Potrzebny jest, żeby obalić fałszywy pogląd, głoszący, że winę za te zbrodnie ponosi tylko czołowa piątka: Breżniew, Gromyko, Ponomariow, Ustinow, Andropow. Odbywały się przecież posiedzenia Biura Politycznego, sekretariatów, plenów KC KPZR, wysyłano tajne listy przeznaczone tylko dla członków KPZR. Ale wśród uczestników i słuchaczy tych posiedzeń nie było ani jednego, który się sprzeciwił...

Sąd jest potrzebny, żeby przebudzić sumienie tych, którzy dostawali odznaczenia i stopnie generalskie, honoraria i zaszczyty za krew milionów niewinnych ludzi, za kłamstwa, których uczestnikami w taki czy inny sposób staliśmy się wszyscy...

A. Sołomonow,
profesor doktor habilitowany nauk technicznych,
Mińsk

Mówiąc słowami Sołżenicyna, pokój nie jest zwyczajnym brakiem wojny, ale przede wszystkim brakiem przemocy wobec człowieka. Nieprzypadkowo właśnie teraz, kiedy nasze post-

---

* „Towarzysz Mauzer" – aluzja do wiersza Władimira Majakowskiego *Lewą marsz* – w przekładzie Antoniego Słonimskiego: „Ciszej tam, mówcy! / Dzisiaj / ma głos / towarzysz Mauzer" (chodzi o legendarny niemiecki pistolet Mauser C-96).

totalitarne społeczeństwo zostało ogarnięte szaleństwem politycznej, religijnej, narodowej przemocy, w tym także zbrojnej, pisarzowi wystawia się rachunek za prawdę o wojnie w Afganistanie. Nasuwa się myśl, że skandal rozniecany wokół *Cynkowych chłopców* to próba przywrócenia w ludzkiej świadomości komunistycznych „mitów o sobie samych". Za plecami powodów majączą inne figury – tych, którzy na Pierwszym Zjeździe Delegatów Ludowych ZSRR nie pozwalali A. D. Sacharowowi mówić o nieludzkości tej wojny, ci, którzy ciągle jeszcze liczą na to, że zdołają odzyskać wymykającą się z rąk władzę i utrzymać ją siłą...

Książka ta pyta o prawo do poświęcania ludzkiego życia, uzasadnione przy tym sloganami o suwerenności i wielkomocarstwowości. Za jakie idee dzisiaj giną prości ludzie w Azerbejdżanie, Armenii, Tadżykistanie, Osetii?

Tymczasem w miarę szerzenia się pseudopatriotycznych idei, opartych na przemocy, coraz częściej mamy do czynienia z odradzaniem się ducha militaryzmu, wzrostem instynktów agresji, zbrodniczym handlem bronią przy akompaniamencie ckliwych mów o reformie demokratycznej w wojsku, o obowiązku wojskowym, o godności narodowej. Napuszone frazesy wielu polityków broniących rewolucyjnej i wojskowej przemocy, bliskie ideom włoskiego faszyzmu, niemieckiego narodowego socjalizmu i radzieckiego komunizmu, tworzą ideowy mętlik w głowach, szykują glebę dla wzrostu nietolerancji i wrogości w społeczeństwie.

Duchowi ojcowie takich polityków, którzy zeszli już z areny publicznej, umieli manipulować ludzkimi namiętnościami i wciągali swoich współobywateli w bratobójcze waśnie. Oczywiście ich następcy bardzo chcieliby urządzić proces ideom wzajemnego zrozumienia i wyrzeczenia się przemocy. Warto wspomnieć, że w swoim czasie Lew Tołstoj, propagujący odmowę służby wojskowej, nie został postawiony przed sądem za działalność antywojenną. Nas zaś znowu chce się zawrócić do epoki, kiedy niszczone było wszystko to, co najuczciwsze.

Proces sądowy Swietłany Aleksijewicz uznać można za zaplanowany atak sił antydemokratycznych, które pod hasłem obrony honoru wojska walczą o zachowanie odrażającej ideologii, nawykowego kłamstwa... Alternatywna idea nieużywania przemocy, której bronią książki Swietłany Aleksijewicz, żyje w ludzkiej świadomości, chociaż oficjalnie się tej idei nie uznaje, a pojęcie „niesprzeciwiania się złu przemocą" jest do dzisiaj wyśmiewane. Powtarzamy jednak: zmiany moralne w życiu społecznym łączą się przede wszystkim z formowaniem się samoświadomości, opartej na zasadzie „świata bez przemocy". Ci, którzy chcą sądu dla Swietłany Aleksijewicz, spychają społeczeństwo w otchłań wrogości, w chaos samozniszczenia.

Członkowie Rosyjskiego Towarzystwa Pokojowego:
R. Iliuchina, doktor habilitowany nauk historycznych,
kierownik grupy Idee Pokojowe w Historii
Instytutu Historii Powszechnej Rosyjskiej Akademii Nauk
A. Muchin, przewodniczący Grupy Inicjatywnej
na rzecz Służby Zastępczej
O. Postnikowa, literat, członek Ruchu Kwiecień
N. Szeludiakowa, przewodnicząca organizacji
Ruch przeciw Przemocy

Literatowi nie wolno być sędzią i katem – takich na Rusi i bez tego było wystarczająco dużo... To powiedzenie Czechowa mimo woli przypomina się w związku z quasi-literackim skandalem wokół książki Swietłany Aleksijewicz *Cynkowi chłopcy* i rozpętanej równocześnie kampanii przeciw „afgańcom" oraz ich rodzicom w moskiewskiej i republikańskiej prasie, a nawet w zagranicznych stacjach radiowych...

Tak, wojna jest wojną. Jest zawsze okrutna i niesprawiedliwa w stosunku do ludzkiego życia. W Afganistanie przeważająca część żołnierzy i dowódców, wiernych przysiędze, spełniała swój obowiązek. Dlatego że rozkaz został wydany przez legalny rząd w imieniu narodu. Niestety, ku naszemu wstydowi, byli pojedynczy dowódcy i żołnierze, którzy dopuszczali się przestępstw, byli i tacy, którzy zabijali i rabowali Afgańczyków, a nawet tacy (jednostki, ale takie były), którzy zabijali swoich kolegów i z bronią w ręku przechodzili na stronę duszmanów, walczyli w ich szeregach.

Mogę przytoczyć cały szereg innych zbrodni, które popełnili nasi żołnierze, ale kiedy niektórzy pisarze i dziennikarze porównują „afgańców" z faszystami, od razu nasuwa się mnóstwo pytań. Może ci państwo potrafią pokazać światu rozkazy rządu dotyczące budowania obozów koncentracyjnych przez naszą armię w Afganistanie, likwidacji całego narodu, palenia w gazowych piecach milionów ludzi, tak jak to robili Niemcy? Czy też macie, szanowni państwo, dokumenty świadczące o tym, że za jednego zabitego radzieckiego żołnierza niszczono setki spokojnych ludzi, tak jak to robili hitlerowcy na Białorusi? Czy możecie państwo dowieść, że nasi lekarze pobierali od afgańskich dzieci krew dla swoich rannych, jak to czynili niemieccy okupanci?

Mam zresztą listy tych radzieckich żołnierzy i oficerów, którzy zostali skazani za zbrodnie przeciwko obywatelom Afganistanu. Może państwo przedstawicie takie listy Niemców i wymienicie choćby jednego czy dwóch, którzy by zostali skazani w czasie okupacji naszego kraju za to, że dopuścili się zbrodni na spokojnej ludności?

Nie ma dwóch zdań, decyzja ówczesnego kierownictwa radzieckiego o wprowadzeniu wojsk do Afganistanu była zbrodnicza, przede wszystkim w stosunku do własnego narodu. Mówiąc jednak o naszych wojskowych, których przy milczącej zgodzie ludu, w tym także waszej, szanowni państwo, wysłano do piekła, by spełnili swój żołnierski obowiązek, należy zachować przyzwoitość. Piętnować należy tych, którzy podejmowali decyzje, tych, którzy milczeli, mając pozycję w społeczeństwie...

Poniżając matki poległych żołnierzy, obrońcy Aleksijewicz wskazują ręką Amerykę – kraj wielkiej demokracji! Tam, jak twierdzą, znalazło się dość sił, żeby wystąpić przeciwko wojnie w Wietnamie.

Ale przecież każdy czytelnik gazet wie, co zrobiła Ameryka. Ani Kongres amerykański, ani Senat nie podejmowały rezolucji potępiających wojnę w Wietnamie. Nikt w Ameryce nie pozwolił i nie pozwoli rzucić obelżywego słowa pod adresem prezydentów Kennedy'ego, Johnsona, Forda, Reagana, którzy wysyłali żołnierzy amerykańskich na rzeź.

Przez Wietnam przeszło około trzech milionów Amerykanów... Weterani z Wietnamu dostają się do politycznej i wojskowej elity kraju... Każdy uczeń amerykański może kupić odznaki jednostek, które walczyły w Wietnamie...

Ciekawe, co by się stało z Radiem Swoboda, broniącym Aleksijewicz, gdyby jego współpracownicy nazywali zbrodniarzami i mordercami nie obywateli Białorusi, ale USA – prezydentów, uczestników wojny w Wietnamie? Obcych naturalnie można, tym bardziej że są ochotnicy, którzy za dolary i marki gotowi byliby nawet własnego ojca...

N. Czerginiec,
przewodniczący Białoruskiego Związku
Weteranów Wojny w Afganistanie,
były doradca wojskowy w Afganistanie,
generał-major milicji
„Sowietskaja Biełorussija", 16 maja 1993 roku

...Tego, co wiemy my, którzyśmy tam byli, nie wie nikt. Może tylko nasi dowódcy, których rozkazy wykonywaliśmy. Teraz siedzą cicho. Nic nie mówią o tym, jak nas uczyli zabijać i obszukiwać zabitych. Nic nie mówią o tym, jak już przechwyconą karawanę dzielono między pilotów helikopterów i dowództwo. Jak każdy trup duszmana (tak ich wtedy nazywaliśmy) był minowany, żeby ten, kto przyjdzie go pochować (starzec, kobieta, dziecko), też znalazł śmierć obok swego bliskiego, na ojczystej ziemi. O wielu zresztą innych rzeczach też nie mówią. Przypadła mi służba w batalionie powietrznodesantowym do zadań specjalnych. Mieliśmy wąską specjalność – karawany, karawany i jeszcze raz karawany. Karawany z reguły wiozły nie broń, ale towary, w tym narkotyki, najczęściej w nocy. Nasza grupa liczyła dwudziestu czterech ludzi, a tamtych wykańczaliśmy nieraz przeszło setkę. Nikt tam wtedy nie rozróżniał, kto jest spokojnym handlarzem, który w Pakistanie kupił towar i chciał go korzystnie sprzedać, a kto przebranym duszmanem. Pamiętam każdą walkę, każdego „swojego" zabitego – i staruszka, i dojrzałego mężczyznę, i chłopaczka wijącego się w agonii... i tego w białej czałmie, który ranił śmiertelnie mojego przyjaciela i z szalonym wyciem „Allachu Akbar" zeskoczył z pięciometrowej skały... Na mojej koszulce zostały jego kiszki, a jego mózg – na kolbie mojego kałasznikowa... Połowa naszych kolegów zostawała na skałach... Nie każdego dało się wyciągnąć ze szczelin... Zajmowały się nimi tylko dzikie zwierzęta... A myśmy ich rodzicom opowiadali o „bohaterskich czynach", jakich rzekomo dokonali... To był rok osiemdziesiąty czwarty...

Tak, trzeba nas osądzić za to, cośmy zrobili, ale razem z tymi, co nas tam wysłali, nakazując w imię ojczyzny i zgodnie z przysięgą robić rzeczy, za które w czterdziestym piątym roku cały świat potępił faszyzm...

Bez podpisu

Mijają lata... i nagle się okazuje, że ludziom nie wystarcza to, co im zostawia historia. Tamta historia, do której przywykliśmy, w której są nazwiska, daty, wydarzenia, fakty i ich ocena, nie ma natomiast miejsca dla człowieka. Dla tego konkretnego człowieka, który był nie zwyczajnym uczestnikiem wydarzeń, nie jakąś statystyczną jednostką, ale stanowił określoną osobowość, był pełen emocji i wrażeń, przez historię z reguły nieutrwalanych...

Nie pamiętam, kiedy wyszła książka Swietłany Aleksijewicz *Wojna nie ma w sobie nic z kobiety* – pewnie już z piętnaście lat minęło, ale nawet teraz mam przed oczami epizod, który mną wtedy wstrząsnął. Kobiecy batalion maszeruje, jest żar, kurz, a w kurzu to tu, to tam zostają plamy krwi – organizm kobiecy nie zna przerw nawet na wojnie.

Jaki historyk przekaże nam taki fakt? I ile relacji musi przepuścić przez siebie pisarz, żeby wyłowić go z niezliczonego mnóstwa faktów, wrażeń? Mnie to więcej mówi o psychice kobiet na wojnie niż cały tom wojennej historii.

[...] Jakkolwiek blisko od nas byłyby wydarzenia – wojna afgańska, tragedia Czarnobyla, pucze moskiewskie, pogromy w Tadżykistanie – nagle okazało się, że wszystkie one należą już do historii, ustąpiły miejsca nowym kataklizmom, i to właśnie im, tym nowym, społeczeństwo poświęca uwagę. Świadectwa odchodzą, ponieważ pamięć ludzka, strzegąc nas, stara się przytłumić tamte emocje i wspomnienia, które przeszkadzają człowiekowi żyć, odbierają mu sen i spokój. A potem odchodzą też sami świadkowie...

Ach, jak bardzo ci „udzielni książęta" odchodzącego w przeszłość reżimu nie chcą uznać, że i oni podlegają sądowi, sądowi ludzkiemu i sądowi historii! Ach, jak nie chcą przyjąć do wiadomości, że nadeszły czasy, kiedy każdy „gryzipiórek i pismak" ośmiela się podnieść rękę na „chwalebną przeszłość", może go „oczernić i poniżyć", podać w wątpliwość owe „wielkie ideały"! Ach, jakże przeszkadzają im książki, wypełnione zeznaniami ostatnich świadków!

Można kwestionować intencje generała KGB Olega Kaługina, bo w końcu generałem KGB nie zostaje się tak z przypadku. Nie sposób jednak zdezawuować relacji setek zwykłych śmiertelników – świadków Afganistanu, Czarnobyla, ofiar konfliktów narodowościowych, uciekinierów z „gorących punktów"... Można za to „pokazać", „dać nauczkę", „zatkać usta" dziennikarzowi, pisarzowi, psychologowi, który zebrał te relacje świadków...

Dla nas oczywiście to są rzeczy znajome. Sądzono przecież Siniawskiego i Daniela, wyklinano Borysa Pasternaka, mieszano z błotem Sołżenicyna i Dudincewa.

Powiedzmy, że zamilknie Swietłana Aleksijewicz. Powiedzmy, że przestaną ukazywać się relacje ofiar naszego zbrodniczego wieku. Cóż wtedy zostanie dla naszych potomków? Ckliwe opowiastki o naszych zwycięstwach? Łoskot werbli na przemian

z dziarskimi marszami? Ależ to wszystko już było! To już prze-
rabialiśmy...

J. Basin, lekarz,
Gazeta „Dobryj Wieczer", 1 grudnia 1993 roku

Te słowa chciałem wypowiedzieć na procesie... Należałem do
tych, którym nie podobała się książka Swietłany Aleksijewicz
Cynkowi chłopcy. Na procesie powinienem był zostać obrońcą
Tarasa Kiecmura...

Spowiedź byłego wroga – tak można to teraz nazwać...

Uważnie słuchałem wszystkiego, co w ciągu dwóch dni mówiono w sali sądowej, w kuluarach, i pomyślałem, że dopuszcza-
my się świętokradztwa. Za co teraz szarpiemy się wzajemnie?
W imię Boga? Nie! Rozdzieramy mu serce. W imię kraju? Kraj
tam nie walczył...

Swietłana Aleksijewicz opisała w skondensowanej postaci afgańską „czarniznę" i żadna matka nie może uwierzyć, że jej syn
był zdolny do czegoś podobnego. Ale ja powiem więcej: wszystko,
co opisano w książce, to pestka w porównaniu z tym, do czego dochodzi na wojnie, i każdy, kto naprawdę walczył w Afganistanie,
może to z ręką na sercu potwierdzić. Teraz skonfrontowaliśmy się
z surowymi realiami – hańba nie dotyczy poległych, więc jeśli do-
puszczono się haniebnych rzeczy, to wstydzić się za nie powinni
żywi. A żywi to przecież my! Wynika z tego, że ci, którzy podczas
wojny byli na pierwszej linii, to znaczy wykonawcy rozkazów, są
na pierwszej linii także teraz, kiedy trzeba odpowiadać za skutki
wojny! Dlatego byłoby sprawiedliwiej, gdyby książka napisana
z taką siłą i talentem dotyczyła nie chłopaków, ale marszałków
i gabinetowych przywódców, którzy ich na tę wojnę posłali.

Pytam sam siebie: czy Swietłana Aleksijewicz powinna była
pisać o okropnościach wojny? Tak! Czy matka powinna ująć
się za swoim synem? Tak! A czy „afgańcy" powinni ująć się za
swoimi kolegami? Znowu – tak!

Oczywiście żołnierz zawsze jest winien, na każdej wojnie. Ale
na sądzie ostatecznym Bóg jemu pierwszemu przebaczy...

Wyjście prawne z tego konfliktu znajdzie sąd. Ale powinno się znaleźć i ludzkie wyjście, które polega na tym, że matki zawsze mają rację, kochając synów, że pisarze mają rację, kiedy mówią prawdę, i rację mają żywi żołnierze, kiedy bronią poległych kolegów.

To w istocie zdarzyło się podczas tego cywilnego procesu.

Na sali sądowej zabrakło reżyserów i dyrygentów, polityków i marszałków, którzy tę wojnę wywołali. Są tu tylko strony, które ucierpiały: miłość, która nie przyjmuje gorzkiej prawdy o wojnie, prawda, którą trzeba wypowiedzieć, nie zważając na żadną miłość; i wreszcie honor, który nie przyjmuje ani miłości, ani prawdy, bo trzeba pamiętać jedno: „Życie mogę oddać ojczyźnie, ale honoru – nikomu" (kodeks oficera rosyjskiego).

Serce boskie pomieści wszystko: i miłość, i prawdę, i honor, ale my nie jesteśmy bogami i ten proces cywilny dobry jest wyłącznie dlatego, że może ludziom przywrócić pełnię życia.

Swietłanie Aleksijewicz zarzucam nie to, że wypaczyła prawdę, ale to, że w książce praktycznie nie ma miłości do młodych, rzuconych na ofiarę przez głupców, którzy wywołali wojnę afgańską. Dla mnie samego jest zdumiewające, jak „afgańcy", którzy patrzyli śmierci w oczy, teraz boją się własnej prawdy o tamtej wojnie. Powinien przecież znaleźć się przynajmniej jeden „afganiec", który powie, że dawno już nie jesteśmy szarą jednorodną masą. Słowa Tarasa Kiecmura o tym, że on sam nie potępia wojny, nie są naszymi słowami, nie mówi tego za nas wszystkich...

Nie potępiam Swietłany za to, że jej książka pomogła mieszczuchowi poznać „czarną stronę" Afganistanu. Nie potępiam jej nawet za to, że po przeczytaniu tej książki ludzie traktują nas o wiele gorzej. Powinniśmy przemyśleć swoją rolę w wojnie – że byliśmy narzędziami mordu, ale jeśli mamy za co pokutować, to pokuta powinna dotyczyć każdego.

Proces taki prawdopodobnie będzie długi i męczący. Ale w mojej duszy już się dokonał...

Pawieł Szet'ko,
były „afganiec"

Ze stenogramu końcowego posiedzenia sądu 8 grudnia 1993 roku

Sędzia: I. N. Żdanowicz, ławnicy ludowi: T. W. Borisiewicz, T. S. Soroko, powodowie: I. S. Gałowniewa, T. M. Kiecmur, pozwana: S. A. Aleksijewicz.

Z przemówienia S. Aleksijewicz, autorki *Cynkowych chłopców* (*z tego, co powiedziałam, i tego, czego nie pozwolono mi powiedzieć*)

Do końca nie wierzyłam, że do tego procesu dojdzie, tak jak nie wierzyłam do ostatniej chwili, że pod Białym Domem zacznie się strzelanina... Że będziemy zdolni do tego, by do siebie strzelać...

Fizycznie wręcz nie jestem w stanie patrzeć na rozwścieczone twarze. Nie przyszłabym więc do tego sądu, gdyby nie siedziały tu matki, chociaż wiem, że to nie one się ze mną procesują; proces wytoczył mi dawny reżim. Świadomość to nie legitymacja partyjna, nie można jej oddać do archiwum. Zmieniły się nasze ulice, szyldy na sklepach i tytuły gazet, ale my jesteśmy ci sami. Z obozu socjalistycznego. Z dawnym obozowym myśleniem...

Ale ja przyszłam rozmawiać z matkami. Poprosić je o wybaczenie za to, że prawdy nie dało się wydobyć bez bólu. Mam ciągle to samo pytanie, które znajduje się w mojej książce: kim jesteśmy? Dlaczego z nami można robić wszystko, co się chce? Zwrócić matce cynkową trumnę, a potem namówić ją, by pozwała pisarza, który napisał, że swego syna nie mogła nawet ucałować po raz ostatni i obmywała trumnę trawą, głaskała ją... Kim jesteśmy?

Wpojono nam od dziecka, przekazano w genach miłość do człowieka z karabinem. Wyrośliśmy jakby na wojnie – nawet ci, którzy urodzili się kilkadziesiąt lat po niej. I nasz wzrok jest tak uformowany, że do dzisiaj, nawet po zbrodniach rewolucyjnych czerezwyczajek, stalinowskich łagrów i oddziałów zaporowych, po niedawnym Wilnie, Baku, Tbilisi, po Kabulu i Kandaharze, człowieka z karabinem wyobrażamy sobie jako żołnierza z 1945 roku, żołnierza Zwycięstwa. Tak wiele napisano książek o wojnie, ludzki umysł i ręce przygotowały tak wiele broni, że myśl o morderstwie stała się normalna. Najlepsze umysły z dziecięcym uporem zastanawiają się nad tym, czy człowiek ma prawo zabijać zwierzęta, a my, niewiele żywiąc wątpliwości albo naprędce tworząc polityczny ideał, jesteśmy w stanie usprawiedliwić wojnę. Wystarczy włączyć wieczorem telewizor, żeby zobaczyć, z jakim tajemniczym zachwytem odprowadzamy bohaterów na cmentarz. W Gruzji, Abchazji, w Tadżykistanie... I znowu na ich grobach stawiamy pomniki, a nie kaplice...

Nie da się mężczyznom bezkarnie zabrać ich ulubionej... najukochańszej zabawki – wojny. Tego mitu... tego odwiecznego instynktu...

Ale ja nienawidzę wojny i nawet samej myśli o tym, że jeden człowiek miałby prawo odbierać życie drugiemu człowiekowi.

Niedawno pewien kapłan opowiadał, jak były frontowiec, stary już człowiek, przyniósł do cerkwi swoje odznaczenia. „Tak – powiedział – zabijałem faszystów. Broniłem ojczyzny. Ale przed śmiercią mimo wszystko chcę pokajać się za to, że zabijałem". Dlatego swoje odznaczenia zostawił w cerkwi, a nie w muzeum. A my wychowywaliśmy się w muzeach wojskowych...

Wojna jest ciężką pracą i zabijaniem, ale po latach wspomina się ciężką pracę, a odsuwa myśl o zabijaniu. Czyż można to wymyślić – te szczegóły, te uczucia? Ich straszną różnorodność w mojej książce?

Coraz częściej myślę, że po Czarnobylu, Afganistanie, po wydarzeniach pod Białym Domem nie dorównujemy temu, co z nami się dzieje. Nie przerabiamy swojej przeszłości, zawsze wszyscy jesteśmy ofiarami. Może dlatego wszystko się powtarza.

Kiedyś, kilka lat temu, a dokładnie cztery, myśleliśmy jednakowo: ja, wiele matek obecnych dzisiaj na tej sali, żołnierze, którzy wrócili z obcej, afgańskiej ziemi.

Najsmutniejszymi stronicami w mojej książce *Cynkowi chłopcy* są opowieści – modlitwy matek. Matki modlą się za swoich poległych synów...

Dlaczego więc teraz siedzimy w sądzie po przeciwnych stronach? Co się w tym czasie stało?

W tym czasie zniknął z mapy świata kraj, komunistyczne imperium, które posłało ich do Afganistanu, żeby zabijali i umierali. Nie ma go. Wojnę początkowo nieśmiało nazwano błędem politycznym, a następnie zbrodnią. Wszyscy chcą zapomnieć o Afganistanie. Zapomnieć o tych matkach, zapomnieć o kalekach... Zapomnienie jest także formą kłamstwa. Matki zostały same z grobami swoich chłopców. Nie mają nawet tej pociechy, że śmierć ich dzieci nie poszła na marne. Jakiekolwiek obelgi i przekleństwa pod swoim adresem bym słyszała, mówiłam i jeszcze raz to powiem, że chylę czoła przed matkami. Chylę także dlatego, że kiedy ojczyzna rzuciła nazwiska ich synów na pohańbienie, one stały się ich obrończyniami. Dzisiaj poległych chłopców bronią tylko matki... Inna sprawa – przed kim ich bronią?

Ich nieszczęście ma większą wagę niż jakakolwiek prawda. Mówi się, że modlitwa matki wydobędzie człowieka nawet z dna morza. W mojej książce wydobywa ich z niebytu. Złożono ich w ofierze i to oni zapłacili cenę za to, że z trudem przejrzeliśmy na oczy. Nie są bohaterami, ale męczennikami. Nikt nie śmie rzucić w nich kamieniem. Wszyscy jesteśmy winni, wszyscy uczestniczyliśmy w tym kłamstwie – o tym właśnie traktuje moja książka. Dlaczego każdy totalitaryzm jest groźny? Bo wszystkich czyni współuczestnikami swoich zbrodni. Dobrych i złych ludzi, naiwnych i pragmatyków... Modlić się trzeba za tych chłopców, a nie za ideę, której ofiarami się stali. Chcę powiedzieć matkom: nie swoich chłopców tutaj bronicie. Bronicie straszliwej idei. Idei-morderczyni. To chciałabym powiedzieć także byłym żołnierzom z Afganistanu, którzy przyszli dzisiaj do sądu.

Za plecami matek widzę generalskie naramienniki. Generałowie wracali z wojny z Gwiazdami Bohaterów i z wielkimi walizami różnych rzeczy. Jedna z matek, która teraz też jest na sali, opowiadała mi, jak oddano jej cynkową trumnę i mały czarny sakwojaż, w którym były szczoteczka do zębów i kąpielówki syna. To wszystko, co jej zostało. Wszystko, co przywiózł z wojny. Przed kim więc powinnyście bronić swoich synów? Przed prawdą? Prawdą jest to, że wasi chłopcy umierali od ran, bo nie było spirytusu i lekarstw, które sprzedawano do dukanów, prawdą jest, że dostawali zardzewiałe konserwy z lat pięćdziesiątych, i nawet chowani byli w starych mundurach z czasów II wojny światowej. Nawet na tym oszczędzano. Wolałabym tego wam nie mówić nad ich grobami... Ale zostałam zmuszona...

Słyszycie: wszędzie strzelają, znowu leje się krew. Jakiego więc usprawiedliwienia dla rozlewu krwi szukacie? Czy też pomagacie szukać?

Wtedy, pięć lat temu, kiedy jeszcze rządziły partia i KGB, chciałam ustrzec bohaterów swojej książki przed prześladowaniami, niekiedy więc zmieniałam imiona i nazwiska. Chroniłam ich przed reżimem. A dzisiaj muszę bronić się przed tymi, których niedawno broniłam.

Przy czym jednak muszę obstawać... Przy swoim pisarskim prawie do widzenia świata takim, jakim go widzę. I przy tym, że nienawidzę wojny. Czy też powinnam dowodzić, że istnieje prawda i prawdopodobieństwo, że dokument w sztuce to nie zaświadczenie z komisji wojskowej ani też bilet tramwajowy. Książki, które piszę, są dokumentem, ale zarazem także moim własnym obrazem epoki. Wybieram szczegóły, uczucia nie tylko z pojedynczego życia ludzkiego, ale i z całej atmosfery czasu, jego przestrzeni, jego głosów. Nie wymyślam, nie dopowiadam, ale tworzę książkę z samej rzeczywistości. Dokument jest tym, co mi opowiadają inni; dokument, jego część, jest także mną jako artystą mającym swoje własne postrzeganie, odczuwanie świata.

Piszę, nagrywam współczesną, dziejącą się historię. Żywe głosy, żywe losy. Zanim staną się historią, są jeszcze czyimś bólem, czyimś krzykiem, czyjąś ofiarą albo zbrodnią. Niezliczoną liczbę razy zadaję sobie pytanie: jak przejść przez zło, nie powiększając ilości zła w świecie, zwłaszcza teraz, kiedy zło nabiera jakichś kosmicznych wymiarów? To pytanie zadaję sobie przed każdą książką. Takie to już moje brzemię. I mój los.

Pisarstwo jest i losem, i zawodem, a w naszym nieszczęsnym kraju – bardziej nawet losem niż zawodem. Dlaczego sąd dwukrotnie oddalił wniosek o ekspertyzę literacką? Bo od razu stałoby się jasne, że nie ma tutaj czego sądzić. Wytacza się proces książce, literaturze, zakładając, że skoro to literatura dokumentalna, to można ją za każdym razem przepisywać na nowo, zaspokajając chwilowe potrzeby. Nie daj Boże, żeby dokumentalne książki mieli poprawiać nieobiektywni współcześni. Wtedy zamiast żywej historii zostałyby nam jedynie odgłosy sporów i przesądów politycznych. Poza regułami literatury, poza regułami gatunku tworzy się prymitywna rozprawa polityczna, sprowadzona do poziomu życia już nie codziennego, ale powiedziałabym, komunalnego. Słuchając tej sali, często przyłapuję się na myśli: któż to decyduje się teraz wzywać na ulicę tłum, niewierzący już nikomu – ani kapłanom, ani pisarzom, ani politykom? Oczekujący tylko rozprawy i krwi... I podporządkowany tylko człowiekowi z karabinem... Człowiek z piórem czy raczej z długopisem zamiast pistoletu Kałasznikowa go drażni. Pouczano mnie tutaj, jak należy pisać książki.

Ci, którzy pozwali mnie do sądu, negują to, co mówili kilka lat temu. W ich świadomości zmienił się klucz szyfrujący, i już czytają dawny tekst inaczej albo w ogóle go nie poznają. Dlaczego? Ano dlatego że nie potrzebują wolności... Nie wiedzą, co z nią robić...

Dobrze pamiętam, jaka była Inna Siergiejewna Gałowniewa, kiedyśmy się spotkały; pokochałam ją. Za jej ból, za prawdę. Za udręczone serce. A teraz to już polityk, osoba oficjalna, przewodnicząca klubu matek poległych żołnierzy. To już ktoś inny, z poprzedniej osoby zostało tylko własne nazwisko i imię poległego syna, którego po raz drugi złożyła w ofierze. Obrzęd ofiarny. Jesteśmy niewolnikami, romantykami niewoli.

Mamy swoje własne wyobrażenia o bohaterach i męczennikach. Gdyby tutaj chodziło naprawdę o honor i godność, to powstalibyśmy i milczeniem uczcili pamięć prawie dwóch milionów poległych Afgańczyków... Poległych tam, na swojej ziemi...

Ile razy można zadawać to nasze wieczne pytanie: kto winien? My jesteśmy winni – ty, ja, oni. Problem leży gdzie indziej – w wyborze, który ma każdy z nas: strzelać czy nie strzelać, milczeć czy nie milczeć, iść czy nie iść? Pytać o to należy samego siebie. Każdy niech sam siebie zapyta... Ale nie mamy doświadczeń z wchodzeniem w siebie, do własnego wnętrza... Samodzielnym znajdowaniem odpowiedzi... Nawyk każe uciec na ulicę pod znajome, czerwone sztandary. Nie umiemy żyć bez nienawiści. Jeszcze się nie nauczyliśmy.

Taras Kiecmur, jeden z moich bohaterów... Nie ten, którego widzą państwo teraz na sali, ale tamten inny, taki, jaki wrócił z wojny, opowiadał mi o tym w następujący sposób... Odczytam państwu z książki...

„Śni mi się, że śpię i widzę całe morze ludzi... Wszyscy stoją pod naszym domem... Rozglądam się, jest mi ciasno, ale z jakiegoś powodu nie mogę wstać. Wtedy do mnie dociera, że leżę w trumnie... Trumna drewniana, nie ma cynkowej owijki. To pamiętam dobrze... Ale ja żyję, tylko leżę w trumnie. Otwierają się drzwi, wszyscy wychodzą i mnie wynoszą na drogę. Tłum ludzi, wszyscy mają cierpienie na twarzach, i jeszcze jakiś tajemniczy zachwyt... Dla mnie niepojęty... Co się stało? Dlaczego leżę w trumnie? Nagle słyszę, że kondukt się zatrzymuje, a ktoś mówi: »Dajcie młotek«... Wtedy przychodzi mi na myśl, że śnię... Znowu ktoś się odzywa: »dajcie młotek«... Niby we śnie, ale jest jak na jawie... Ten ktoś po raz trzeci mówi: »dajcie młotek«. Słyszę, że trzasnęło wieko, młotek zaczyna stukać, gwóźdź rani mnie w palec. Zaczynam tłuc głową o wieko, kopać. Raz – i wieko się odrywa i upada. Ludzie patrzą, a ja wstaję, usiadłem w trumnie. Chcę krzyczeć, że to boli. »Dlaczego zabijacie trumnę gwoździami, tam nie ma czym oddychać!« Tamci płaczą, ale nic nie mówią. Wszyscy jakby niemi... Na twarzach mają ten tajemniczy wyraz zachwytu... Taki niewidoczny... Ale ja to widzę... Domyślam się... I nie mam pojęcia, jak do nich przemówić, żeby mnie usłyszeli. Wydaje mi się, że krzyczę, ale usta mam zaciśnięte, nie mogę ich otworzyć. Wtedy kładę się z powrotem do trumny. Leżę i myślę: oni chcą, żebym umarł, i może naprawdę umarłem, i muszę milczeć. Wtedy ktoś znowu się odzywa: »Dajcie mi młotek…«".

Tego nie zakwestionował. I tak obroni swój honor i swoją godność na Sądzie Historii. Mnie też obroni.

Z rozmów na sali sądowej

— Mówi pan, że to komuniści… Generałowie… Zakulisowi reżyserzy… A oni? A oni sami? Oszukani i chcący być oszukanymi. Ktoś inny jest winien, nie oni. Psychika ofiary. A ofierze zawsze jest potrzebny ten, kogo mogłaby oskarżyć. Już się u nas nie strzela, ale wszystkim rozdymają się nozdrza, jakby czuły zapach krwi.

— Ma miliony, dwa mercedesy… Po zagranicach się rozbija…

— Pisarz pisze książkę dwa–trzy lata, a dostaje za nią dzisiaj tyle, ile chłopczyna, kierowca trolejbusu za dwa miesiące. Skąd pani wzięła te mercedesy?

— Ale po za…

— A twój własny grzech? Mogłeś strzelać i mogłeś nie strzelać. Co? Milczysz…

— Naród jest poniżony, bieduje. A całkiem niedawno byliśmy wielkim mocarstwem. Może nim nawet nie byliśmy, a tylko uważaliśmy się za wielkie mocarstwo pod względem liczby rakiet i czołgów, bomb atomowych. I wierzyliśmy, że żyjemy w najlepszym, najsprawiedliwszym kraju. A pani nam mówi, że żyliśmy w innym kraju – strasznym i krwawym. Kto pani to wybaczy? Pani dotknęła tego, co najbardziej boli… do samej głębi…

— Wszyscy braliśmy w tym oszustwie udział. Wszyscy.

— Wyście robili to samo co faszyści! A chcecie być bohaterami… A na dodatek jeszcze dostać bez kolejki lodówkę i komplet mebli…

— To są mrówki, które nie wiedzą, że istnieją pszczoły i ptaki. Ze wszystkich więc chcieliby zrobić mrówki. To różne poziomy świadomości…

– A czego by pan chciał po tym wszystkim?

– Po czym wszystkim?

– Po rozlewie krwi... Mam na myśli naszą historię. Po rozlewie krwi ludzie mogą cenić tylko chleb. Cała reszta nie ma dla nich wartości. Świadomość została zrujnowana.

– Trzeba się modlić. Modlić za swoich katów. Za dręczycieli.

– Zapłacili jej dolarami. Dlatego obrzuca nas błotem. Nas i nasze dzieci.

– Jak się nie rozliczymy z przeszłością, to się odezwie w przyszłości. Nastąpi nowe oszustwo, nowa krew. Przeszłość jeszcze przed nami.

Z orzeczenia sądu

ORZECZENIE W IMIENIU REPUBLIKI BIAŁORUSI

Sąd Ludowy Dzielnicy Centralnej m. Mińska w składzie: przewodniczący: I. N. Żdanowicz, ławnicy: T. W. Borisiewicz, T. S. Soroko, w obecności sekretarza: I. B. Łobynicz na otwartym posiedzeniu w dniu 8 grudnia 1993 roku rozpatrzył sprawę z powództwa cywilnego Tarasa Michajłowicza Kiecmura oraz Inny Siergiejewny Gałowniewej przeciwko Swietłanie Aleksandrownie Aleksijewicz i redakcji gazety „Komsomolska Prawda" o obrazę honoru i godności powodów.

[...] Po wysłuchaniu obu stron i zbadaniu akt sprawy sąd orzeka, że żądania pozwanych należy częściowo zaspokoić.

Zgodnie z artykułem siódmym Kodeksu cywilnego Republiki Białorusi obywatel albo organizacja mają prawo żądać sprostowania informacji naruszających ich honor i godność, jeżeli rozpowszechniający te informacje nie udowodnił, że odpowiadają one prawdzie.

Sąd stwierdził, że w numerze trzydziestym dziewiątym gazety „Komsomolska Prawda" z 15 lutego 1990 roku zostały opublikowane fragmenty dokumentalnej książki S. Aleksijewicz *Cynkowi chłopcy. Monologi tych, którzy przeszli przez Afganistan*. W publikacji znajduje się monolog podpisany nazwiskiem powódki I. S. Gałowniewej.

W związku z tym, że pozwani w niniejszej sprawie – S. A. Aleksijewicz i redakcja gazety „Komsomolska Prawda" nie przedstawili dowodów, że informacje podane we wskazanej publikacji odpowiadają stanowi faktycznemu, sąd uznaje owe informacje za nieprawdziwe.

Sąd uważa jednak, że przedstawione informacje nie są hańbiące, ponieważ z punktu widzenia praw oraz zasad moralnych przyjętych w społeczeństwie nie ubliżają honorowi i godności I. S. Gałowniewej oraz jej poległego syna w opinii społecznej i obywatelskiej i nie zawierają informacji o niegodnym zachowaniu się syna powódki...

Ponieważ pozwani nie przedstawili dowodów, że informacje podane w opowiadaniu T. M. Kiecmura odpowiadają stanowi faktycznemu, sąd uznaje informacje zawarte w monologu podpisanym imieniem i nazwiskiem T. M. Kiecmura za nieprawdziwe.

Z powodu wyżej wymienionych okoliczności sąd uważa za nieprawdziwe i hańbiące honor oraz godność T. M. Kiecmura następujące informacje, zawarte w zdaniach: „Widziałem tam, jak wykopują na polach ryżowych żelazo i ludzkie kości... Widziałem, jak twarz zabitego zastyga w pomarańczową skorupę... Nie wiadomo czemu właśnie pomarańczową..." oraz „W moim pokoju są te same co kiedyś książki, zdjęcia, magnetofon, gitara. Nie ma tylko... tamtego mnie... Nie umiem przejść przez park, ciągle się oglądam za siebie. Kiedy w kawiarni kelner staje za moimi plecami i chce przyjąć zamówienie, mam ochotę uciec, bo nie znoszę, kiedy ktoś stoi za mną. Gdy zobaczę jakiegoś drania, pierwszą myślą, jaka przychodzi mi do głowy, jest: »Rozstrzelać gnoja!«"..

Te informacje sąd uważa za hańbiące, ponieważ mogą być przyczyną tego, że czytelnicy zwątpią w równowagę psychiczną powoda, jego zdolność właściwej oceny realiów, przedstawiają go jako człowieka pełnego złości, podają w wątpliwość jego cechy moralne, stwarzają wrażenie, że jest człowiekiem, który prawdziwą informację może przekazać jako fałszywą, nieodpowiadającą rzeczywistości...

Co się tyczy pozostałej części pozwu, sąd postanowił oddalić żądania T. M. Kiecmura...

Pozwana S. A. Aleksijewicz odrzuciła pozew. Udowodniła, że w 1987 roku spotykała się z I. S. Gałowniewą – matką zabitego w Afganistanie oficera i rozmowę z nią nagrała na taśmę magnetofonową. Nastąpiło to prawie natychmiast po pogrzebie jej syna. Powódka opowiedziała jej wszystko to, co opublikowane zostało w monologu, podpisanym jej nazwiskiem w gazecie „Komsomolska Prawda". Żeby zaś Gałowniewej nie prześladowały organy KGB, pozwana jednostronnie zmieniła jej imię na „Nina" oraz stopień wojskowy syna ze starszego na młodszego lejtnanta, chociaż mowa była właśnie o niej.

Z T. M. Kiecmurem pozwana spotkała się dokładnie sześć lat temu. Rozmawiając z nim w cztery oczy, nagrała jego opowieść na taśmę magnetofonową. To, co powiedział w opublikowanym monologu, zostało przedstawione zgodnie z tym nagraniem, dlatego odpowiada stanowi faktycznemu i jest autentyczne...

Na powyższej podstawie w myśl artykułu sto dziewięćdziesiątego czwartego Kodeksu postępowania cywilnego Republiki Białorusi sąd postanowił:

Zobowiązać redakcję gazety „Komsomolska Prawda" do opublikowania w terminie dwumiesięcznym sprostowania podanych wyżej informacji.

Pozew Inny Siergiejewny Gałowniewej przeciwko Swietłanie Aleksandrownie Aleksijewicz i redakcji gazety „Komsomolska Prawda" o obrazę czci i godności oddalić.

Zobowiązać Swietłanę Aleksandrownę Aleksijewicz do zwrócenia Tarasowi Michajłowiczowi Kiecmurowi poniesionych kosztów sądowych w wysokości 1320 (słownie: tysiąca trzystu dwudziestu) rubli oraz zapłacenia kosztów sądowych na rzecz państwa w wysokości 2680 (słownie: dwóch tysięcy sześciuset osiemdziesięciu) rubli.

Zobowiązać Innę Siergiejewnę Gałowniewą do wpłaty na rzecz państwa sumy 3100 (słownie: trzech tysięcy stu) rubli.

Decyzja sądu podlega zaskarżeniu do Sądu m. Mińska za pośrednictwem Sądu Ludowego Dzielnicy Centralnej m. Mińska w ciągu dziesięciu dni od dnia jej ogłoszenia.

Do

Dyrektora Instytutu Literatury imienia Janki Kupały
Akademii Nauk Republiki Białorusi
W. A. Kowalenki

Szanowny Wiktorze Antonowiczu!

Jak Panu wiadomo, proces przeciwko pisarce Swietłanie Aleksijewicz w związku z publikacją fragmentu jej dokumentalnej opowieści *Cynkowi chłopcy* w „Komsomolskiej Prawdzie" z dnia 15 lutego 1990 roku zakończył się w pierwszej instancji. W istocie S. Aleksijewicz oskarżono o to, że obraziła honor i godność jednego z powodów (jednego z bohaterów jej książki), nie przekazując jego wypowiedzi dosłownie. Sąd oddalił dwukrotnie wniosek o przeprowadzenie ekspertyzy literackiej.

Białoruski PEN Club prosi Pana o przeprowadzenie takiej ekspertyzy, która dałaby odpowiedź na następujące pytania:

1. Jak naukowo określa się gatunek opowieści dokumentalnej, przy czym słowo „dokumentalna" rozumieć tu należy: „na podstawie faktów (świadectw)", a słowo „opowieść" – jako „dzieło artystyczne"?

2. Czym różni się opowieść dokumentalna od publikacji w gazecie lub czasopiśmie, w szczególności od wywiadu, którego tekst zazwyczaj autor pokazuje rozmówcy?

3. Czy autor opowieści dokumentalnej ma prawo do użycia środków artystycznych, do własnej koncepcji dzieła, do wyboru materiałów, do literackiego opracowania relacji ustnych, do własnego światopoglądu, do uogólniania faktów w imię prawdy artystycznej?

4. Kto jest właścicielem praw autorskich: autorka czy też bohaterowie opisanych przez nią wydarzeń, których to bohaterów spowiedzi-świadectwa nagrała w trakcie zbierania materiałów?

5. Jak określić granice, w których autor jest wolny od dosłowności, konieczności mechanicznego przekazu nagranych tekstów?

6. Czy książka S. Aleksijewicz *Cynkowi chłopcy* należy do gatunku opowieści dokumentalnej (w związku z pytaniem pierwszym)?

7. Czy autor opowieści dokumentalnej ma prawo zmieniać imiona i nazwiska swoich bohaterów?

8. Wreszcie, jako wniosek z tych wszystkich pytań, najważniejsze z nich: czy można stawiać przed sądem pisarza za fragment dzieła literackiego nawet wtedy, kiedy ów fragment nie podoba się tym, którzy dostarczyli ustnego materiału do książki? S. Aleksijewicz opublikowała nie wywiad z powodami, ale właśnie fragment z książki o charakterze opowieści dokumentalnej.

Niezależna ekspertyza literacka jest potrzebna Białoruskiemu PEN Clubowi w celu obrony Swietłany Aleksijewicz.

Carlos Sherman,
wiceprezes Białoruskiego PEN Clubu

28 grudnia 1993 roku
Do
Prezesa Białoruskiego PEN Clubu
W. Bykowa

Spełniamy Pańską prośbę o wykonanie niezależnej ekspertyzy literackiej opowieści dokumentalnej Swietłany Aleksijewicz *Cynkowi chłopcy* i udzielamy odpowiedzi na Pańskie pytania w punktach:

1. Z definicji „literatury dokumentalnej", którą podaje *Encyklopedyczny słownik literacki* (*Sowietskaja encykłopiedija*, Moskwa 1987, s. 98–99) i którą wśród specjalistów uważa się

za najściślejszą i najbardziej zweryfikowaną, wynika, że literatura dokumentalna, w tym także opowieść dokumentalna, co do swojej treści, metod i środków badawczych oraz formy przekazu należy do gatunku prozy artystycznej i w związku z tym w sposób aktywny wykorzystuje selekcję artystyczną oraz estetyczną ocenę materiału dokumentalnego. „Literatura dokumentalna – zaznacza autor odpowiedniego artykułu – jest prozą artystyczną, badającą wydarzenia historyczne i zjawiska życia społecznego za pomocą analizy materiałów dokumentalnych, które są prezentowane w całości bądź w części albo też referowane".

2. W tym samym artykule encyklopedycznym znajdujemy stwierdzenie, że „jakość selekcji i oceny pokazanych faktów, ujętych w perspektywie historycznej, rozszerza charakter informacyjny literatury dokumentalnej i wyprowadza ją zarówno poza granice dziennikarskiej dokumentalistyki (szkic, notatki, kronika, reportaż) i publicystyki, jak też prozy historycznej". Dlatego też fragmentu z *Cynkowych chłopców* S. Aleksijewicz zamieszczonego w „Komsomolskiej Prawdzie" (z 15 lutego 1990 roku) nie można zaliczyć do gatunku wywiadu, reportażu, szkicu czy jakiegokolwiek innego rodzaju działalności dziennikarskiej; jest on swego rodzaju reklamą książki, która wkrótce miała zostać opublikowana.

3. Co się tyczy prawa autora dzieła dokumentalnego do użycia środków artystycznych jako specyficznego sposobu uogólnienia faktów, do własnej koncepcji wydarzenia historycznego, do świadomej selekcji materiału, do literackiego opracowania opowieści ustnych świadków owego wydarzenia, do wyciągania własnych wniosków z zestawienia faktów, to w wymienionym powyżej słowniku mówi się o tym następująco: „Sprowadzając do minimum fikcję literacką, literatura dokumentalna w swoisty sposób wykorzystuje syntezę artystyczną i wybiera realne fakty, same w sobie mające istotne znaczenie społeczne". Nie ulega wątpliwości, że literatura dokumentalna ma być autentyczna i wiarygodna. Czy jednak możliwy jest całkowity realizm,

prawda absolutna? Zgodnie ze słowami pisarza, laureata Nagrody Nobla, Alberta Camusa całkowita prawda byłaby możliwa tylko wtedy, gdyby przed człowiekiem postawiono kamerę filmową, która utrwaliłaby całe jego życie od narodzin do śmierci. Ale czy w takim wypadku znalazłby się inny człowiek, który zgodziłby się poświęcić własne życie, żeby umożliwić innym oglądanie w nieskończoność tego osobliwego filmu? I czy za zewnętrznymi zdarzeniami zdołałby zobaczyć wewnętrzne przyczyny zachowania „bohatera"? Łatwo sobie wyobrazić sytuację, co by się stało, gdyby autorka *Cynkowych chłopców* świadomie wyrzekła się twórczego stosunku do zebranych faktów i pogodziła się z rolą biernego zbieracza. Musiałaby w takim wypadku zapisać na papierze dosłownie wszystko, co wyznali w swoich wielogodzinnych opowieściach-spowiedziach bohaterowie „afgańcy", i w rezultacie powstałby (gdyby został wydany) opasły tom, zawierający surowy, nieopracowany i nieodpowiadający ogólnie przyjętym wymaganiom estetycznym materiał – taka książka po prostu nie znalazłaby czytelnika. Co więcej, gdyby tą drogą poszli poprzednicy S. Aleksijewicz w tym dokumentalnym gatunku, wówczas światowa literatura nie miałaby dzisiaj takich arcydzieł jak *Twierdza brzeska* Siergieja Smirnowa, *Norymberski epilog* Arkadija Połtoraka, *Z zimną krwią* Trumana Capote'a, *Ja ze spalonej wsi* Alesia Adamowicza, Janki Bryla i Włodimira Kolesnika, *Księga blokady* Alesia Adamowicza i Daniiła Granina.

4. Prawa autorskie to zbiór norm prawnych regulujących sprawy związane z tworzeniem i wydawaniem dzieł literackich; nabierają one mocy z chwilą wydania książki i składają się z konkretnych, określonych przez ustawy prawomocności (osobistych, majątkowych i niemajątkowych). Wśród nich przede wszystkim wyróżnić należy prawa do autorstwa, do publikacji, do rozpowszechniania i ponownego wydania dzieła, do integralności tekstu (tylko autor ma prawo wnosić do swojego dzieła jakiekolwiek zmiany albo zezwalać na to innym). Zgodnie z regułami gatunku literatury dokumentalnej proces

zbierania materiałów wymaga aktywnej roli autora, określającego problemowo-tematyczną istotę dzieła. Naruszenie prawa autorskiego jest ścigane sądownie.

5. Jak już pokazaliśmy, odpowiadając na pytanie trzecie, w dziele dokumentalnym niemożliwe jest dosłowne – kropka w kropkę – odtworzenie opowieści bohaterów. Powstaje wszakże problem woli autora, z którym bohaterowie w chwili szczerości podzielili się wspomnieniami i jak gdyby oddali mu część swoich praw do tego świadectwa, spodziewając się dokładnego przekazu swoich słów w pierwotnym kształcie i polegając na zawodowej biegłości autora, jego umiejętności wychwytywania tego, co najważniejsze, i opuszczania drobiazgów, które nie pogłębiają myśli, na umiejętności zestawiania faktów i łączenia ich w jednorodną całość. O wszystkim ostatecznie decydują talent artystyczny autora i jego postawa moralna, jego zdolność do godzenia rzetelności dokumentalisty z kreacją artystyczną. Miarę autentyczności, stopień wniknięcia w wydarzenia mogą w tym wypadku poczuć i ocenić jedynie czytelnicy i krytyka literacka, władająca aparatem analizy literackiej. Tę miarę autentyczności po swojemu oceniają i bohaterowie dzieła, jego najżarliwsi i najuważniejsi czytelnicy. Stykając się ze zjawiskiem przemiany opowieści ustnej w pisemną, a tym bardziej drukowaną, padają niekiedy ofiarą nieadekwatnej reakcji na własną opowieść. Podobnie człowiek, który pierwszy raz słyszy własny głos na taśmie magnetofonowej, nie poznaje samego siebie i uważa, że dokonano ordynarnej podmiany. Efekt zaskoczenia powstaje także dlatego, że opowieść jednego świadka zostaje w książce zestawiona, skonfrontowana z innymi podobnymi opowieściami, potwierdza je albo różni się od nich, niekiedy wręcz popadając w konflikt z opowiadaniami innych bohaterów-świadków. Wówczas wyraźnie zmienia się stosunek do swoich własnych słów.

6. Książka S. Aleksijewicz *Cynkowi chłopcy* spełnia całkowicie wymogi omówionego wyżej gatunku literatury dokumentalnej. Wiarygodność i literackość obecne są w niej w proporcjach

pozwalających zaliczyć to dzieło do prozy artystycznej, nie zaś do dziennikarstwa. Nawiasem mówiąc, do literatury dokumentalnej zaliczają badacze także poprzednie książki tej autorki (*Wojna nie ma w sobie nic z kobiety, Ostatni świadkowie*).

7. We współczesnej autorce literaturze zaznaczają się wyraźne ograniczenia etyczne, jeśli wiarygodny autorski przekaz opowieści bohatera, jego autentyczne świadectwo wydarzeń, nie ma jeszcze w społeczeństwie jednoznacznej oceny i może wywołać rezultaty niepożądane nie tylko dla autora, ale także dla bohatera. W takim wypadku autorka ma niepodważalne prawo do zmiany nazwisk i imion bohaterów. Nawet wówczas, gdy bohaterowi nic nie grozi i polityczna koniunktura sprzyja książce, autorzy często korzystają z tego chwytu. W nazwisku głównego bohatera *Opowieści o prawdziwym człowieku*: „Mieriesjew" pisarz Borys Polewoj zmienił zaledwie jedną literę, od razu jednak wywołał efekt literackości – czytelnik zrozumiał, że mowa jest nie o pewnej konkretnej osobie, ale o typowym zjawisku w radzieckim społeczeństwie. Takich przykładów świadomej zmiany imienia i nazwiska bohaterów historia literatury zna mnóstwo.

8. Niestety na świecie ciągle zdarzają się procesy sądowe, podobne do tego, który toczy się przeciwko S. Aleksijewicz, autorce książki *Cynkowi chłopcy*. Ścigany sądownie w powojennej Anglii był George Orwell, autor sławnej antyutopii pod tytułem *Rok 1984*, którego oskarżono o szkalowanie ustroju państwowego. Dzisiaj wiadomo, że tematem owej książki był totalitaryzm w takiej wersji, w jakiej powstał on w XX wieku. W naszych czasach w Iranie został wydany wyrok śmierci na pisarza Salmana Rushdiego za książkę, w której rzekomo w szyderczy sposób mówi się o islamie. Postępowa społeczność międzynarodowa oceniła ten akt jako naruszenie prawa do swobody twórczej i postępek niegodny ludzi cywilizowanych. Jeszcze niedawno oskarżono pisarza Wasila Bykowa o oczernianie Armii Radzieckiej – liczne opublikowane w prasie listy kombatantów pseudopatriotów brzmiały jak surowy wyrok

wydany przez społeczeństwo na pisarza, który pierwszy ośmielił się powiedzieć głośno prawdę o przeszłości. Niestety, ta historia się powtarza. Nasze społeczeństwo, które zadeklarowało budowę państwa prawa, na razie poznaje dopiero elementy podstawowych praw człowieka, ducha prawa zastępując często jego literą, zapominając o moralnej stronie każdej sprawy sądowej. Prawo do obrony własnej godności, które zdaniem powodów S. Aleksijewicz naruszyła, publikując fragment książki, nie może być rozumiane jako prawo mówienia dzisiaj autorce jednej wersji, a nazajutrz, w związku ze zmianą nastroju albo koniunktury politycznej, wersji zupełnie przeciwnej. Pojawia się pytanie: kiedy „bohater" książki był szczery – wtedy, gdy zgodził się podzielić ze Swietłaną Aleksijewicz swoimi wspomnieniami o wojnie w Afganistanie, czy wtedy, kiedy pod naciskiem dawnych towarzyszy broni postanowił walczyć o korporacyjne interesy określonej grupy ludzi? I czy w takim razie ma moralne prawo do sądownego ścigania pisarki, której w swoim czasie zaufał, mając świadomość, że jego spowiedź zostanie opublikowana? Fakty zakomunikowane przez powoda autorce nie wyglądają na jednostkowe i przypadkowe. Ich potwierdzeniem są w książce inne podobne fakty, które autorka poznała z opowieści innych świadków tych samych wydarzeń. Czy nie nasuwa się przypuszczenie, że „bohater" był szczery w chwili, kiedy jego opowieść ustna została nagrana, nie zaś wtedy, kiedy wyrzekał się swoich słów? Jeszcze jeden ważny aspekt: skoro nie ma świadków rozmowy autorki z „bohaterem" i skoro brak innych dowodów, że rację ma ta czy inna strona procesu, konieczna jest weryfikacja wszystkich podobnych faktów, które autorka przytacza w swojej książce. Trzeba byłoby przeprowadzić swoisty „proces norymberski", w którym wzięłyby udział dziesiątki i tysiące świadków wojny w Afganistanie. W przeciwnym razie grozi nam utonięcie w niekończących się dochodzeniach sądowych, podczas których trzeba byłoby dowodzić prawdziwości niemal każdego wypowiedzianego przez bohaterów książki słowa, co byłoby absurdem. Dlatego zwrócenie się Białoruskiego PEN Clubu do Instytutu Literatury ANB z prośbą o wykonanie niezależnej ekspertyzy literackiej opublikowanego w „Komsomolskiej Prawdzie" fragmentu z dokumentalnej książki Swietłany Aleksijewicz *Cynkowi chłopcy* jest w obecnej sytuacji oczywistym, a być może nawet jedynym sposobem rozwiązania konfliktu...

Dyrektor Instytutu imienia Janki Kupały
Akademii Nauk Białorusi,
członek-korespondent ANB
W. A. Kowalenko

Starszy pracownik naukowy Instytutu Literatury
doktor nauk filologicznych
M. A. Tyczina

27 stycznia 1994 roku

Po procesie

Wyrok sądu został odczytany...

Trudno mi pisać o nas – o tych, którzy siedzieli na sali sądowej. W ostatniej swojej książce *Zaczarowani przez śmierć* Swietłana Aleksijewicz pyta: „Kim jesteśmy?". „Jesteśmy ludźmi wojny. Albo walczyliśmy, albo szykowaliśmy się do wojny. Nigdy inaczej nie żyliśmy".

Walczyliśmy... Siedzące, zdawałoby się naumyślnie za Swietłaną Aleksijewicz, kobiety cicho, tak, żeby nie słyszał sędzia, ale słyszała pisarka, prześcigają się w jej obrażaniu. Matki! Wyrazy takie, że nie jestem w stanie ich powtórzyć... Inna Gałowniewa w przerwie podchodzi do ojca Wasilija Radomyślskiego, który wstawił się za pisarką: „Nie wstyd wam, ojczulku – sprzedaliście się za pieniądze!". „Sługa ciemności! Diabeł!" – rozlega się głos z publiczności, i już wyciągają się pełne oburzenia, żeby zerwać krzyż z jego piersi. „To panie do mnie? Do mnie, który odprawiałem egzekwie nad waszymi synami po nocach, bo mówiłyście, że nie chcecie stracić trzystu rubli obiecanej pomocy" – pyta wstrząśnięty kapłan. „Po coś przyszedł? Diabła bronić?" – „Módlcie się za siebie i za swoje dzieci. Bez skruchy nie znajdziecie pociechy". – „Niczemu nie jesteśmy winne... Nic nie wiedziałyśmy..." – „Byłyście ślepe. A kiedyście otworzyły oczy, zobaczyłyście tylko trupy swoich synów. Wyraźcie skruchę..." – „Co nas obchodzą afgańskie matki... Myśmy straciły swoje dzieci..."

Druga strona zresztą nie pozostała dłużna. „Wasi synowie zabijali w Afganistanie niewinnych! To zbrodniarze!" – krzyczał do matek jakiś mężczyzna. „Zdradzacie swoje dzieci po raz drugi..." – szalał inny.

A ty? A my – czyśmy nie wykonywali rozkazu? Rozkazu milczenia? Czyż na zebraniach nie podnosiliśmy rąk do góry w geście aprobaty? Pytam się... Wszystkim nam jest potrzebny sąd... tamten sąd – inny, o którym mówił na procesie przewodniczący Białoruskiej Ligi Praw Człowieka J. Nowikow: kiedy my wszyscy – my, milczący, matki naszych poległych żołnierzy, weterani tej wojny oraz tamta druga strona – matki zabitych Afgańczyków – siądziemy razem i zwyczajnie spojrzymy sobie w oczy...

A. Aleksandrowicz
„Fiemida", 27 grudnia 1993 roku

Zakończył się proces cywilny o obrazę honoru i godności z powództwa Gałowniewej i Kiecmura przeciwko pisarce Swietłanie Aleksijewicz. Ostatni dzień procesu zgromadził wielu dziennikarzy i w niektórych gazetach już pojawiła się informacja o wyroku: pozew Gałowniewej oddalony, pozew Kiecmura częściowo uznany. Nie będę dosłownie cytować końcowego postanowienia, powiem tylko, że nosi ono według mnie dosyć pojednawczy charakter. Ale czy pojednało naprawdę obie strony?

Inna Siergiejewna Gałowniewa, matka poległego w Afganistanie starszego lejtnanta Gałowniewa, po dawnemu jest „na wojennej ścieżce" – zamierza złożyć skargę kasacyjną i nadal procesować się z pisarką. Co kieruje tą kobietą? Co kieruje tą matką? Cierpienie, którego nic nie było w stanie ukoić. Nic, bo im bardziej wojna afgańska odchodzi do historii, im wyraźniej uświadamia sobie społeczeństwo, jak była awanturnicza, tym bardziej absurdalnie wygląda śmierć naszych chłopców na obcej ziemi... Dlatego właśnie Inna Siergiejewna odrzuca książkę *Cynkowi chłopcy*. Dlatego jest ona dla niej obrazą; dla matki zbyt ciężkie to brzemię – obnażona prawda o wojnie afgańskiej.

Taras Kiecmur, „afganiec", były kierowca, to drugi z powodów w tym procesie cywilnym. Jego pozew został przez sąd częściowo uznany, na żądanie Kiecmura dwa głęboko drążące własną psychikę, głęboko dramatyczne epizody w monologu z jego nazwiskiem, dowodzące moim zdaniem wyłącznie tego, że wojna nikogo nie wypuszcza żywym, nawet jeśli oszczędzi jego nogi i ręce, uznano za „obrażające jego honor i godność". Mogę zresztą nawet Tarasa zrozumieć. Pamiętają państwo taki aforyzm: „Nie ufaj pierwszym porywom, bo mogą być szczere"? No więc jego monolog w *Cynkowych chłopcach* to według mnie właśnie pierwszy, szczery poryw duszy po Afganistanie. Minęły cztery lata. Taras się zmienił. Świat wokół niego – także. Z pewnością Taras chciałby teraz wiele rzeczy zmienić także we własnej pamięci o przeszłości, jeśli już nie uda mu się całkiem wyrwać tej pamięci z duszy... A tutaj ci *Cynkowi chłopcy* – co napisane czarno na białym, to zostaje.

Swietłana Aleksijewicz opuściła salę sądową przed zakończeniem procesu – po kolejnym oddaleniu przez sąd wniosku pisarki o ekspertyzę literacką. Aleksijewicz słusznie pytała, jak można osądzać opowieść dokumentalną, nie znając zasad gatunku, nie mając elementarnej wiedzy o pracy literackiej i nie chcąc w dodatku znać opinii profesjonalistów. Ale sąd był nieugięty. Po drugiej odmowie Swietłana Aleksijewicz opuściła salę posiedzeń. Powiedziała przy tym: „Jako człowiek... Poprosiłam o wybaczenie za to, że przyczyniłam bólu, za ten niedoskonały świat, w którym często nie sposób nawet przejść ulicą, żeby nie potrącić innego człowieka... Ale jako pisarz... Nie mogę, nie mam prawa prosić o wybaczenie za swoją książkę... Za prawdę!".

Proces cywilny Swietłany Aleksijewicz i jej książki *Cynkowi chłopcy* – to nasza druga klęska w wojnie afgańskiej...

Jelena Mołoczko
„Narodnaja Gazieta", 23 grudnia 1993 roku

W grudniu 1993 roku sądowy maraton Swietłany Aleksijewicz i jej książki *Cynkowi chłopcy* wreszcie dobiegł końca. Wyrok sądu: pisarka powinna przeprosić „afgańca" Tarasa Kiecmura, którego honor i godność sąd uznał za „częściowo obrażone"; sąd białoruski ani odrobinę się nie wahał, nakazując gazecie „Komsomolska Prawda" opublikować sprostowanie, a także pisemne przeprosiny pisarki i redakcji.

Pozew powódki Inny Siergiejewny Gałowniewej, matki poległego w Afganistanie oficera, sąd oddalił, chociaż uznał, że „część informacji, których autorstwo przypisano Gałowniewej, nie odpowiada prawdzie". Pozew Gałowniewej sąd musiał oddalić, ponieważ w trakcie procesu przedstawiono kasetę magnetofonową z nagraniem wystąpienia Gałowniewej sprzed kilku lat na jednym z wieców, na których całkowicie popiera książkę Aleksijewicz.

Swietłana Aleksijewicz podczas tego procesu, w tym sądzie i w tym systemie nie miała szans obrony swojej ludzkiej i zawodowej godności...

Wobec faktu, że proces polityczny dzieła literackiego i jego twórcy wywołał oburzenie na całym świecie, wystraszeni reżyserzy białoruskiej tragifarsy donośnie głosili: „To w żadnym wypadku nie jest proces przeciw książce ani też pisarce i jej twórczości! To jedynie cywilny pozew o obrazę czci i godności, skierowany przeciw gazecie »Komsomolska Prawda« z powodu publikacji z 1990 roku".

„A co z domniemaniem niewinności?" – po zakończeniu procesu zapytali sędziego Żdanowicza przewodniczący Białoruskiej Ligi Praw Człowieka Jewgienij Nowikow i szef Białoruskiego Stowarzyszenia Wolnych Środków Informacji Masowej Aleś Nikołajczenko.

Według Żdanowicza „domniemanie niewinności obowiązuje tylko w sprawach karnych". Gdyby na przykład Gałowniewa i Kiecmur oskarżyli Swietłanę Aleksijewicz o oszczerstwo, to w tym wypadku domniemanie niewinności by obowiązywało, ponieważ samo słowo „oszczerstwo" jest zaczerpnięte z kodeksu karnego i wówczas powodowie musieliby przedstawić sądowi dowody materialne...

W przypadku zaś pozwu cywilnego o obrazę czci i godności domniemanie takie na Białorusi nie istnieje...

Możliwe, że z cywilnego proces płynnie przejdzie w karny – powódka Gałowniewa zapowiedziała to i mówiła, że właśnie do tego dąży.

Do białoruskich gazet prokomunistycznych, które napastują pisarkę, przyłączyła się „Komsomolska Prawda" w artykule z 30 grudnia 1990 roku, podpisanym przez Wiktora Ponomariowa.

Swietłanie Aleksijewicz „wydało się, że za plecami matek są generalskie naramienniki", one zaś „mają za plecami – to na pewno – groby synów. To one potrzebują obrony, a nie pisarka, posiadaczka orderów, laureatka nagród. Jeśli nawet dokonał się tu akt egzekucji obywatelskiej, to nie pisarka jest jej obiektem" – pośpiesznie i demagogicznie „Komsomołka" odżegnuje się od Swietłany Aleksijewicz.

To jest prolog do oficjalnych przeprosin, próba zmiany głosu – z nowego na stary. Tak samo jak tytuł: „Chłopcy są cynkowi. Pisarze coraz bardziej ze stali". A dziennikarze i redaktorzy „Komsomolskiej Prawdy" – coraz bardziej elastyczni?

Prawda zawsze dużo kosztowała tego, kto ją głosił. Wyrzeczenie się prawdy zawsze sprowadzało nieszczęścia na małodusznych. Współczesna historia nie zna chyba jednak bardziej żałosnej i mającej szerszy zasięg klęski niż destrukcja własnej natury dokonana przez poddanych komunizmu; po takiej klęsce z ludzi zostają „tylko zionące dymem dziury", jak to określił Michaił Bułhakow.

Zionące dymem dziury na radzieckich zgliszczach...

Inna Rogaczij
„Russkaja Mysl", 20–26 stycznia 1994 roku

W ciągu dziesięciu lat afgańskiej awantury przepuszczono przez nią wiele milionów ludzi, których w rezultacie połączyło nie tylko uczucie miłości do radzieckiej ojczyzny, ale i coś jeszcze, coś o wiele istotniejszego. Część z nich zginęła, my zaś po chrześcijańsku smucimy się ich nieodwołalną utratą, szanujemy ból fizycznych i duchowych ran, zadanych ich bliskim. Czyż jednak wolno teraz odrzucić świadomość faktu, że nie są oni bohaterami mającymi bezsporne prawo do ogólnonarodowego hołdu, ale jedynie budzącymi litość ofiarami? Czy sami „afgańcy" to sobie uświadamiają? Na razie dla większości z nich jest to najwyraźniej ponad siły. Kiedy amerykańscy „bohaterowie Wietnamu", których wojenne losy podobnie się ułożyły, zrozumieli istotę swojego bohaterstwa, cisnęli prezydentowi pod nogi otrzymane od niego medale. Nasi swoimi odznaczeniami najwyraźniej potrafią się jedynie chwalić. Kto z nich zastanowił się, za co naprawdę je dostali? Pół biedy, gdyby posłużyły im tylko jako legitymacja uprawniająca do ulg i przywilejów, za którymi ugania się teraz całe nasze ubożejące społeczeństwo. Ich posiadacze mają jednak wyższe aspiracje. Niedawno w Mińsku na jednym z „afgańskich" wieców otwarcie wyrażano chęć objęcia władzy na Białorusi. Cóż, obecnie takie ambicje nie są pozbawione perspektyw. Korzystając z panującego w społeczeństwie zamętu moralnego (Afganistan to brudna wojna, ale jej uczestnicy są internacjonalistycznymi bohaterami), można osiągnąć, co się tylko zechce. W takiej sytuacji matki poległych są podatnym materiałem w rękach czerwonych i brunatnych, byłych i obecnych, którzy wszędzie nabierają rozpędu na nowo. Tak więc matki wykorzystuje się bez skrupułów, grając na ich słusznym oburzeniu, na ich świętej żałobie. Kiedyś tak samo wykorzystano komunistyczną ideowość i patriotyzm ich poległych dzieci. Nie ma sporu, rachuby te są słuszne: kto rzuci kamieniem w cierpiącą matkę? Ale za plecami cierpiących matek złowrogo majaczą znajome postacie o szerokich barach, autor z „Komsomolskiej Prawdy" na próżno więc udaje, że nikogo tam nie widzi. Że „nie chodzi o generałów za ich plecami"...

Złowrogie tchnienie polityki imperialnej, której nie zdołano zrealizować w Afganistanie, coraz wyraźniej odczuwa się na Białorusi. Proces Swietłany Aleksijewicz to tylko jeden z epizodów w długim łańcuchu podobnych, jawnych i ukrytych zdarzeń.

Tęsknota za wielkim mocarstwem i ciepłymi morzami ogarnia nie tylko partię Żyrinowskiego, której zwolenników niemało jest też na Białorusi. „Wstrząśnięcie" posttotalitarnym społeczeństwem, zjednoczenie go poprzez nowy rozlew krwi mają być środkami wiodącymi do ciągle tego samego celu – wczorajszego znieważonego ideału...

Wasil Bykau
„Litieraturnaja Gazieta", 26 stycznia 1994 roku

...Nie, nie o prawdę wojny toczyła się ta twarda walka z sądową rozprawą. To była walka o żywą ludzką duszę, o jej prawo do istnienia w naszym zimnym i nieprzytulnym świecie, bo tylko ona może stać się przeszkodą dla wojny. Wojna będzie trwała dopóty, dopóki szaleje w naszych skołowanych umysłach. Przecież jest ona tylko nieuniknionym skutkiem nagromadzonej w duszy złości, zła...

Dlatego słowa poległego oficera stają się symboliczne i prorocze: „Ja oczywiście wrócę, zawsze wracałem..." (z dziennika starszego lejtnanta Jurija Gałowniewa).

Piotr Tkaczenko
„Wo Sławu Rodiny", 15–22 marca 1994 roku

Spis treści

WYDAWNICTWO CZARNE sp. z o.o.
www.czarne.com.pl

Sekretariat: ul. Kołłątaja 14, III p., 38-300 Gorlice
tel. +48 18 353 58 93, fax +48 18 352 04 75
mateusz@czarne.com.pl, tomasz@czarne.com.pl
dominik@czarne.com.pl, ewa@czarne.com.pl, edyta@czarne.com.pl

Redakcja: Wołowiec 11, 38-307 Sękowa
redakcja@czarne.com.pl

Sekretarz redakcji: malgorzata@czarne.com.pl

Dział promocji: ul. Marszałkowska 43/1, 00-648 Warszawa,
tel./fax +48 22 621 10 48
agnieszka@czarne.com.pl, dorota@czarne.com.pl
zofia@czarne.com.pl, marcjanna@czarne.com.pl

Dział marketingu: honorata@czarne.com.pl

Dział sprzedaży: piotr.baginski@czarne.com.pl
agnieszka.wilczak@czarne.com.pl, urszula@czarne.com.pl

Audiobooki i e-booki: anna@czarne.com.pl

Skład: d2d.pl
ul. Sienkiewicza 9/14, 30-033 Kraków, tel. +48 12 432 08 52
info@d2d.pl

Drukarnia POZKAL
ul. Cegielna 10/12, 88-100 Inowrocław, tel. +48 52 354 27 00

Wołowiec 2015
Wydanie II
Ark. wyd. 13,5; ark. druk. 19,5